시험에 더 강해지는

보카 클리어

VOCA

중학 **실력편**

학습자의 마음을 읽는 동아영어콘텐츠연구팀
동아영어콘텐츠연구팀은 동아출판의 영어 개발 연구원, 현장 선생님,
그리고 전문 원고 집필자들이 공동 연구를 통해 최적의 콘텐츠를 개발하는 연구 조직입니다.

원고 개발에 참여하신 분들
유애경, 홍미정

기획에 도움을 주신 분들
고미선, 김민성, 김효성, 신영주, 양세희, 이민하, 이지혜, 이재호, 이현아, 정은주, 조나현, 조은혜, 한지원

시험에 더 강해지는 **보카클리어**
중학 실력편

지은이	동아영어콘텐츠연구팀
발행일	2021년 10월 20일
인쇄일	2024년 3월 10일
펴낸곳	동아출판㈜
펴낸이	이욱상
등록번호	제300-1951-4호(1951. 9. 19)
개발총괄	장옥희
개발책임	최효정
개발	이제연, 이상은, 이은지, 정혜원
영문교열	Ryan Lagace, Patrick Ferraro
표지 디자인	목진성, 권구철, 이소연
내지 디자인	DOTS
내지 일러스트	정한아름, 서영철
Photo Credits	Shutter Stock
대표번호	1644-0600
주소	서울시 영등포구 은행로 30 (우 07242)

시험에 **더** 강해지는

보카 클리어

중학 **실력편**

Structures

음원을 바로 들을 수 있는 QR 코드

〈영단어〉 〈영단어+우리말 뜻〉
〈영단어+예문〉
3가지의 음원이 제공됩니다.

단어 뜻의 이해를 도와주는 우리말 풀이

단어 뜻이 어려운 경우에는 쉬운
우리말 풀이를 달아 주었어요.

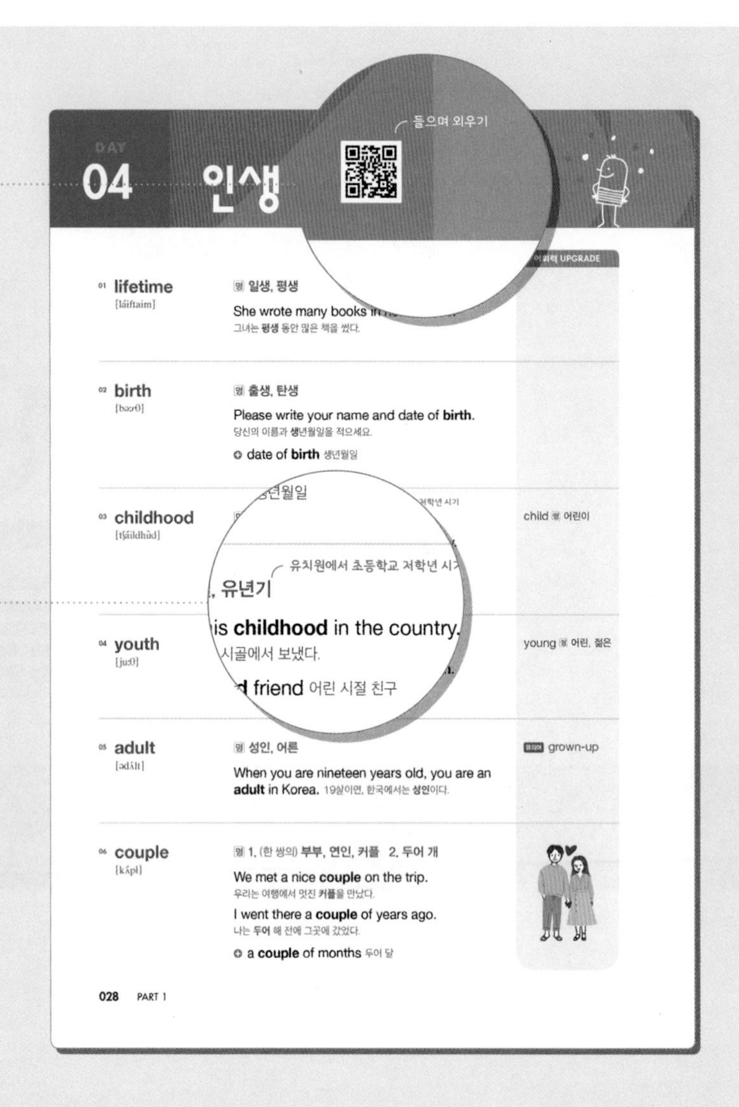

시험에 강해지는 TEST

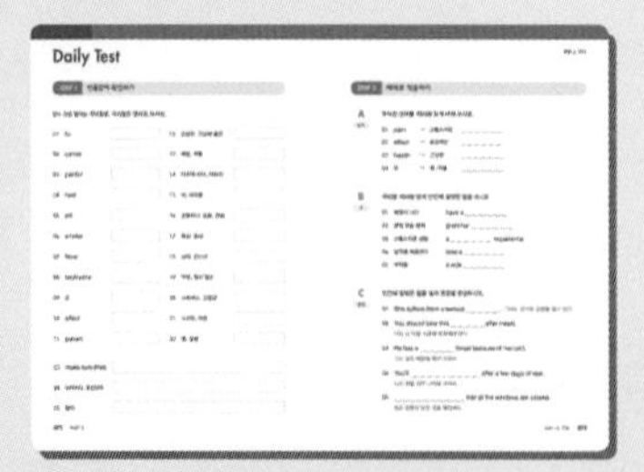

2단계로 구성된 Daily Test로
암기부터 적용까지 확실한 복습!

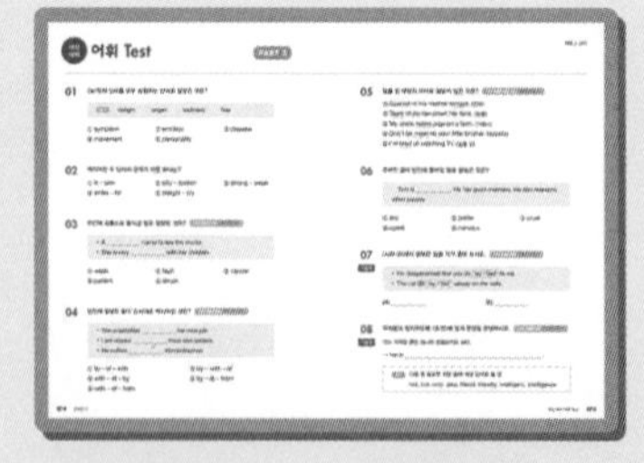

내신 대비 어휘 Test로 객관식부터
서술형까지 학교 시험에 완벽 대비!

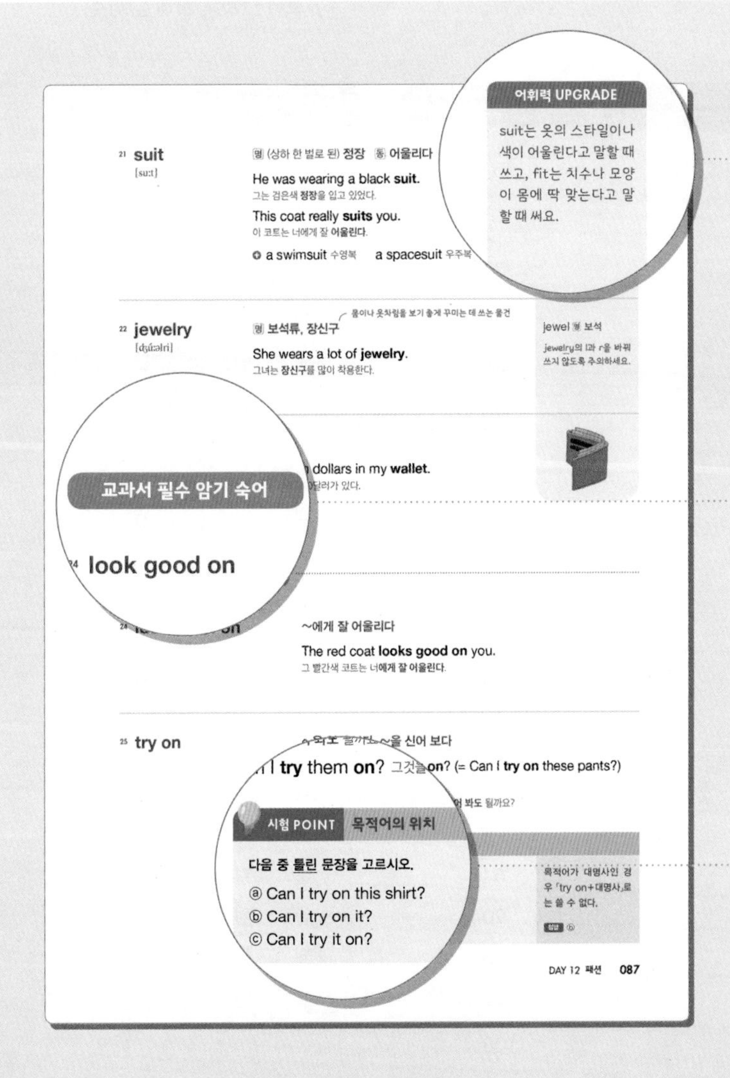

21 suit [su:t]
명 (상하 한 벌로 된) 정장 동 어울리다
He was wearing a black **suit.**
그는 검은색 **정장**을 입고 있었다.
This coat really **suits** you.
이 코트는 너에게 잘 **어울린다.**
a swimsuit 수영복 a spacesuit 우주복

어휘력 UPGRADE
suit는 옷의 스타일이나 색이 어울린다고 말할 때 쓰고, fit는 치수나 모양이 몸에 딱 맞는다고 말할 때 써요.

22 jewelry [dʒúːəlri]
명 보석류, 장신구
몸이나 옷차림을 보기 좋게 꾸미는 데 쓰는 물건
She wears a lot of **jewelry.**
그녀는 **장신구**를 많이 착용한다.
jewel 명 보석
jewelry의 l과 r을 바꿔 쓰지 않도록 주의하세요.

dollars in my **wallet.**
달러가 있다.

교과서 필수 암기 숙어
24 look good on
~에게 잘 어울리다
The red coat **looks good on** you.
그 빨간색 코트는 너**에게 잘 어울린다.**

25 try on
~을 신어 보다
I **try** them **on**? 그것을 ... **on**? (= Can I **try on** these pants?)
... 봐도 될까요?

시험 POINT 목적어의 위치
다음 중 틀린 문장을 고르시오.
ⓐ Can I try on this shirt?
ⓑ Can I try on it?
ⓒ Can I try it on?
목적어가 대명사인 경우 'try on+대명사'로는 쓸 수 없다.
정답 ⓑ

DAY 12 패션 087

어휘력을 향상시켜 주는 다양한 팁

유의어, 반의어, 파생어,
그리고 단어의 배경지식까지
함께 공부할 수 있어요.

교과서 필수 암기 숙어

주제와 관련된
2~3개의 필수 숙어를
함께 학습할 수 있어요.

어휘 관련 시험포인트

해당 어휘와 관련된 중요한
문법 사항이나 혼동 어휘를
바로바로 확인할 수 있어요.

어휘 학습을 도와주는 미니 단어장과 모바일 앱!

미니 단어장

휴대하기 편한 미니 단어장으로
어디서든 편하게 복습해 보세요.

모바일 앱 '암기고래'

'암기고래' 앱에서 어휘 듣기와
어휘 퀴즈를 이용해 보세요.

'암기고래' 앱 > 일반 모드 입장하기 > 영어 >
동아출판 > 보카클리어

Contents & Planner

공부한 날짜를 적어 보세요!

How to Study

보카클리어
200% 활용법

보카클리어로 똑똑하게 어휘를 공부하는 방법을 알려 드립니다.

1

큰 소리로 발음하며 익혀라!

QR 코드로 정확한 발음을 들으면서 단어를 따라 말해 보세요. 소리 내어 말하면서 외우면 더 오랫동안 기억에 남아요.

2

단계별로 범위를 넓혀 가며 외워라!

처음에는 단어와 기본 의미만,
두 번째는 단어가 쓰인 예문까지,
세 번째는 유의어, 반의어, 파생어까지
범위를 넓혀 가며 외우면 더 효과적이에요.

3

무작정 외우기보다는 적용하며 외워라!

shake는 몸을 흔들면서 외우고,
kind는 친절한 사람을 떠올리는 등
단어의 의미를 나와 연관시켜 외우면
단어를 활용할 때 바로 떠올릴 수 있어요.

4

시험포인트를 적극 활용하라!

시험에 자주 나오는 단어나
헷갈리기 쉬운 단어들을
<시험포인트>로 확실하게 정리해 보세요.

5

주기적으로 복습하라!

단어는 한번에 완벽하게 외우기 어려워요.
오늘 공부한 단어는 1일 후, 7일 후, 30일 후
다시 반복해야 확실히 외울 수 있어요.

6

자투리 시간도 내 것으로 만들어라!

학교나 학원을 오갈 때, 쉬는 시간 또는
시험 직전에 미니 단어장과 모바일 앱
(암기고래)을 틈틈이 활용해 보세요.

이 책에 사용된 약호·기호

명 명사 동 동사 형 형용사 부 부사 전 전치사 접 접속사 대 대명사 감 감탄사

유의어 뜻이 비슷한 말 반의어 뜻이 반대되는 말 ⊕ 덩어리로 익히면 좋은 표현

How to Pronounce

발음 기호 읽는 법

발음 기호를 왜 알아야 할까요?

영어 단어는 철자 그대로 발음되지 않아요.
따라서 발음 기호를 알면 일일이 음성을 확인하지 않고도
영어 단어를 읽을 수 있답니다.

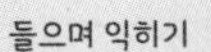

모음

기호	소리	예시	기호	소리	예시
[a]	ㅏ	box [baks]	[æ]	ㅐ	cat [kæt]
[e]	ㅔ	bed [bed]	[ʌ]	ㅓ	bus [bʌs]
[i]	ㅣ	pin [pin]	[ə]	ㅓ	again [əgéin]
[o]	ㅗ	go [gou]	[ɔ]	ㅗ/ㅓ	dog [dɔg]
[u]	ㅜ	book [buk]	[ɛ]	ㅔ	bear [bɛər]

- 모음 다음에 : 표시가 붙어 있으면 길게 발음하라는 의미예요.
- 모음 위에 ´ 표시가 있으면 가장 강하게 발음하라는 의미이고, ` 표시가 있으면 두 번째로 강하게 발음하라는 의미예요.

자음

기호	소리	예시	기호	소리	예시
[b]	ㅂ	boy [bɔi]	[p]	ㅍ	piano [piǽnou]
[d]	ㄷ	do [du]	[f]	ㅍ/ㅎ	five [faiv]
[m]	ㅁ	milk [milk]	[s]	ㅅ	six [siks]
[n]	ㄴ	name [neim]	[k]	ㅋ	king [kiŋ]
[r]	ㄹ	red [red]	[t]	ㅌ	time [taim]
[l]	ㄹ	list [list]	[ʃ]	쉬	she [ʃiː]
[g]	ㄱ	give [giv]	[tʃ]	취	chair [tʃɛər]
[z]	ㅈ	zoo [zuː]	[θ]	쓰	thing [θiŋ]
[v]	ㅂ	very [véri]	[ð]	드	this [ðis]
[h]	ㅎ	home [houm]	[ŋ]	받침 ㅇ	sing [siŋ]
[ʒ]	쥐	television [téləvìʒən]	[j]	이	yes [jes]
[dʒ]	쥐	jam [dʒæm]	[w]	우	window [wíndou]

PART 1

DAY
01 일상생활

들으며 외우기

어휘력 UPGRADE

01 **meal**
[mi:l]

명 식사, 끼니 (매일 일정한 때에 하는 식사)

I usually have three **meals** a day.
나는 보통 하루에 세 끼 **식사**를 한다.

⊕ have a **meal** 식사를 하다

---

02 **prepare**
[pripέər]

동 준비하다

I got up early to **prepare** breakfast.
나는 아침 식사를 **준비하기** 위해 일찍 일어났다.

I am **preparing** for the exams.
나는 시험을 대비하여 **준비하고** 있다.

⊕ **prepare** for (~을 대비하여) 준비하다

---

03 **awake**
[əwéik]
awoke - awoken

형 깨어 있는 동 (잠이) 깨다, 깨우다

She was **awake** until 2 a.m.
그녀는 새벽 2시까지 **깨어 있었다**.

I **awoke** several times during the night.
나는 밤새 몇 번을 **깼다**.

유의어 wake up 깨다, 깨우다

---

04 **asleep**
[əslí:p]

형 잠이 든, 자고 있는

She waited until her son fell **asleep**.
그녀는 아들이 **잠들** 때까지 기다렸다.

⊕ fall **asleep** 잠이 들다

반의어 awake 깨어 있는

---

05 **rest**
[rest]

명 1. 휴식, 쉼 2. 나머지 동 쉬다, 휴식하다

You need to get some **rest**. 넌 좀 **쉴** 필요가 있어.

We ate the **rest** of the cake.
우리는 그 케이크의 **나머지**를 먹었다.

The doctor told me to **rest**.
그 의사 선생님은 나에게 **쉬라고** 말했다.

⊕ get some **rest** 쉬다, 휴식하다

어휘력 UPGRADE

06 **nap**
[næp]

명 **낮잠**

Grandpa always takes a **nap** after lunch.
할아버지는 항상 점심 식사 후에 **낮잠**을 주무신다.

⊕ take a **nap** 낮잠을 자다

---

07 **regularly**
[régjələrli]

부 **규칙적으로, 정기적으로**

You should exercise **regularly**.
너는 **규칙적으로** 운동을 해야 한다.

regular 형 규칙적인, 정기적인
반의어 irregularly 불규칙적으로

---

08 **borrow**
[bá:rou]

동 **빌리다**

I usually **borrow** books from the library.
나는 보통 도서관에서 책을 **빌린다**.

---

09 **lend**
[lend]
lent-lent

동 **빌려주다**

Can you **lend** me some money?
나에게 돈 좀 **빌려줄** 수 있니?

'빌리다'는 borrow, '빌려주다'는 lend로 구별해서 써요.

시험 POINT borrow vs. lend

네모 안에서 알맞은 것을 고르시오.

He didn't [borrow / lend] me his phone.
그는 나에게 그의 전화기를 빌려주지 않았다.

borrow: 빌리다
lend: 빌려주다

정답 lend

---

10 **usual**
[jú:ʒuəl]

형 **평소의, 보통의**

I went to bed at my **usual** time.
나는 **평소와 같은** 시간에 잠자리에 들었다.

usually 부 보통, 대개
반의어 unusual 특이한, 흔치 않은

---

11 **housework**
[háuswə:rk]

명 **집안일, 가사**

She was busy with **housework**.
그녀는 **집안일**로 바빴다.

⊕ do the **housework** 집안일을 하다

house(집) + work(일)

---

12 **sweep**
[swi:p]
swept-swept

동 (빗자루로) **쓸다**

He **sweeps** the floor every day.
그는 매일 바닥을 **빗자루로 쓴다**.

어휘력 UPGRADE

13 **laundry**
[lɔ́ːndri]

명 **빨래, 세탁(물)**

I have to do the **laundry** today.
나는 오늘 **빨래**를 해야 한다.

---

14 **fold**
[fould]

동 (종이·천 등을) **접다,** (옷 등을) **개다**

He **folded** his clothes. 그는 그의 옷을 **갰다.**

---

15 **iron**
[áiərn]

동 **다림질하다** 명 **1. 철, 쇠 2. 다리미**

He **ironed** the shirts himself.
그는 직접 그 셔츠들을 **다림질했다.**

The tower is made of **iron.** 그 탑은 **철**로 만들어졌다.

iron의 r은 묵음이에요. '아이언 맨'을 생각하며 발음해 보세요.

---

16 **share**
[ʃɛər]

동 **함께 쓰다, 공유하다**

I **share** a room with my sister.
나는 내 여동생과 방을 **함께 쓴다.**

Share your idea with your friends.
당신의 생각을 친구들과 **공유해 보세요.**

생각이나 감정 등을 함께 나눌 때도 share를 써요.

---

17 **lose**
[luːz]
lost-lost

동 **1. 잃다, 잃어버리다 2.** (경기·게임 등에서) **지다**

He **lost** his umbrella. 그는 그의 우산을 **잃어버렸다.**

We **lost** the game by one point.
우리는 한 점 차로 그 경기에서 **졌다.**

loss 명 **분실, 손실**

---

18 **own**
[oun]

형 (남의 것이 아닌) **자신의** 동 **소유하다**

I want to have my **own** room.
나는 내 **자신의** 방을 갖고 싶다.

Tom **owns** two houses and a boat.
Tom은 집 두 채와 배 한 척을 **소유하고 있다.**

owner
명 **주인, 소유주**

---

19 **forget**
[fərgét]
forgot-forgotten

동 **잊다**

Don't **forget** to clean your room.
네 방을 청소하는 것을 **잊지** 마라.

⊕ **forget to** ~할 것을 잊다

어휘력 UPGRADE

20 **package** [pǽkidʒ]

명 **소포, 꾸러미**

He left the **package** at the door.
그는 **소포**를 문 앞에 두고 갔다.

---

21 **deliver** [dilívər]

동 **배달하다**

They will **deliver** our new table tomorrow.
그들은 내일 우리의 새 탁자를 **배달할** 것이다.

delivery 명 배달

---

22 **familiar** [fəmíljər]

형 **익숙한, 친숙한**

I couldn't see any **familiar** faces in the room.
나는 그 방에서 **친숙한** 얼굴을 하나도 보지 못했다.

I'm **familiar** with this place.
나는 이곳을 **잘 안다**.

⊕ be **familiar** with ~을 잘 알다, ~에 익숙하다

반의어 unfamiliar 익숙지 않은, 낯선

---

23 **everyday** [évridei]

형 **일상적인, 매일의**

Smartphones are **everyday** items now.
스마트폰은 이제 **일상**용품이다.

⊕ **everyday** life 일상생활

every day 매일

시험 POINT 띄어 쓰면 의미가 달라지는 단어

네모 안에서 알맞은 것을 고르시오.

This story is about his [everyday / every day] experiences.
이 이야기는 그의 일상적인 경험에 관한 것이다.

everyday: 일상적인
every day: 매일

정답 everyday

교과서 필수 암기 숙어

24 **be ready to**

~할 준비가 되다

OK, we'**re ready to** go. 좋아, 우리는 갈 **준비가 됐어**.

---

25 **once in a while**

가끔, 때때로

My family goes camping **once in a while**.
우리 가족은 **가끔** 캠핑을 간다.

Daily Test

STEP 1 빈틈없이 확인하기

[01-25] 영어는 우리말로, 우리말은 영어로 쓰시오.

01 asleep

02 housework

03 nap

04 lend

05 own

06 share

07 package

08 sweep

09 meal

10 prepare

11 rest

12 forget

13 평소의, 보통의

14 일상적인, 매일의

15 규칙적으로

16 접다, 개다

17 빌리다

18 깨어 있는; 깨다, 깨우다

19 잃다, 잃어버리다, 지다

20 빨래, 세탁(물)

21 다림질하다; 철, 다리미

22 익숙한, 친숙한

23 배달하다

24 once in a while

25 ~할 준비가 되다

정답 p. 282

STEP 2 제대로 적용하기

A 단어

주어진 단어를 활용하여 의미나 지시에 맞게 쓰시오.

01 deliver → 배달 ____________

02 lose → 분실, 손실 ____________

03 asleep → 반의어 ____________

04 usual → 반의어 ____________

B 구

우리말 의미에 맞게 빈칸에 알맞은 말을 쓰시오.

01 낮잠을 자다 take a ____________

02 일상생활 ____________ life

03 집안일을 하다 do the ____________

04 잠이 들다 fall ____________

05 가끔, 때때로 once in a ____________

06 식사를 하다 have a ____________

C 문장

빈칸에 알맞은 말을 넣어 문장을 완성하시오.

01 Are you __________ to order? 주문할 준비가 되셨나요?

02 He is __________ with Korean culture. 그는 한국 문화에 익숙하다.

03 Don't __________ to close the windows. 창문 닫는 것을 잊지 마라.

04 You'd better go home and get some __________.
너는 집에 가서 좀 쉬는 게 좋겠다.

05 I must __________ for the English speaking test.
나는 영어 말하기 시험을 준비해야 한다.

DAY

02 학교생활

어휘력 UPGRADE

01 **attend** [ətén d]

동 참석하다, 출석하다

All students must **attend** the class.
모든 학생은 그 수업에 **참석해야** 한다.

---

02 **absent** [ǽbsənt]

형 결석한

David was **absent** from school today.
David는 오늘 학교에 **결석했다**.

⊕ be **absent** from ~에 결석하다

반의어 present 출석한, 참석한

---

03 **semester** [siméstər]

명 학기

The new **semester** starts in March.
새 **학기**는 3월에 시작한다.

---

04 **grade** [greid]

명 1. 학년 2. 성적, 점수

I am in the second **grade**. 나는 2**학년**이다.

I got a good **grade** in English.
나는 영어에서 좋은 **성적**을 받았다.

⊕ get a good[bad] **grade** 좋은[나쁜] 성적을 받다

---

05 **exam** [igzǽm]

명 시험

I will take a history **exam** next week.
나는 다음 주에 역사 **시험**을 볼 것이다.

⊕ take an **exam** 시험을 보다
pass the **exam** 시험에 합격하다

---

06 **presentation** [prèzəntéiʃən]

명 발표, 프레젠테이션

I have to give a **presentation** during the class.
나는 수업 중에 **발표**를 해야 한다.

⊕ give a **presentation** 발표를 하다

어휘력 UPGRADE

07 **graduate**
[grǽdʒueit]

동 졸업하다

My brother **graduated** from high school last February. 우리 형은 지난 2월에 고등학교를 **졸업했다**.

graduation 명 졸업

---

08 **education**
[èdʒukéiʃən]

명 교육

Education is very important in Korea.
교육은 한국에서 매우 중요하다.

educate
동 교육하다

---

09 **principal**
[prínsəpəl]

명 교장 형 주요한, 주된

My **principal** gives a speech every Monday.
우리 **교장 선생님**은 월요일마다 훈화를 하신다.

⊕ a **principal** reason 주된 이유

---

10 **president**
[prézidənt]

명 1. (조직·단체의) 장 2. 대통령

Steve wants to become class **president**.
Steve는 학급 **회장**이 되고 싶어 한다.

⊕ the **president** of Korea 한국의 대통령

President Lincoln(링컨 대통령)처럼 대통령이라는 직책을 나타낼 때는 첫 철자를 대문자로 써요.

---

11 **interest**
[íntərəst]

명 관심, 흥미

I have an **interest** in science. 나는 과학에 **관심**이 있다.

⊕ have an **interest** in ~에 관심이 있다

시험 POINT '~에 관심이 있다'의 영어 표현

네모 안에서 알맞은 것을 고르시오.

She has a great interest [in / with] music.
그녀는 음악에 매우 관심이 있다.

'~에 관심이 있다'라는 의미를 나타낼 때는 전치사 in을 쓴다.

정답 in

---

12 **prize**
[praiz]

명 상, 상품

Mina won first **prize** in the contest.
미나는 그 대회에서 1등 **상**을 받았다.

⊕ win first **prize** 1등 상을 받다

어휘력 UPGRADE

13 **hard**
[hɑːrd]

부 열심히, 애써서
형 1. 어려운, 힘든 2. 딱딱한, 단단한

I studied **hard** to get good grades.
나는 좋은 성적을 받기 위해 **열심히** 공부했다.

It is a **hard** question. 그것은 **어려운** 질문이다.

+ a **hard** floor 딱딱한 바닥

hardly
부 거의 ~ 아니다

시험 POINT hard의 의미

밑줄 친 단어의 의미로 알맞은 것을 고르시오.

I will study English hard.

ⓐ 열심히 ⓑ 어려운 ⓒ 딱딱한

나는 영어를 열심히 공부할 것이다.

정답 ⓐ

14 **excellent**
[éksələnt]

형 훌륭한, 탁월한 (남보다 아주 뛰어난)

She is an **excellent** student.
그녀는 **훌륭한** 학생이다.

excellence
명 뛰어남, 탁월함

15 **behavior**
[bihéivjər]

명 행동, 행실

His **behavior** at school is getting better.
학교에서의 그의 **행동**은 더 좋아지고 있다.

+ good[bad] **behavior** 바른[나쁜] 행동

behave
동 행동하다, 처신하다

16 **counsel**
[káunsəl]

동 (전문적인) 상담을 하다

His job is to **counsel** students with problems.
그의 일은 문제가 있는 학생들을 **상담하는** 것이다.

counselor
명 상담사, 카운슬러

17 **improve**
[imprúːv]

동 개선하다, 향상시키다

I want to **improve** my English skills.
나는 내 영어 실력을 **향상시키고** 싶다.

improvement
명 개선, 향상

18 **elementary school**
[èləméntəri skuːl]

명 초등학교

My sister goes to **elementary school**.
내 여동생은 **초등학교**에 다닌다.

middle school
중학교
high school
고등학교

19 **college**
[kɑ́lidʒ]

명 (단과) **대학**

I will go to **college** in New York.
나는 뉴욕에서 **대학**을 다닐 것이다.

어휘력 UPGRADE

미국에서 일반적으로 대학을 말할 때는 college를 주로 써요.

---

20 **university**
[jùːnəvə́ːrsəti]

명 (종합) **대학교**

Barack Obama studied at Harvard **University**.
버락 오바마는 하버드 **대학교**에서 공부했다.

---

21 **professor**
[prəfésər]

명 **교수**

A **professor** is a teacher at a university or college. **교수**는 종합 대학교나 단과 대학에서 가르치는 사람이다.

---

22 **tip**
[tip]

명 **1. 조언, 비법 2. 팁**

My dad gave me some **tips** for studying.
우리 아빠는 내게 공부를 위한 몇 가지 **조언**을 해 주셨다.

She gave the waiter a good **tip**.
그녀는 그 종업원에게 넉넉한 **팁**을 주었다.

교과서 필수 암기 숙어

23 **pay attention to**

~에 주의를 기울이다

You need to **pay attention to** the teacher.
너는 선생님 말씀**에 주의를 기울일** 필요가 있다.

---

24 **catch up with**

~을 따라잡다

She studied hard to **catch up with** the other students.
그녀는 다른 학생들**을 따라잡기** 위해 열심히 공부했다.

---

25 **not ~ anymore**

더 이상 ~ 않다[아니다]

I'm **not** a baby **anymore**.
저는 **더 이상** 아기가 **아니에요**.

Daily Test

STEP 1 빈틈없이 확인하기

[01-25] 영어는 우리말로, 우리말은 영어로 쓰시오.

01 interest		12 행동, 행실	
02 improve		13 졸업하다	
03 education		14 초등학교	
04 counsel		15 상, 상품	
05 presentation		16 교수	
06 university		17 장, 대통령	
07 exam		18 참석하다, 출석하다	
08 semester		19 (단과) 대학	
09 tip		20 훌륭한, 탁월한	
10 hard		21 교장; 주요한, 주된	
11 grade		22 결석한	

23 not ~ anymore

24 ~을 따라잡다

25 ~에 주의를 기울이다

정답 p.282

STEP 2 제대로 적용하기

A 단어

주어진 단어를 의미에 맞게 바꿔 쓰시오.

01 educate → 교육 ____________

02 improve → 개선, 향상 ____________

03 excellent → 뛰어남, 탁월함 ____________

04 graduate → 졸업 ____________

05 counsel → 상담사 ____________

B 구

우리말 의미에 맞게 빈칸에 알맞은 말을 쓰시오.

01 딱딱한 바닥 a ____________ floor

02 한국의 대통령 the ____________ of Korea

03 발표를 하다 give a ____________

04 나쁜 성적을 받다 get a bad ____________

05 바른 행동 good ____________

C 문장

보기 에서 알맞은 말을 골라 문장을 완성하시오.

보기	pay	prize	exam	catch	absent	up	to

01 He studied hard and passed the __________.

02 Steve won first __________ in the dance contest.

03 I was sick yesterday, so I was __________ from school.

04 I had to run to __________ __________ with her.

05 You should __________ attention __________ his story.

DAY

03 인간관계

어휘력 UPGRADE

01 **relationship** [riléiʃənʃip]

명 관계

I want to keep a good **relationship** with Sue.
나는 Sue와 좋은 **관계**를 유지하고 싶다.

---

02 **neighbor** [néibər]

명 이웃, 이웃 사람

Our new **neighbors** moved in yesterday.
우리의 새 **이웃**이 어제 이사 왔다.

neighborhood
명 지역, 동네

neighbor의 gh는 묵음이에요.

---

03 **community** [kəmjú:nəti]

명 지역 주민, 지역 사회

He worked hard for the **community**.
그는 **지역 사회**를 위해 열심히 일했다.

---

04 **stranger** [stréindʒər]

명 1. 낯선 사람 2. 처음 온 사람

Don't talk to **strangers.** **낯선 사람**과 이야기하지 마라.
I'm a **stranger** here myself. 저는 여기가 **처음입니다**.

strange
형 이상한, 낯선

---

05 **promise** [prámis]

동 약속하다 명 약속

He **promised** to get up early.
그는 일찍 일어나겠다고 **약속했다**.

You must keep your **promise**.
너는 반드시 **약속**을 지켜야 한다.

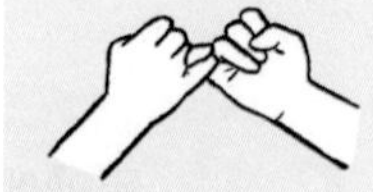

시험 POINT promise to + 동사원형

네모 안에서 알맞은 것을 고르시오.

She promised [help / to help] me.
그녀는 나를 돕겠다고 약속했다.

promise 다음에 동사가 올 때는 「to + 동사원형」으로 쓴다.

정답 to help

---

06 **forgive** [fərgív]
forgave-forgiven

동 용서하다

If you tell him the truth, he will **forgive** you.
네가 그에게 진실을 말한다면, 그는 너를 **용서할** 것이다.

어휘력 UPGRADE

07 **manner** [mǽnər]

명 1. 방식, 태도 2. (-s) 예의

He has a friendly **manner**.
그는 친절한 **태도**를 가지고 있다.

He has no **manners**. 그는 **예의**가 없다.

⊕ table **manners** 식사 예절

단수형과 복수형의 의미가 다르므로 주의하세요.

---

08 **apologize** [əpɑ́lədʒaiz]

동 사과하다

I **apologized** for my mistake.
나는 내 실수에 대해 **사과했다**.

⊕ **apologize** for ~에 대해 사과하다

apology 명 사과

---

09 **blame** [bleim]

동 탓하다, 비난하다

She **blames** me for everything.
그녀는 모든 것에 대해 나를 **탓한다**.

⊕ **blame** *A* for *B* B에 대해 A를 탓하다

---

10 **bother** [bɑ́:ðər]

동 귀찮게 하다, 신경 쓰이게 하다

Don't **bother** me when I'm studying.
내가 공부하고 있을 때 나를 **귀찮게 하지** 마라.

---

11 **doubt** [daut]

동 의심하다 명 의심, 의혹

I **doubt** that she loves you.
나는 그녀가 너를 사랑한다는 것이 **의심스럽다**.

There is no **doubt** that Mia is a good girl.
Mia가 착한 여자아이라는 것에 **의심**의 여지가 없다.

⊕ There is no **doubt** (that) ~라는 것에 의심의 여지가 없다

doubt의 b는 묵음이에요.

---

12 **helpful** [hélpfəl]

형 도움이 되는, 유용한

Thank you for your **helpful** advice.
유용한 충고 고마워.

유의어 useful

---

13 **envy** [énvi]

동 부러워하다 명 부러움

They **envied** his success. 그들은 그의 성공을 **부러워했다**.

envious
형 부러워하는

14 **honesty**
[ánisti]

명 **정직, 솔직함**

Honesty is the best policy.
정직이 최선의 방책이다. (정직한 것이 가장 중요하다.) <격언>

어휘력 UPGRADE
honest
형 정직한, 솔직한
honesty의 h는 묵음이에요.

시험 POINT **honest vs. honesty**

네모 안에서 알맞은 것을 고르시오.
Honest / Honesty is important between friends.
정직은 친구 사이에 중요하다.

honest: 정직한
honesty: 정직
정답 Honesty

15 **respect**
[rispékt]

동 **존경하다, 존중하다** 명 **존경, 존중**

Who do you **respect** the most?
당신은 누구를 가장 **존경하나요**?

I have great **respect** for my father.
나는 아버지에게 깊은 **존경심**을 가지고 있다.

16 **rude**
[ru:d]

형 **무례한, 버릇없는**

He is **rude** to everyone. 그는 모든 사람에게 **무례하다**.

반의어 polite
예의 바른

17 **treat**
[tri:t]

동 **1. 대하다, 다루다 2. 치료하다 3. 대접하다**

My parents still **treat** me like a child.
우리 부모님은 여전히 나를 어린아이처럼 **대하신다**.

He was **treated** in the hospital.
그는 병원에서 **치료를 받았다**.

I'll **treat** you to lunch. 내가 너에게 점심 **살게**.

treatment
명 대우, 치료

18 **care**
[kɛər]

명 **1. 돌봄, 보살핌 2. 주의, 조심** 동 **신경 쓰다**

Babies need a lot of **care**. 아기는 많은 **보살핌**이 필요하다.

I don't **care** what they say.
나는 그들이 하는 말에 **신경 쓰지** 않는다.

careful
형 주의 깊은, 세심한

19 **trust**
[trʌst]

동 **신뢰하다, 믿다** 명 **신뢰, 믿음**

Trust me. I have a good idea.
날 **믿어**. 나에게 좋은 생각이 있어.

There is no **trust** between them.
그들 사이에는 **신뢰**가 없다.

20 **bow**
동사 [bau]
명사 [bou]

동 (허리를 굽혀) **인사하다,** (고개를) **숙이다**
명 **1. 활 2. 나비 모양 매듭**

Koreans **bow** to each other when they meet.
한국 사람들은 만났을 때 서로 **허리를 굽혀 인사한다**.

They hunted with **bows** and arrows.
그들은 **활**과 화살로 사냥했다.

⊕ a **bow** tie 나비 넥타이

---

21 **ignore**
[ignɔ́ːr]

동 **무시하다, 모른 체하다**

He smiled at her, but she **ignored** him.
그는 그녀에게 미소 지었지만, 그녀는 그를 **무시했다**.

---

22 **contact**
[kántækt]

동 **연락하다** 명 **1. 연락 2. 접촉**

For more information, **contact** us by email.
더 많은 정보를 원하시면, 이메일로 우리에게 **연락 주세요**.

I'll keep in **contact** with you.
나는 너와 계속 **연락**할 거야.

⊕ physical **contact** 신체적 접촉

눈을 마주치는 것을 '아이 콘택트(eye contact)'라고 해요.

---

23 **bully**
[búli]

동 (약자를) **괴롭히다, 못살게 굴다**
명 (약자를) **괴롭히는 사람**

Some students **bullied** her at school.
몇몇 학생들이 학교에서 그녀를 **괴롭혔다**.

악성 댓글이나 문자메시지 등을 통해 타인을 괴롭히는 행위를 '사이버불링(cyberbullying)'이라고 해요.

교과서 필수 암기 숙어

24 **do ~ a favor**

~의 부탁을 들어주다

A Can you **do** me **a favor**? **내 부탁 좀 들어줄래**?
B Sure. What is it? 그래. 뭔데?
A Can you return these books to the library?
이 책들을 도서관에 반납해 줄래?

---

25 **get along with**

~와 잘 지내다, ~와 사이가 좋다

She **gets along with** her classmates.
그녀는 반 친구들**과 잘 지낸다**.

Daily Test

STEP 1 빈틈없이 확인하기

[01-25] 영어는 우리말로, 우리말은 영어로 쓰시오.

01 helpful

02 care

03 bother

04 bow

05 stranger

06 envy

07 trust

08 community

09 treat

10 bully

11 blame

12 relationship

13 존경하다; 존경

14 의심하다; 의심

15 약속하다; 약속

16 사과하다

17 무시하다, 모른 체하다

18 이웃, 이웃 사람

19 정직, 솔직함

20 무례한, 버릇없는

21 방식, 태도

22 연락하다; 연락, 접촉

23 용서하다

24 do ~ a favor

25 ~와 잘 지내다, ~와 사이가 좋다

정답 p. 282

STEP 2 제대로 적용하기

A 단어

주어진 단어를 의미에 맞게 바꿔 쓰시오.

01 treat → 대우, 치료 ____________

02 care → 주의 깊은 ____________

03 envious → 부러워하다 ____________

04 honesty → 정직한 ____________

05 apologize → 사과 ____________

B 구

우리말 의미에 맞게 빈칸에 알맞은 말을 쓰시오.

01 식사 예절 table ____________

02 나비 넥타이 a ____________ tie

03 신체적 접촉 physical ____________

04 유용한 충고 ____________ advice

C 문장

빈칸에 알맞은 말을 넣어 문장을 완성하시오.

01 I __________ to help you. 너를 도와주겠다고 약속할게.

02 There is no __________ that Chris is smart.
Chris가 똑똑하다는 것에 의심의 여지가 없다.

03 Will you __________ me a __________? 제 부탁을 들어주실 수 있나요?

04 Don't __________ others __________ your problems.
네 문제에 대해 다른 사람을 탓하지 마라.

05 We get __________ __________ our neighbors.
우리는 이웃들과 잘 지낸다.

DAY

04 인생

들으며 외우기

어휘력 UPGRADE

01 **lifetime** [láiftaim]

명 **일생, 평생**

She wrote many books in her **lifetime**.
그녀는 **평생** 동안 많은 책을 썼다.

---

02 **birth** [bəːrθ]

명 **출생, 탄생**

Please write your name and date of **birth**.
당신의 이름과 **생**년월일을 적으세요.

⊕ date of **birth** 생년월일

---

03 **childhood** [tʃáildhùd]

명 **어린 시절, 유년기** (유치원에서 초등학교 저학년 시기)

He spent his **childhood** in the country.
그는 **어린 시절**을 시골에서 보냈다.

⊕ a **childhood** friend 어린 시절 친구

child 명 어린이

---

04 **youth** [juːθ]

명 **젊은 시절, 젊음**

My mother was beautiful in her **youth**.
우리 엄마는 **젊은 시절**에 아름다우셨다.

young 형 어린, 젊은

---

05 **adult** [ədʌ́lt]

명 **성인, 어른**

When you are nineteen years old, you are an **adult** in Korea. 19살이면, 한국에서는 **성인**이다.

유의어 grown-up

---

06 **couple** [kʌ́pl]

명 1. (한 쌍의) **부부, 연인, 커플** 2. **두어 개**

We met a nice **couple** on the trip.
우리는 여행에서 멋진 **커플**을 만났다.

I went there a **couple** of years ago.
나는 **두어** 해 전에 그곳에 갔었다.

⊕ a **couple** of months 두어 달

07 elderly
[éldərli]

형 나이가 지긋한, 연로한

We read books to the **elderly** people in the nursing home.
우리는 양로원에서 **연로하신** 분들에게 책을 읽어 드렸다.

⊕ the **elderly** 고령자, 어르신들

어휘력 UPGRADE
elderly는 old보다 공손한 표현이에요.

---

08 death
[deθ]

명 죽음, 사망

We were shocked by his **death**.
우리는 그의 **죽음**에 충격을 받았다.

⊕ the cause of **death** 사망 원인

die 동 죽다, 사망하다
dead 형 죽은

---

09 begin
[bigín]
began-begun

동 시작하다, 시작되다

I **began** to learn Chinese when I was 5.
나는 다섯 살 때 중국어를 배우기 **시작했다**.

beginning
명 처음, 시작, 첫 부분
유의어 start

---

10 succeed
[səksíːd]

동 성공하다

I'm sure that you will **succeed**.
나는 네가 **성공할** 거라고 확신해.

success 명 성공
succeed는 c와 e가 두 번씩 쓰이니 철자를 빠뜨리지 않도록 주의하세요.

시험 POINT succeed vs. success

네모 안에서 알맞은 것을 고르시오.
He did his best to [succeed / success].
그는 성공하기 위해 최선을 다했다.

succeed: 성공하다
success: 성공
정답 succeed

---

11 fail
[feil]

동 실패하다

He **failed** several times, but he never gave up.
그는 여러 번 **실패했지만**, 절대 포기하지 않았다.

⊕ **fail** the exam 시험에 떨어지다

failure 명 실패
반의어 succeed 성공하다

---

12 experience
[ikspíəriəns]

명 경험 동 경험하다, 겪다

You can learn by **experience**.
여러분은 **경험**을 통해 배울 수 있다.

You can **experience** Korean culture here.
여러분은 여기에서 한국 문화를 **경험할** 수 있습니다.

어휘력 UPGRADE

13 **decision**
[disíʒən]

명 **결정, 결심**

I can't make a **decision.** 나는 **결정**을 할 수가 없다.

⊕ make a **decision** 결정하다

decide 동 결정하다

---

14 **luck**
[lʌk]

명 **운, 행운**

Four-leaf clovers are a symbol of good **luck.**
네잎클로버는 **행운**의 상징이다.

⊕ Good **luck**! 행운을 빌어요!

lucky
형 운이 좋은, 행운의

---

15 **wisdom**
[wízdəm]

명 **지혜, 현명함**

These stories contain great **wisdom.**
이 이야기들은 위대한 **지혜**를 포함하고 있다.

wise
형 지혜로운, 현명한

---

16 **attitude**
[ǽtitjùːd]

명 **태도, 자세, 마음가짐**

You need to change your bad **attitude.**
너는 너의 안 좋은 **태도**를 바꿀 필요가 있다.

---

17 **meaningful**
[míːniŋfəl]

형 **의미 있는, 유의미한**

The trip was a **meaningful** experience for me.
그 여행은 나에게 **의미 있는** 경험이었다.

반의어 meaningless
의미 없는, 무의미한

---

18 **remember**
[rimémbər]

동 **기억하다**

I always **remember** to do my homework.
나는 항상 숙제를 해야 하는 것을 **기억한다.**

I **remember** meeting him last year.
나는 작년에 그를 만난 것을 **기억한다.**

remember to + 동사원형: (앞으로) ~할 것을 기억하다
remember -ing: (과거에) ~한 것을 기억하다

시험 POINT remember의 쓰임

우리말과 일치하도록 네모 안에서 알맞은 것을 고르시오.

Remember [calling / to call] her when you arrive.
도착하면 그녀에게 전화해야 하는 것을 기억해라.

앞으로 해야 할 일이므로 「to+동사원형」을 쓴다.

정답 to call

19 **chance**
[tʃæns]

명 1. 기회 2. 가능성

Don't miss this **chance** to see him.
그를 볼 수 있는 이 **기회**를 놓치지 마세요.

There is no **chance** of rain today.
오늘 비가 올 **가능성**은 없다.

어휘력 UPGRADE

유의어 opportunity 기회

20 **fate**
[feit]

명 **운명, 숙명**

After he met her, his **fate** changed completely.
그녀를 만난 후에 그의 **운명**은 완전히 바뀌었다.

21 **overcome**
[òuvərkʌ́m]
overcame-overcome

동 **극복하다**

He **overcame** all of his problems and finally succeeded. 그는 그의 모든 문제를 **극복하고** 마침내 성공했다.

22 **someday**
[sʌ́mdèi]

부 (미래의) **언젠가**

I hope I become a star **someday**.
내가 **언젠가** 스타가 되면 좋겠어.

교과서 필수 암기 숙어

23 **come true**

(꿈 등이) **실현되다**

I'm sure that your dream will **come true**.
나는 네 꿈이 **실현될** 거라고 확신해.

24 **bring up**

~을 기르다, ~을 양육하다

This is a good place to **bring up** children.
이곳은 아이를 **기르기**에 좋은 곳이다.

25 **pass away**

세상을 떠나다, 돌아가시다

My grandmother **passed away** last year.
우리 할머니는 작년에 **돌아가셨다**.

Daily Test

STEP 1 빈틈없이 확인하기

[01-25] 영어는 우리말로, 우리말은 영어로 쓰시오.

01 begin

02 meaningful

03 fail

04 lifetime

05 luck

06 adult

07 childhood

08 overcome

09 elderly

10 fate

11 someday

12 성공하다

13 부부, 커플, 두어 개

14 경험; 경험하다, 겪다

15 젊은 시절, 젊음

16 기회, 가능성

17 지혜, 현명함

18 출생, 탄생

19 결정, 결심

20 죽음, 사망

21 기억하다

22 태도, 자세, 마음가짐

23 bring up

24 실현되다

25 세상을 떠나다, 돌아가시다

정답 p. 283

STEP 2 제대로 적용하기

A 단어

주어진 단어를 지시대로 바꿔 쓰시오.

01 start → 유의어 ____________

02 grown-up → 유의어 ____________

03 opportunity → 유의어 ____________

04 fail → 반의어 ____________

B 구

우리말 의미에 맞게 빈칸에 알맞은 말을 쓰시오.

01 생년월일 date of ____________

02 어린 시절 친구 a ____________ friend

03 사망 원인 the cause of ____________

04 결정하다 make a ____________

05 시험에 떨어지다 ____________ the exam

C 문장

빈칸에 알맞은 말을 넣어 문장을 완성하시오.

01 Skydiving is an amazing __________. 스카이다이빙은 놀라운 경험이다.

02 Please __________ to bring your homework tomorrow.
내일 숙제를 가져와야 하는 것을 기억하세요.

03 We visited the restaurant a __________ of months ago.
우리는 두어 달 전에 그 식당을 방문했다.

04 Your dreams will __________ __________ someday.
네 꿈은 언젠가 실현될 것이다.

05 My grandfather __________ __________ three years ago.
우리 할아버지는 3년 전에 돌아가셨다.

특별한 날

들으며 외우기 

어휘력 UPGRADE

01 **invitation** [ìnvitéiʃən]

명 초대, 초대장

I got an **invitation** to Emma's birthday party.
나는 Emma의 생일 파티 **초대장**을 받았다.

invite 동 초대하다

02 **guest** [gest]

명 손님

How many **guests** did you invite?
너는 **손님**을 몇 명 초대했니?

03 **congratulation** [kəngrætʃəléiʃən]

명 축하

A I won first prize in the contest.
나는 대회에서 1등 상을 탔어.
B **Congratulations**! 축하해!

congratulate 동 축하하다
'축하해요.'라고 축하 인사를 할 때는 -s를 붙여 Congratulations.라고 해요.

04 **decorate** [dékəreit]

동 장식하다, 꾸미다

We **decorated** the Christmas tree.
우리는 크리스마스트리를 **장식했다**.

decoration 명 장식, 장식품

05 **candle** [kǽndl]

명 양초

She blew out the **candles** on the cake.
그녀는 케이크 위에 있는 **초**를 불어서 껐다.

06 **excited** [iksáitid]

형 신이 난, 흥분한

I am really **excited** about the trip.
나는 여행 생각에 정말 **신이 난다**.

exciting 형 흥분시키는, 흥미진진한

시험 POINT excited vs. exciting

각 네모 안에서 알맞은 것을 고르시오.

The baseball game was very [excited / exciting].

We were very [excited / exciting].

그 야구 경기는 매우 흥미진진했다. 우리는 매우 흥분했다.

excited: 흥분한
exciting: 흥미진진한

정답 exciting
excited

어휘력 UPGRADE

07 **surprise** [sərpráiz]

동 놀라게 하다 명 놀라운 일, 놀람

We will **surprise** Mom and Dad.
우리는 엄마와 아빠를 **놀라게 할** 것이다.

He came to my house. What a **surprise**!
그가 우리 집에 왔어. **놀라운 일**이야!

⊕ a **surprise** party 깜짝파티

surprised 형 놀란
surprising 형 놀라운

08 **special** [spéʃəl]

형 특별한, 특수한

We do something **special** every Christmas.
우리는 매년 크리스마스에 **특별한** 무언가를 한다.

09 **event** [ivént]

명 1. 행사 2. 사건

This **event** happens every day during the festival. 이 **행사**는 축제 기간 동안 매일 열린다.

It was an important **event** in my life.
그것은 내 인생에서 중요한 **사건**이었다.

10 **wedding** [wédiŋ]

명 결혼식

She was invited to the **wedding**.
그녀는 그 **결혼식**에 초대받았다.

11 **anniversary** [ænəvə́ːrsəri]

명 기념일

Tomorrow is my parents' wedding **anniversary**.
내일은 우리 부모님의 결혼**기념일**이다.

12 **refuse** [rifjúːz]

동 거절하다, 거부하다

He **refused** to join our club.
그는 우리 동아리에 가입하기를 **거절했다**.

refusal 명 거절, 거부

13 **accept** [əksépt]

동 받아들이다, 수락하다

He gladly **accepted** my invitation.
그는 기꺼이 내 초대를 **수락했다**.

반의어 refuse 거절하다

어휘력 UPGRADE

14 **festival**
[féstəvəl]

명 축제

Many people visit the town to enjoy the **festival.** 많은 사람들이 **축제**를 즐기기 위해 그 마을을 방문한다.

---

15 **parade**
[pəréid]

명 행렬, 퍼레이드

You can join the street **parade.**
당신은 거리 **퍼레이드**에 참여할 수 있다.

---

16 **firework**
[fáiərwə:rk]

명 폭죽, 불꽃놀이

The concert ended with **fireworks.**
그 콘서트는 **불꽃놀이**로 끝났다.

불꽃놀이를 나타낼 때는 복수형인 fireworks로 써요.

---

17 **costume**
[kástju:m]

명 의상, 복장

The hanbok is a traditional Korean **costume.**
한복은 전통적인 한국 **의상**이다.

⊕ a Halloween **costume** 핼러윈 의상

---

18 **mask**
[mæsk]

명 탈, 가면

Everyone in the parade was wearing a **mask.**
퍼레이드의 모든 사람들은 **가면**을 쓰고 있었다.

---

19 **trick**
[trik]

명 1. 속임수, 장난 2. 묘기

He enjoys playing **tricks** on his friends.
그는 그의 친구들에게 **장난**하는 것을 즐긴다.

⊕ a magic **trick** 마술 묘기

핼러윈 데이에 아이들이 사탕을 달라며 외치는 Trick or treat!는 "사탕을 안 주면 장난칠 거예요!"라는 의미예요.

---

20 **participate**
[pa:rtísəpeit]

동 참가하다, 참여하다

Many children **participated** in the cooking event. 많은 아이들이 요리 행사에 **참가했다.**

⊕ **participate** in ~에 참가하다

participation
명 참가, 참여

어휘력 UPGRADE

21 **moment**
[móumənt]

명 1. 순간, 때 2. 잠깐, 잠시

What was the happiest **moment** in your life?
당신의 인생에서 가장 행복한 **순간**이 언제였나요?

⊕ Wait a **moment**. 잠깐만 기다려.

---

22 **offer**
[ɔ́:fər]

동 **제공하다, 제의하다** (의견을 내놓다) 명 **제의, 제안**

He **offered** food and drinks to the guests.
그는 손님들에게 음식과 음료를 **제공했다**.

⊕ accept an **offer** 제안을 승낙하다

---

23 **wrap**
[ræp]
wrapped-wrapped

동 **싸다, 포장하다**

Can you **wrap** this gift for me?
이 선물을 **포장해** 줄 수 있나요?

교과서 필수 암기 숙어

24 **fill in**

(서류·양식 등을) **작성하다**

Please **fill in** this form to join the club.
동아리에 가입하려면 이 양식을 **작성해** 주세요.

---

25 **spend+돈/시간+-ing**

~하는 데 (돈을) **쓰다, ~하는 데** (시간을) **보내다**

He **spent** a lot of money **building** this house.
그는 이 집을 **짓는 데** 많은 돈을 **썼다**.

I **spent** the weekend **working** on my science project.
나는 과학 프로젝트를 **하면서** 주말을 **보냈다**.

시험 POINT spend+돈/시간+-ing

네모 안에서 알맞은 것을 고르시오.

I spend too much time [to play / playing] computer games.
나는 컴퓨터 게임을 하는 데 너무 많은 시간을 쓴다.

'~하는 데 (돈·시간을) 쓰다'라는 의미를 나타낼 때는 돈·시간 뒤에 -ing 형태를 쓴다.

정답 playing

Daily Test

STEP 1 빈틈없이 확인하기

[01-25] 영어는 우리말로, 우리말은 영어로 쓰시오.

01 firework

02 accept

03 candle

04 invitation

05 event

06 anniversary

07 parade

08 decorate

09 trick

10 wedding

11 offer

12 special

13 축제

14 손님

15 거절하다, 거부하다

16 의상, 복장

17 놀라게 하다; 놀라운 일

18 탈, 가면

19 축하

20 순간, 때, 잠깐, 잠시

21 싸다, 포장하다

22 참가하다, 참여하다

23 신이 난, 흥분한

24 spend+돈/시간+-ing

25 작성하다

정답 p.283

STEP 2 제대로 적용하기

A 단어

주어진 단어를 의미에 맞게 바꿔 쓰시오.

01 invite → 초대, 초대장 ___________

02 refuse → 거절, 거부 ___________

03 decorate → 장식, 장식품 ___________

04 participate → 참가, 참여 ___________

B 구

우리말 의미에 맞게 빈칸에 알맞은 말을 쓰시오.

01 깜짝파티 a ___________ party

02 결혼기념일 wedding ___________

03 제안을 승낙하다 accept an ___________

04 핼러윈 의상 a Halloween ___________

05 마술 묘기 a magic ___________

C 문장

빈칸에 알맞은 말을 넣어 문장을 완성하시오.

01 Welcome to our school ___________. 우리 학교 축제에 오신 것을 환영합니다.

02 There were many ___________ at his party. 그의 파티에 많은 손님이 있었다.

03 I was so ___________ that I couldn't fall asleep.
나는 너무 흥분해서 잠들 수 없었다.

04 I will ___________ ___________ the singing contest.
나는 노래 경연 대회에 참가할 것이다.

05 She ___________ a lot of money ___________ clothes.
그녀는 옷을 사는 데 많은 돈을 썼다.

내신 대비 어휘 Test

PART 1

01 짝지어진 두 단어의 관계가 다른 하나는?

① asleep – awake
② rude – polite
③ absent – present
④ accept – refuse
⑤ chance – opportunity

02 빈칸에 알맞은 말이 순서대로 짝지어진 것은?

- You should pay attention ___________ his advice.
- I get along ___________ my sister.
- I'm going to participate ___________ the singing contest.

① on – to – in
② to – in – to
③ on – in – at
④ to – with – in
⑤ at – with – on

03 밑줄 친 말의 의미로 알맞은 것은?

My sister and I go shopping together once in a while.

① usually
② regularly
③ sometimes
④ someday
⑤ every day

04 우리말과 일치하도록 할 때, 빈칸에 들어갈 말로 알맞은 것은? DAY 04 시험 POINT

Remember ___________ some milk on your way home.
(집에 오는 길에 우유를 사야 하는 것을 기억하세요.)

① buy
② buying
③ bought
④ to buy
⑤ to buying

정답 p.283

05 대화의 빈칸에 들어갈 말로 알맞은 것은? DAY 01 시험 POINT

A Can you ___________ me a pen?
B Sure. Here you are.

① borrow ② lend ③ share
④ favor ⑤ begin

06 밑줄 친 단어의 쓰임이 어색한 것은? DAY 03, 04 시험 POINT

① I think Mike is very honesty.
② We need to respect the elderly.
③ I'm sure that he will succeed.
④ It is bad manners to point at people.
⑤ You look tired. You should get some rest.

07 빈칸에 공통으로 들어갈 말을 주어진 철자로 시작하여 쓰시오. DAY 02 시험 POINT

서술형

Math is very ___________, so I have to study ___________ to pass the exam.

h___________

08 우리말과 일치하도록 〈조건〉에 맞게 문장을 완성하시오. DAY 05 시험 POINT

서술형

나는 내 방을 청소하는 데 하루 종일을 보냈다.

→ I ____________________________ my room.

조건 1. spend, all day, clean을 사용할 것
2. 필요한 경우, 주어진 말을 알맞은 형태로 바꿀 것

PART

DAY 06

신체

듣으며 외우기

어휘력 UPGRADE

01 **physical** [fízikəl]

형 **신체의, 육체적인**

You need regular **physical** activity to stay healthy. 건강을 유지하기 위해서는 규칙적인 **신체** 활동이 필요하다.

'체육' 과목을 나타내는 PE는 Physical Education의 약자예요.

02 **heart** [hɑːrt]

명 **심장, 마음**

My **heart** is beating fast.
내 **심장**이 빠르게 뛰고 있다.

⊕ with all one's **heart** 진심을 다해, 진심으로

03 **stomach** [stʌ́mək]

명 **위, 배**

My **stomach** hurts after meals.
나는 식후에 **배**가 아프다.

04 **brain** [brein]

명 **뇌, 두뇌**

Blueberries are good for your **brain**.
블루베리는 **뇌**에 좋다.

05 **chest** [tʃest]

명 **가슴**

A gorilla was beating his **chest**.
고릴라 한 마리가 **가슴**을 치고 있었다.

06 **waist** [weist]

명 **허리**

What is your **waist** size?
당신의 **허리** 사이즈가 어떻게 되나요?

waste(쓰레기; 낭비하다)와 발음이 같아요.

07 **back** [bæk]

명 **1. 등, 등뼈 2. 뒷면, 뒤쪽**

Keep your **back** straight. **등**을 똑바로 펴라.

They sat in the **back** of the bus.
그들은 버스의 **뒤쪽**에 앉았다.

어휘력 UPGRADE

08 **breath** [breθ]

명 숨, 호흡

Close your eyes and take a deep **breath**.
눈을 감고 **숨**을 깊이 들이마셔라.

⊕ take a deep **breath** 숨을 깊이 들이마시다

breathe 동 호흡하다, 숨을 쉬다

시험 POINT breath vs. breathe

네모 안에서 알맞은 것을 고르시오.

Hold your [breath / breathe] and count to ten.
숨을 참고 열까지 세라.

breath: 숨
breathe: 숨을 쉬다

정답 breath

09 **arm** [ɑːrm]

명 팔

He broke his **arm** last week.
그는 지난주에 **팔**이 부러졌다.

⊕ break one's **arm** 팔이 부러지다

10 **knee** [niː]

명 무릎

The little girl sat on her dad's **knee**.
그 어린 여자아이는 아빠의 **무릎** 위에 앉았다.

knee의 k는 묵음이에요.

11 **heel** [hiːl]

명 1. 발뒤꿈치 2. (신발의) 굽

She put lotion on her dry **heels**.
그녀는 건조한 **발뒤꿈치**에 로션을 발랐다.

She is wearing shoes with high **heels**.
그녀는 높은 **굽**의 신발을 신고 있다.

12 **palm** [pɑːm]

명 1. 손바닥 2. 야자수

He looked at the coin in his **palm**.
그는 그의 **손바닥**에 있는 동전을 봤다.

⊕ a **palm** tree 야자나무

palm의 l은 묵음이에요.

야자나무의 잎이 손바닥 모양과 비슷하게 생겨서 야자나무를 palm tree라고 불러요.

13 **thumb** [θʌm]

명 엄지손가락

The human hand has a **thumb** and four fingers.
인간의 손은 한 개의 **엄지손가락**과 네 개의 손가락이 있다.

thumb의 b는 묵음이에요.

thumbs up은 '찬성하다, 성공하다'의 의미를 나타내요.

어휘력 UPGRADE

14 **skin**
[skin]

명 피부

Too much sun is bad for your **skin**.
너무 많은 햇빛은 네 **피부**에 안 좋다.

---

15 **bone**
[boun]

명 뼈

Adults have 206 **bones**.
성인은 206개의 **뼈**가 있다.

---

16 **muscle**
[mʌsl]

명 근육, 근력

He has very strong **muscles**.
그는 매우 강한 **근육**을 가지고 있다.

muscle의 c는 묵음이에요.

---

17 **blood**
[blʌd]

명 피, 혈액

They lost a lot of **blood** in the car accident.
그들은 자동차 사고로 **피**를 많이 흘렸다.

⊕ **blood** type 혈액형

bleed
동 피를 흘리다

---

18 **tear**
명사 [tiər]
동사 [teər]
tore-torn

명 눈물, 울음 동 찢다, 뜯다

The boy wiped the **tears** from his eyes.
그 남자아이는 눈에서 **눈물**을 닦았다.

I **tore** the picture into pieces.
나는 그 사진을 조각조각 **찢었다**.

tear는 명사일 때와 동사일 때 발음이 달라요.

시험 POINT tear의 의미

밑줄 친 단어의 의미로 알맞은 것을 고르시오.

As he read her letter, his eyes filled with tears.

ⓐ 눈물 ⓑ 찢다

그녀의 편지를 읽었을 때, 그의 눈은 눈물로 가득 찼다.

정답 ⓐ

---

19 **tongue**
[tʌŋ]

명 1. 혀 2. 언어

Giraffes have long **tongues**. 기린은 **혀**가 길다.

⊕ mother **tongue** 모국어

20 strength
[streŋkθ]

명 1. 힘, 기운, 체력 2. 장점, 강점

He didn't have the **strength** to stand up.
그는 일어설 **힘**이 없었다.

Her honesty is her **strength.**
정직은 그녀의 **장점**이다.

어휘력 UPGRADE

strengthen 동 강화하다, 더 튼튼하게 하다

반의어 weakness 약함, 약점

21 alive
[əláiv]

형 살아 있는

Is your grandmother still **alive**?
너희 할머니는 아직 **살아 계시니**?

반의어 dead 죽은

22 deaf
[def]

형 귀가 먹은, 청각 장애가 있는

It is a school for **deaf** students.
그곳은 **청각 장애가 있는** 학생들을 위한 학교이다.

23 blind
[blaind]

형 눈이 먼, 시각 장애의

The dog helped the **blind** people.
그 개는 **시각 장애**인들을 도왔다.

'소개팅'이나 '미팅'은 영어로 blind date라고 해요.

교과서 필수 암기 숙어

24 work out

(헬스장 등에서 정기적으로) **운동하다**

He **works out** three days a week.
그는 일주일에 3일 **운동한다**.

25 stay up

(늦게까지) **깨어 있다, 자지 않고 있다**

She **stayed up** late to finish the report.
그녀는 그 보고서를 끝내기 위해 늦게까지 **깨어 있었다**.

Daily Test

STEP 1 빈틈없이 확인하기

[01-25] 영어는 우리말로, 우리말은 영어로 쓰시오.

01 arm

02 chest

03 heart

04 skin

05 heel

06 tear

07 bone

08 brain

09 breath

10 palm

11 deaf

12 alive

13 위, 배

14 무릎

15 허리

16 근육, 근력

17 혀, 언어

18 신체의, 육체적인

19 피, 혈액

20 힘, 체력, 장점, 강점

21 등, 등뼈, 뒷면, 뒤쪽

22 눈이 먼, 시각 장애의

23 엄지손가락

24 work out

25 (늦게까지) 깨어 있다

정답 p.284

STEP 2 제대로 적용하기

A 단어

주어진 단어를 활용하여 의미나 지시에 맞게 쓰시오.

01 breath → 숨을 쉬다 ____________

02 blood → 피를 흘리다 ____________

03 strength → 반의어 ____________

04 alive → 반의어 ____________

B 구

우리말 의미에 맞게 빈칸에 알맞은 말을 쓰시오.

01 야자나무 a ____________ tree

02 혈액형 ____________ type

03 모국어 mother ____________

04 신체 활동 ____________ activity

05 숨을 깊이 들이마시다 take a deep ____________

C 문장

빈칸에 알맞은 말을 넣어 문장을 완성하시오.

01 My mom loves me with all her __________.
우리 엄마는 진심으로 나를 사랑하신다.

02 You should sit with your __________ straight.
네 등을 곧게 펴고 앉아야 한다.

03 My brother broke his __________ yesterday.
내 남동생은 어제 팔이 부러졌다.

04 Did you __________ __________ late last night?
어젯밤에 늦게까지 깨어 있었니?

05 How often do you __________ __________? 얼마나 자주 운동을 하니?

DAY

07 성격과 특징

듣으며 외우기

어휘력 UPGRADE

01 **personality** [pə̀ːrsənǽləti]

명 성격, 개성

We all have different **personalities**.
우리는 모두 다른 **성격**을 갖고 있다.

⊕ **personality** type 성격 유형

personal
형 개인의, 개인적인

---

02 **friendly** [fréndli]

형 친절한, 상냥한

My neighbors are very **friendly**.
내 이웃들은 매우 **친절하다**.

반의어 unfriendly
불친절한

---

03 **outgoing** [áutgòuiŋ]

형 외향적인, 사교적인

Judy is **outgoing**, so she makes friends easily.
Judy는 **외향적이어서** 쉽게 친구를 사귄다.

---

04 **gentle** [dʒéntl]

형 온화한, 부드러운

My father is a kind and **gentle** man.
우리 아버지는 친절하고 **온화한** 사람이다.

---

05 **active** [ǽktiv]

형 활동적인, 적극적인

My grandmother is 85, but she is still **active**.
우리 할머니는 85세이시지만, 여전히 **활동적이시다**.

act 동 행동하다
activity
명 움직임, 활동

---

06 **faithful** [féiθfəl]

형 충실한, 의리 있는

He is my true and **faithful** friend.
그는 나의 진실하고 **의리 있는** 친구이다.

faith 명 믿음, 신뢰

어휘력 UPGRADE

07 **hard-working** [hà:rd wə́:rkiŋ]

형 근면한, 열심히 일하는

Ms. Smith is a **hard-working** teacher.
Smith 선생님은 **근면한** 선생님이시다.

---

08 **modest** [mά:dist]

형 1. 겸손한 2. 보통의, 적당한

She is very **modest** about her success.
그녀는 그녀의 성공에 대해 매우 **겸손하다**.

⊕ a **modest** size 적당한 크기

---

09 **shy** [ʃai]

형 수줍은, 부끄러워하는

Don't be **shy**. **부끄러워하지** 마.

---

10 **thoughtful** [θɔ́:tfəl]

형 배려심 있는, 사려 깊은 (깊게 생각하는)

Thank you for your **thoughtful** advice.
당신의 **사려 깊은** 충고에 감사드립니다.

thought(생각) + ful (~이 많은)

---

11 **confident** [kάnfidənt]

형 1. 자신감 있는 2. 확신하는

You look **confident**. 너는 **자신감이 있어** 보인다.

They are **confident** of success.
그들은 성공을 **확신한다**.

confidence 명 자신감, 신뢰

---

12 **curious** [kjúəriəs]

형 궁금한, 호기심이 많은

Children are **curious** about everything around them. 어린이들은 그들 주변의 모든 것에 대해 **궁금해한다**.

curiosity 명 호기심

---

13 **polite** [pəláit]

형 예의 바른, 공손한

He is always **polite** to everyone.
그는 항상 모든 사람들에게 **예의가 바르다**.

반의어 impolite 무례한, 실례되는

어휘력 UPGRADE

14 **pride**
[praid]

명 자랑스러움, 자부심

He takes **pride** in his work.
그는 자신의 일을 **자랑스럽게** 여긴다.

⊕ take **pride** in ~을 자랑스럽게 여기다

proud 형 자랑스러운

---

15 **clever**
[klévər]

형 영리한, 재치 있는

Their son is very **clever**, so he learns everything quickly. 그들의 아들은 매우 **영리해서** 모든 것을 빨리 배운다.

유의어 smart

---

16 **intelligent**
[intélidʒənt]

형 총명한(아주 똑똑한), 지적인

He is **intelligent**, but he doesn't study hard.
그는 **총명하지만**, 열심히 공부하지 않는다.

intelligence 명 지능

---

17 **fault**
[fɔːlt]

명 1. 단점, 결점 2. 잘못, 책임

I can't find **fault** with him.
나는 그에게서 **단점**을 찾을 수가 없다.

It's not my **fault**. 그것은 내 **잘못**이 아니야.

---

18 **cruel**
[krúːəl]

형 잔인한, 무자비한

The **cruel** king killed many people.
그 **잔인한** 왕은 많은 사람을 죽였다.

---

19 **mean**
[miːn]
meant-meant

형 못된, 심술궂은 동 의미하다

Jake was **mean** to everyone.
Jake는 모든 사람에게 **심술궂었다**.

What does this word **mean**?
이 단어는 무엇을 **의미하니**?

시험 POINT mean의 의미

밑줄 친 단어의 의미로 알맞은 것을 고르시오.

Don't be so mean to your brother.

ⓐ 못된 ⓑ 의미하다

네 남동생에게 너무 못되게 굴지 마라.

정답 ⓐ

어휘력 UPGRADE

20 **talkative**
[tɔ́ːkətiv]

형 수다스러운, 말이 많은

My little sister is very **talkative**.
내 여동생은 매우 **수다스럽다**.

21 **silly**
[síli]

형 어리석은, 바보 같은

You were **silly** to trust him.
그를 믿다니 너는 **어리석었다**.

유의어 foolish
stupid

22 **appearance**
[əpíərəns]

명 외모, 겉모습

He is proud of his **appearance**.
그는 자신의 **외모**를 자랑스러워한다.

23 **unlike**
[ʌnláik]

전 ~와 다른, ~와 달리

Ann is tall, **unlike** her sister.
Ann은 그녀의 여동생**과 달리** 키가 크다.

반의어 like
~와 같은, ~처럼

교과서 필수 암기 숙어

24 **take after**

~을 닮다

David **takes after** his grandfather.
David는 그의 할아버지를 **닮았다**.

유의어 resemble

25 **not only *A* but also *B***

A 뿐만 아니라 B도

She is **not only** beautiful **but also** smart.
그녀는 아름다울 **뿐만 아니라** 똑똑하기**도** 하다.

시험 POINT 알맞은 단어의 형태

빈칸에 알맞은 말을 고르시오.

He is not only kind but also ________.

ⓐ a gentleman ⓑ handsome

not only *A* but also *B*에서 A와 B에는 문법적으로 같은 형태를 써야 한다. A에 kind가 있으므로 B에도 형용사를 써야 한다.

정답 ⓑ

Daily Test

STEP 1 빈틈없이 확인하기

[01-25] 영어는 우리말로, 우리말은 영어로 쓰시오.

01 pride

02 cruel

03 thoughtful

04 talkative

05 friendly

06 mean

07 silly

08 outgoing

09 clever

10 hard-working

11 faithful

12 unlike

13 온화한, 부드러운

14 자신감 있는, 확신하는

15 총명한, 지적인

16 예의 바른, 공손한

17 겸손한, 보통의, 적당한

18 성격, 개성

19 외모, 겉모습

20 수줍은, 부끄러워하는

21 활동적인, 적극적인

22 궁금한, 호기심이 많은

23 단점, 결점, 잘못, 책임

24 take after

25 A 뿐만 아니라 B도

정답 p.284

STEP 2 제대로 적용하기

A 단어

주어진 단어를 지시대로 바꿔 쓰시오.

01 friendly → 반의어 ____________

02 smart → 유의어 ____________

03 silly → 유의어 ____________

04 polite → 반의어 ____________

B 구

우리말 의미에 맞게 빈칸에 알맞은 말을 쓰시오.

01 성격 유형 ____________ type

02 적당한 크기 a ____________ size

03 사려 깊은 충고 ____________ advice

04 의리 있는 친구 a ____________ friend

C 문장

빈칸에 알맞은 말을 넣어 문장을 완성하시오.

01 They are __________ of victory. 그들은 승리를 확신한다.

02 __________ my brother, I can't swim. 내 남동생과 달리 나는 수영을 못한다.

03 Angela __________ __________ her aunt.
Angela는 그녀의 이모를 닮았다.

04 We take __________ __________ our school.
우리는 우리 학교를 자랑스럽게 여긴다.

05 He is not __________ silly __________ also mean.
그는 어리석을 뿐만 아니라 심술궂다.

DAY
08 감정

어휘력 UPGRADE

01 **emotion** [imóuʃən]

명 감정

It is important to express **emotions**.
감정을 표현하는 것은 중요하다.

emotional 형 감정의, 감정적인

---

02 **happiness** [hǽpinis]

명 행복

We can't buy **happiness** with money.
우리는 돈으로 **행복**을 살 수 없다.

happy 형 행복한

---

03 **delight** [diláit]

명 (큰) 기쁨, 즐거움

He couldn't hide his **delight** at the victory.
그는 승리에 대한 **기쁨**을 감출 수 없었다.

유의어 joy

---

04 **satisfied** [sǽtisfaid]

형 만족하는

She was **satisfied** with her exam results.
그녀는 시험 결과에 **만족했다**.

⊕ be **satisfied** with ~에 만족하다

satisfying 형 만족감을 주는, 만족스러운

시험 POINT be satisfied with

네모 안에서 알맞은 것을 고르시오.

They were satisfied [by / with] the new house.
그들은 새 집에 만족했다.

'~에 만족하다'라는 의미를 나타낼 때는 with를 쓴다.

정답 with

---

05 **hopeful** [hóupfəl]

형 희망에 찬, 기대하는

We are **hopeful** about the future.
우리는 미래에 대해 **희망에 차** 있다.

hope 명 희망, 기대 동 희망하다

---

06 **thankful** [θǽŋkfəl]

형 감사해하는, 고마워하는

She is **thankful** for her family.
그녀는 그녀의 가족에게 **감사해한다**.

thank 동 감사하다, 고마워하다

어휘력 UPGRADE

07 **pleased**
[pli:zd]

형 기뻐하는

She was very **pleased** with my present.
그녀는 내 선물에 매우 **기뻐했다**.

⊕ be **pleased** with ~에 기뻐하다

please
동 기쁘게 하다

---

08 **sadness**
[sǽdnis]

명 슬픔

Her eyes are full of **sadness**.
그녀의 눈은 **슬픔**으로 가득 차 있다.

sad 형 슬픈

---

09 **anger**
[ǽŋgə*r*]

명 화, 분노

You should learn how to control your **anger**.
너는 **분노**를 조절하는 법을 배워야 한다.

angry 형 화난, 성난

---

10 **mad**
[mæd]

형 몹시 화난, 열받은

Mr. Brown was **mad** at me for being rude.
Brown 선생님은 내가 무례하게 굴어서 **몹시 화가 나셨다**.

---

11 **upset**
[ʌpsét]

형 속상한, 기분이 상한

I was **upset** that he didn't call.
나는 그가 전화하지 않아서 **기분이 상했다**.

---

12 **jealous**
[dʒéləs]

형 질투하는, 시기하는

She is **jealous** of his talent.
그녀는 그의 재능을 **질투한다**.

⊕ be **jealous** of ~을 질투[시기]하다

jealousy
명 질투, 시샘

---

13 **fear**
[fiə*r*]

명 공포, 두려움, 무서움

I have a **fear** of heights.
나는 고소**공포**증(높은 곳에 대한 **두려움**)이 있다.

fearful
형 무서운, 두려운

어휘력 UPGRADE

14 **afraid**
[əfréid]

형 **두려워하는**

Don't be **afraid** of failure.
실패를 **두려워하지** 마라.

⊕ be **afraid** of ~을 두려워하다

---

15 **scream**
[skriːm]

동 (공포·고통·흥분 등으로) **비명을 지르다**
명 **비명 (소리)**

She found a spider in her bed and **screamed**.
그녀는 그녀의 침대에서 거미를 발견하고 **비명을 질렀다**.

I heard a **scream** for help.
나는 도와달라는 **비명**을 들었다.

이 그림은 뭉크의 'The Scream(절규)'이에요.

---

16 **shock**
[ʃɑk]

명 **충격, 충격적인 일** 동 **충격을 주다**

The news gave me a **shock**.
그 뉴스는 나에게 **충격**을 주었다.

His bad behavior **shocked** us.
그의 나쁜 행동은 우리에게 **충격을 줬다**.

shocking
형 충격적인

---

17 **nervous**
[nə́ːrvəs]

형 **초조한, 긴장한**

She is **nervous** about the interview.
그녀는 면접 때문에 **초조하다**.

nervously
부 초조하게, 긴장하여

---

18 **tired**
[táiərd]

형 **1. 피곤한, 지친 2. 싫증 난, 지겨운**

You look **tired**. 너 **피곤해** 보여.

She was **tired** of her job. 그녀는 그녀의 일에 **싫증이 났다**.

⊕ be **tired** of ~에 싫증이 나다

---

19 **disappointed**
[dìsəpɔ́intid]

형 **실망한, 낙담한**

I was **disappointed** with myself.
나는 나 자신에게 **실망했다**.

disappoint
동 실망시키다

어휘력 UPGRADE

20 **worry**
[wə́:ri]

동 **걱정하다, 염려하다**

You don't have to **worry** about the schedule.
너는 일정에 대해 **걱정할** 필요가 없다.

21 **miss**
[mis]

동 **1. 그리워하다 2. 놓치다**

I still **miss** him a lot. 나는 여전히 그를 많이 **그리워한다**.

If you don't leave now, you'll **miss** the train.
지금 떠나지 않으면 너는 기차를 **놓칠** 거야.

22 **regret**
[rigrét]
regretted-regretted

동 **후회하다** 명 **유감, 후회**

I **regret** saying that to her.
나는 그녀에게 그것을 말한 것을 **후회한다**.

She expressed her **regret** at the decision.
그녀는 그 결정에 대해 **유감**을 표했다.

regretful 형 유감스러워하는, 후회하는

23 **seem**
[si:m]

동 **~인 것 같다, ~인 듯이 보이다**

He **seems** interested in Julia.
그는 Julia에게 관심이 있**는 것 같다**.

시험 POINT seem + 형용사

네모 안에서 알맞은 것을 고르시오.

They seem very [happy / happily].
그들은 무척 행복한 듯이 보인다.

'~한 듯이 보이다'라는 의미를 나타낼 때 seem 다음에는 형용사를 쓴다.

정답 happy

교과서 필수 암기 숙어

24 **fall in love with**

~와 사랑에 빠지다

He **fell in love with** her. 그는 그녀**와 사랑에 빠졌다**.

25 **be scared of**

~을 무서워하다

She **is scared of** snakes. 그녀는 뱀**을 무서워한다**.

Daily Test

STEP 1 빈틈없이 확인하기

[01-25] 영어는 우리말로, 우리말은 영어로 쓰시오.

01 mad

02 worry

03 tired

04 emotion

05 miss

06 delight

07 seem

08 regret

09 pleased

10 thankful

11 shock

12 hopeful

13 공포, 두려움, 무서움

14 행복

15 실망한, 낙담한

16 두려워하는

17 슬픔

18 속상한, 기분이 상한

19 질투하는, 시기하는

20 화, 분노

21 만족하는

22 초조한, 긴장한

23 비명을 지르다; 비명

24 be scared of

25 ~와 사랑에 빠지다

정답 p.284

STEP 2 제대로 적용하기

A 단어

주어진 단어를 의미에 맞게 바꿔 쓰시오.

01 happy → 행복 ______________

02 angry → 화, 분노 ______________

03 jealous → 질투, 시샘 ______________

04 thank → 감사해하는 ______________

05 emotion → 감정의, 감정적인 ______________

B 구

우리말 의미에 맞게 빈칸에 알맞은 말을 쓰시오.

01 고소공포증 a ______________ of heights

02 도와달라는 비명 a ______________ for help

03 그와 사랑에 빠지다 fall in ______________ with him

04 기차를 놓치다 ______________ the train

C 문장

빈칸에 알맞은 말을 넣어 문장을 완성하시오.

01 He is never ___________ with himself. 그는 절대 자기 자신에게 만족하지 않는다.

02 She is ___________ ___________ dogs. 그녀는 개를 무서워한다.

03 They were very ___________ with his success.
그들은 그의 성공에 무척 기뻐했다.

04 I am ___________ of eating at the school cafeteria.
나는 학교 식당에서 밥 먹는 것에 싫증이 난다.

05 She was ___________ with the ending of the movie.
그녀는 그 영화의 결말에 실망했다.

DAY

09 동작

들으며 외우기

어휘력 UPGRADE

01 **gesture**
[dʒéstʃər]

명 **몸짓, 손짓, 제스처**

Some **gestures** have different meanings in different countries.
어떤 **몸짓**은 다른 나라에서 다른 의미를 나타낸다.

---

02 **movement**
[múːvmənt]

명 **1. 움직임, 동작 2.** (사회적·정치적) **운동**

We watched the dancer's graceful **movements**.
우리는 그 무용수의 우아한 **동작**을 지켜보았다.

⊕ the independence **movement** 독립 운동

move 동 움직이다

---

03 **action**
[ǽkʃən]

명 **행동, 행위**

Actions are more important than words.
행동은 말보다 더 중요하다.

act 동 행동하다

---

04 **bend**
[bend]
bent-bent

동 **굽히다, 구부리다, 숙이다**

He **bent** down to pick up the trash.
그는 쓰레기를 줍기 위해 몸을 **숙였다**.

---

05 **lie**
[lai]
1. lay-lain
2. lied-lied

동 **1. 누워 있다, 눕다 2. 거짓말하다**

Cathy **lay** on the couch. Cathy는 소파에 **누워 있었다**.
Cathy **lied** about her age.
Cathy는 그녀의 나이에 대해 **거짓말했다**.

lie는 의미에 따라 과거형과 과거분사형이 달라지니 구분하여 사용해야 해요.

시험 POINT 의미에 따른 과거형

각 네모 안에서 알맞은 것을 고르시오.

1. I can't believe that you [lay / lied] to me.
   나는 네가 나에게 거짓말했다는 것을 믿을 수가 없다.
2. She [lay / lied] asleep on the bed.
   그녀는 침대 위에 잠들어 누워 있었다.

'거짓말했다'는 lied이고, '누워 있었다'는 lay이다.

정답 1. lied 2. lay

어휘력 UPGRADE

06 **slide**
[slaid]
slid-slid

동 **미끄러지다** 명 **미끄럼틀**

The car **slid** on the ice. 그 차는 얼음 위에서 **미끄러졌다**.

수영장의 대형 미끄럼틀을 water slide(워터 슬라이드)라고 해요.

---

07 **lean**
[liːn]

동 **기대다, (몸을) 기울이다**

Don't **lean** on the door. 문에 **기대지** 마세요.

---

08 **strike**
[straik]
struck-struck

동 **치다, 부딪치다**

The truck **struck** the tree. 그 트럭이 나무에 **부딪쳤다**.

유의어 hit

---

09 **swing**
[swiŋ]
swung-swung

동 (앞뒤·좌우로) **흔들리다, 흔들다** 명 **그네**

The monkey was **swinging** in the tree.
그 원숭이는 나무에서 **흔들거리고** 있었다.

Some children were playing on the **swings**.
몇몇 아이들이 **그네**를 타고 놀고 있었다.

---

10 **lift**
[lift]

동 **들다, 들어 올리다**

He **lifted** the box. 그는 그 상자를 **들었다**.

---

11 **hide**
[haid]
hid-hidden

동 **1. 숨기다, 감추다 2. 숨다**

I'll **hide** the gifts under the bed.
나는 그 선물들을 침대 아래에 **숨길** 것이다.

He **hid** under the table. 그는 그 탁자 아래 **숨었다**.

⊕ **hide**-and-seek 숨바꼭질

---

12 **roll**
[roul]

동 **굴러가다, 굴리다** 명 **두루마리** (길게 둘둘 만 물건)

The coin **rolled** under the table.
그 동전은 탁자 아래로 **굴러갔다**.

She **rolled** the dice. 그녀는 주사위를 **굴렸다**.

⊕ a **roll** of toilet paper 두루마리 화장지 하나

어휘력 UPGRADE

13 **stretch**
[stretʃ]

동 (팔·다리 등을) **쭉 펴다, 스트레칭하다**

Yoga is a great way to **stretch** your body.
요가는 몸을 **스트레칭할** 수 있는 좋은 방법이다.

---

14 **repeat**
[ripíːt]

동 **반복하다, 다시 말하다**

I'm sorry. Could you **repeat** that?
죄송합니다. **다시 말씀해** 주시겠어요?

repetition 명 반복

---

15 **sigh**
[sai]

동 **한숨을 쉬다** 명 **한숨 (소리)**

Mom looked at me and **sighed** deeply.
엄마는 나를 보고 깊게 **한숨을 쉬셨다**.

---

16 **blink**
[bliŋk]

동 (눈을) **깜박이다**

Blink your eyes often. 눈을 자주 **깜박여라**.

---

17 **glance**
[glæns]

동 **흘끗[휙] 보다**

He **glanced** at me over his shoulder.
그는 어깨 너머로 나를 **흘끗 보았다**.

⊕ **glance** at ~을 흘끗 보다

---

18 **raise**
[reiz]

동 **1. 들어 올리다, 올리다 2. 모으다 3. 기르다**

He **raised** his arms above his head.
그는 그의 머리 위로 팔을 **들어 올렸다**.

We are **raising** money to help poor people.
우리는 가난한 사람들을 돕기 위해 돈을 **모으고** 있다.

The farmer **raises** chickens and pigs.
그 농부는 닭과 돼지를 **기른다**.

시험 POINT rise vs. raise

각 네모 안에서 알맞은 것을 고르시오.

1. The sun [rises / raises] in the east.
2. If you have any questions, [rise / raise] your hand.

1. 해는 동쪽에서 뜬다.
2. 질문이 있으면 손을 드세요.

정답 1. rises 2. raise

어휘력 UPGRADE

19 **continue**
[kəntínjuː]

동 (쉬지 않고) **계속하다, 계속되다**

She **continued** reading the book until midnight.
그녀는 자정까지 그 책을 **계속** 읽었다.

---

20 **react**
[riǽkt]

동 **반응하다**

How did he **react** to the news?
그는 그 뉴스에 어떻게 **반응했니**?

⊕ **react** to ~에 반응하다

reaction
명 반응, 반작용

---

21 **relax**
[rilǽks]

동 **편히 쉬다, 긴장을 풀다**

I **relaxed** at home last Sunday.
나는 지난 일요일에 집에서 **편히 쉬었다**.

---

22 **suddenly**
[sʌ́dnli]

부 **갑자기, 별안간**

Suddenly, she began to run.
갑자기 그녀는 달리기 시작했다.

sudden
형 갑작스러운

---

23 **quick**
[kwik]

형 **빠른, 신속한, 민첩한**

The firefighter's **quick** action saved her life.
그 소방관의 **민첩한** 행동이 그녀의 생명을 구했다.

quickly
부 재빨리, 곧

교과서 필수 암기 숙어

24 **by chance**

우연히

I met her **by chance** on the train.
나는 기차에서 **우연히** 그녀를 만났다.

---

25 **as soon as**

~하자마자

As soon as I entered the room, they stopped talking.
내가 방에 들어가**자마자** 그들은 이야기하는 것을 멈췄다.

Daily Test

STEP 1 빈틈없이 확인하기

[01-25] 영어는 우리말로, 우리말은 영어로 쓰시오.

01 slide

02 roll

03 blink

04 lie

05 glance

06 swing

07 action

08 strike

09 raise

10 lift

11 suddenly

12 movement

13 계속하다, 계속되다

14 숨기다, 감추다, 숨다

15 굽히다, 구부리다

16 몸짓, 손짓, 제스처

17 한숨을 쉬다; 한숨

18 편히 쉬다, 긴장을 풀다

19 반응하다

20 반복하다, 다시 말하다

21 쭉 펴다, 스트레칭하다

22 기대다, 기울이다

23 빠른, 신속한, 민첩한

24 as soon as

25 우연히

정답 p.285

STEP 2 제대로 적용하기

A 단어

주어진 단어를 의미에 맞게 바꿔 쓰시오.

01 act → 행동, 행위 ____________

02 sudden → 갑자기 ____________

03 react → 반응 ____________

04 repeat → 반복 ____________

B 구

우리말 의미에 맞게 빈칸에 알맞은 말을 쓰시오.

01 독립 운동 the independence ____________

02 문에 기대다 ____________ on the door

03 두루마리 화장지 하나 a ____________ of toilet paper

04 숨바꼭질 ____________ - and - seek

05 집에서 편히 쉬다 ____________ at home

C 문장

빈칸에 알맞은 말을 넣어 문장을 완성하시오.

01 ____________ your body for ten minutes. 10분 동안 몸을 스트레칭하세요.

02 He went into the room and ____________ on the bed.
그는 방으로 가서 침대에 누웠다.

03 I ____________ my hand to ask a question.
나는 질문을 하기 위해 손을 들었다.

04 She ____________ ____________ her watch.
그녀는 그녀의 손목시계를 흘끗 봤다.

05 Please call me ____________ ____________ as you arrive at home.
집에 도착하자마자 저에게 전화해 주세요.

DAY 10 건강

들으며 외우기

어휘력 UPGRADE

01 **healthy** [hélθi]

형 1. 건강한 2. 건강에 좋은

My grandfather is strong and **healthy**.
우리 할아버지는 힘이 세고 **건강하시다**.

Kimchi is a **healthy** food. 김치는 **건강에 좋은** 음식이다.

health 명 건강
반의어 unhealthy 건강하지 않은, 건강에 해로운

시험 POINT health vs. healthy

각 네모 안에서 알맞은 것을 고르시오.

We need to eat [health / healthy] food for our [health / healthy].
우리는 건강을 위해 건강에 좋은 음식을 먹을 필요가 있다.

health: 건강
healthy: 건강에 좋은

정답 healthy, health

02 **disease** [dizí:z]

명 병, 질병

He has a heart **disease**. 그는 심장**병**을 앓고 있다.

03 **ill** [il]

형 아픈, 몸이 안 좋은

He has been **ill** for a week. 그는 일주일째 **아프다**.

illness 명 병, 아픔
유의어 sick

04 **weak** [wi:k]

형 약한, 힘이 없는

We should help **weak** people.
우리는 **약한** 사람을 도와야 한다.

반의어 strong 강한, 힘이 센
week(일주일)와 발음이 같아요.

05 **toothache** [tú:θeik]

명 치통

A I have a **toothache**. 저는 **이가 아파요**.
B You should go to the dentist. 너는 치과에 가야겠다.

tooth(이) + ache(통증)

06 **stomachache** [stʌ́məkeik]

명 배탈, 복통

I had a **stomachache** after eating too much.
나는 너무 많이 먹은 후에 **배탈**이 났다.

stomach(위, 배) + ache(통증)

07 **fever**
[fíːvər]

명 **열, 발열** (체온이 정상보다 높아지는 것)

She was in bed with a **fever**.
그녀는 **열**이 나서 누워 있었다.

⊕ have a **fever** 열이 나다

---

08 **flu**
[fluː]

명 **독감**

She couldn't go to school because she had the **flu**. 그녀는 **독감**에 걸려서 학교에 갈 수 없었다.

⊕ have the **flu** 독감에 걸리다

---

09 **cancer**
[kǽnsər]

명 **암**

He died of **cancer** last month.
그는 지난달에 **암**으로 죽었다.

---

10 **symptom**
[símptəm]

명 **증상, 증세**

A What are your **symptoms**?
증상이 무엇인가요?
B I have a runny nose and a fever.
콧물이 나오고 열이 나요.

---

11 **sore**
[sɔːr]

형 (상처·염증 등으로) **쓰라린, 아픈**

I have a **sore** throat. 나는 목이 **아프다**.

---

12 **hurt**
[həːrt]
hurt-hurt

동 **1. 다치게 하다 2. 아프다**

She was badly **hurt** in a car accident.
그녀는 차 사고로 심하게 **다쳤다**.

My head **hurts**. 내 머리가 **아프다**.

---

13 **painful**
[péinfəl]

형 **고통스러운, 아픈**

The disease isn't dangerous, but it is very **painful**. 그 병은 위험하지는 않지만 매우 **고통스럽다**.

⊕ a **painful** experience 고통스러운 경험

어휘력 UPGRADE

heat은 일반적인 모든 열을 나타내고, fever는 병으로 인해 사람의 몸에서 나는 열을 나타내요.

pain 명 아픔, 고통

어휘력 UPGRADE

14 **patient**
[péiʃənt]

명 환자 형 참을성이 있는, 인내심이 있는

Some **patients** were waiting to see the doctor.
몇몇 **환자들**이 의사의 진료를 기다리고 있었다.

The teacher was **patient** with the students.
그 선생님은 학생들에게 **참을성이 있게** 대하셨다.

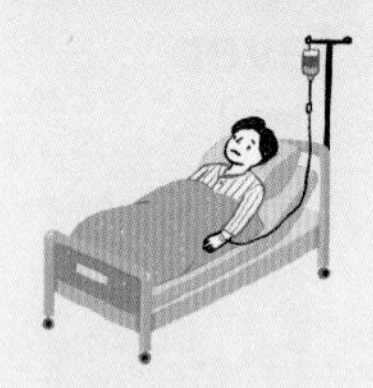

시험 POINT patient의 의미

밑줄 친 단어의 의미를 골라 기호를 쓰시오.

보기 ⓐ 환자 ⓑ 참을성 있는

1. The doctor saved the patient.
2. Doctors have to be patient.

1. 그 의사는 그 환자를 살렸다.
2. 의사는 참을성이 있어야 한다.

정답 1. ⓐ 2. ⓑ

15 **condition**
[kəndíʃən]

명 1. 상태, 컨디션 2. 환경

His **condition** got much worse.
그의 **상태**는 훨씬 더 안 좋아졌다.

The children need better living **conditions**.
그 아이들은 더 나은 생활 **환경**이 필요하다.

'환경'의 의미를 나타낼 때는 주로 복수형으로 써요.

16 **heal**
[hiːl]

동 낫다, 낫게 하다

I will play soccer when my leg **heals**.
나는 다리가 **나으면** 축구를 할 것이다.

17 **medicine**
[médisn]

명 약, 의약품

You should take the **medicine** three times a day. 너는 하루에 세 번 그 **약**을 복용해야 한다.

⊕ take **medicine** 약을 복용하다

18 **pill**
[pil]

명 알약

Emily took a **pill** for her headache.
Emily는 두통 때문에 **알약**을 복용했다.

⊕ take a **pill** 알약을 복용하다

어휘력 UPGRADE

19 **effect**
[ifékt]

명 영향, 효과, 결과

The medicine had no **effect.** 그 약은 아무 **효과**가 없었다.

⊕ a side **effect** 부작용

effective
형 효과적인

---

20 **stress**
[stres]

명 스트레스, 긴장감

Stress can cause many health problems.
스트레스는 많은 건강 문제를 일으킬 수 있다.

stressful
형 스트레스가 많은

---

21 **smoke**
[smouk]

동 담배를 피우다 명 연기

Dad decided to quit **smoking.**
아빠는 **담배 피우는** 것을 그만두기로 결심하셨다.

There's no **smoke** without fire.
아니 땐 굴뚝에 **연기** 나랴. (원인이 없는 결과는 없다.) <속담>

---

22 **exercise**
[éksərsàiz]

동 운동하다 명 1. 운동 2. 연습 (문제)

How often do you **exercise**?
당신은 얼마나 자주 **운동을 하나요**?

Swimming is good **exercise.** 수영은 좋은 **운동**이다.

⊕ grammar **exercises** 문법 연습 문제

exercise는 수영, 조깅, 산책 등의 일반적인 운동을 나타내고, work out은 헬스장 등에서 근력을 키우기 위해 하는 강도 높은 운동을 나타내요.

교과서 필수 암기 숙어

23 **suffer from**

(질병·증상 등을) **앓다**

Mom **suffers from** headaches.
엄마는 두통을 **앓고 계신다.**

---

24 **make sure (that)**

반드시 ~하도록 하다, ~라는 것을 확인하다

Make sure that you take these pills before meals.
반드시 식사 전에 이 알약을 먹**도록 해라.**

---

25 **get better**

(병·상황 따위가) **나아지다, 호전되다** (점차 좋아지다)

I hope you **get better** soon.
네가 곧 **병이 낫기**를 바랄게.

Daily Test

STEP 1 빈틈없이 확인하기

[01-25] 영어는 우리말로, 우리말은 영어로 쓰시오.

01 flu

02 cancer

03 painful

04 heal

05 pill

06 smoke

07 fever

08 toothache

09 ill

10 effect

11 patient

12 건강한, 건강에 좋은

13 배탈, 복통

14 다치게 하다, 아프다

15 약, 의약품

16 운동하다; 운동, 연습

17 증상, 증세

18 상태, 컨디션

19 약한, 힘이 없는

20 스트레스, 긴장감

21 쓰라린, 아픈

22 병, 질병

23 make sure (that)

24 나아지다, 호전되다

25 앓다

정답 p.285

STEP 2 제대로 적용하기

A 단어

주어진 단어를 의미에 맞게 바꿔 쓰시오.

01 pain → 고통스러운 ______________

02 effect → 효과적인 ______________

03 health → 건강한 ______________

04 ill → 병, 아픔 ______________

B 구

우리말 의미에 맞게 빈칸에 알맞은 말을 쓰시오.

01 배탈이 나다 have a ______________

02 문법 연습 문제 grammar ______________

03 고통스러운 경험 a ______________ experience

04 알약을 복용하다 take a ______________

05 부작용 a side ______________

C 문장

빈칸에 알맞은 말을 넣어 문장을 완성하시오.

01 She suffers from a serious ___________. 그녀는 심각한 질병을 앓고 있다.

02 You should take this ___________ after meals.
너는 이 약을 식후에 복용해야 한다.

03 He has a ___________ throat because of his cold.
그는 감기 때문에 목이 아프다.

04 You'll ___________ ___________ after a few days of rest.
너는 며칠 쉬면 나아질 것이다.

05 ___________ ___________ that all the windows are closed.
모든 창문이 닫힌 것을 확인해라.

내신 대비

어휘 Test

PART 2

01 〈보기〉의 단어를 모두 포함하는 단어로 알맞은 것은?

보기 delight anger sadness fear

① symptom ② emotion ③ disease
④ movement ⑤ personality

02 짝지어진 두 단어의 관계가 다른 하나는?

① ill – sick ② silly – foolish ③ strong – weak
④ strike – hit ⑤ delight – joy

03 빈칸에 공통으로 들어갈 말로 알맞은 것은? DAY 10 시험 POINT

• A ___________ came to see the doctor.
• She is very ___________ with her children.

① weak ② fault ③ cancer
④ patient ⑤ shock

04 빈칸에 알맞은 말이 순서대로 짝지어진 것은? DAY 08 시험 POINT

• She is satisfied ___________ her new job.
• I am scared ___________ mice and spiders.
• He suffers ___________ stomachaches.

① to – of – with ② by – with – of
③ with – at – by ④ by – at – from
⑤ with – of – from

정답 p.285

05 밑줄 친 부분의 의미로 알맞지 않은 것은?

DAY 06, 07 시험 POINT

① Spanish is his mother tongue. (언어)
② Tears of joy ran down her face. (눈물)
③ My uncle raises pigs on a farm. (기르다)
④ Don't be mean to your little brother. (의미하다)
⑤ I'm tired of watching TV. (싫증 난)

06 주어진 글의 빈칸에 들어갈 말로 알맞은 것은?

Tom is ___________. He has good manners. He also respects other people.

① shy ② polite ③ cruel
④ upset ⑤ nervous

07 (A)와 (B)에서 알맞은 말을 각각 골라 쓰시오.

서술형

DAY 09 시험 POINT

- I'm disappointed that you (A) [lay / lied] to me.
- The cat (B) [lay / lied] asleep on the sofa.

(A) ___________ (B) ___________

08 우리말과 일치하도록 〈조건〉에 맞게 문장을 완성하시오.

서술형

DAY 07 시험 POINT

그는 지적일 뿐만 아니라 친절하기도 하다.

→ He is ____.

조건 다음 중 필요한 것만 골라 여섯 단어로 쓸 것
not, but, only, also, friend, friendly, intelligent, intelligence

PART 3

DAY

11 요리와 식사

들으며 외우기

어휘력 UPGRADE

01 **pot**
[pɑt]

명 1. 냄비, 솥 2. 주전자, 포트

You need a large **pot** to make this soup.
이 수프를 만들려면 큰 **냄비**가 필요하다.

Is there any more tea in the **pot**?
주전자에 차가 더 남아 있나요?

02 **pan**
[pæn]

명 **팬,** (긴 손잡이가 달린) **냄비**

Put the oil into the **pan.** **팬**에 기름을 넣어라.

⊕ a frying **pan** 프라이팬

pot은 깊이가 깊은 냄비를, pan은 깊이가 얕고 긴 손잡이가 달린 냄비를 가리켜요.

03 **jar**
[dʒɑːr]

명 유리병, 단지

I bought a small **jar** of strawberry jam.
나는 작은 딸기 잼 한 **병**을 샀다.

⊕ a cookie **jar** 쿠키 단지

04 **plate**
[pleit]

명 접시

I ate everything on my **plate.**
나는 내 **접시** 위에 있는 모든 것을 먹었다.

⊕ a **plate** of spaghetti 스파게티 한 접시

05 **chopstick**
[tʃɑ́pstik]

명 젓가락

Koreans usually use **chopsticks** when they eat.
한국 사람들은 먹을 때 보통 **젓가락**을 사용한다.

젓가락은 두 개가 한 짝을 이루므로 주로 복수형으로 써요.

06 **straw**
[strɔː]

명 1. 빨대 2. 짚

She drank the juice with a **straw.**
그녀는 **빨대**로 주스를 마셨다.

⊕ a **straw** hat 밀짚모자

어휘력 UPGRADE

07 **mixture**
[míkstʃər]

명 혼합, 혼합물

Add water to the **mixture.** **혼합물**에 물을 추가해라.

mix 동 섞다, 혼합하다

08 **peel**
[piːl]

동 껍질을 벗기다 명 껍질

Peel the oranges. 오렌지의 **껍질을 벗겨라**.

09 **slice**
[slais]

동 얇게 썰다, 자르다 명 얇게 썬 조각

Slice the potatoes thinly. 감자를 얇게 **썰어라**.

+ a **slice** of pizza 피자 한 조각

시험 POINT 물질명사의 수량 표현

각 네모 안에서 알맞은 것을 고르시오.

There are two [slice / slices] of [bread / breads] on the plate.

접시 위에 빵 두 조각이 있다.

물질명사의 복수형은 단위인 slice만 복수형으로 쓴다.

정답 slices, bread

10 **chop**
[tʃɑp]
chopped-chopped

동 썰다, 다지다 (잘게 썰다)

Chop the onions. 양파를 **다져라**.

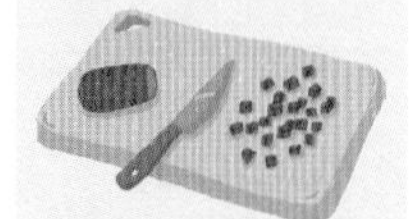

11 **boil**
[bɔil]

동 끓이다, 삶다

Boil the water for five minutes.
물을 5분 동안 **끓여라**.

+ a **boiled** egg 삶은 달걀

12 **steam**
[stiːm]

동 찌다 명 수증기, 김

You have to **steam** the vegetables.
너는 야채를 **쪄야** 한다.

The **steam** from the pot is hot.
냄비에서 나오는 **김**이 뜨겁다.

steaming 형 김이 나는, 뜨끈뜨끈한

13 blend [blend]

동 섞다, 혼합하다

Blend the sugar, eggs, and butter.
설탕, 달걀, 버터를 **섞어라**.

어휘력 UPGRADE

blender 명 믹서

우리말에서는 흔히 '믹서'라고 부르지만 영어로는 blender라고 해요.

---

14 pour [pɔːr]

동 1. 따르다, 붓다 2. 쏟아지다

He **poured** some milk into a glass.
그는 우유를 잔에 **따랐다**.

The rain continued to **pour** down.
비가 계속해서 억수로 **쏟아졌다**.

⊕ **pour** down (비가) 억수로 쏟아지다

시험 POINT **pour *A* into *B***

네모 안에서 알맞은 것을 고르시오.

He carefully poured the water [in / into] the glass.
그는 조심스럽게 물을 잔에 따랐다.

'A를 B에 따르다'라는 의미를 나타낼 때는 전치사 into를 쓴다.

정답 into

---

15 stir [stəːr]
stirred-stirred

동 휘젓다, 휘저어 섞다

The witch was **stirring** the soup slowly.
그 마녀는 수프를 천천히 **휘젓고** 있었다.

---

16 recipe [résəpi]

명 요리법, 조리법

This is a **recipe** for bulgogi. 이것은 불고기 **요리법**이다.

⊕ a **recipe** book 요리책

---

17 delicious [dilíʃəs]

형 아주 맛있는

This pizza is **delicious.** 이 피자는 **아주 맛있다**.

---

18 diet [dáiət]

명 1. 식사, 식단 2. 식이요법, 다이어트

It is important to have a balanced **diet**.
균형 잡힌 **식사**를 하는 것은 중요하다.

I decided to go on a **diet** before the match.
나는 시합 전에 **다이어트**를 하기로 결심했다.

⊕ go on a **diet** 다이어트를 하다

어휘력 UPGRADE

19 **flour**
[fláuər]

명 밀가루

You need **flour** to make cookies.
쿠키를 만들려면 **밀가루**가 필요하다.

flower(꽃)와 발음이 같아요.

20 **noodle**
[nú:dl]

명 국수, 면

Which do you like better, rice or **noodles**?
너는 밥과 **국수** 중에 무엇을 더 좋아하니?

21 **seafood**
[sí:fu:d]

명 해산물

We can enjoy many kinds of **seafood** in Busan.
우리는 부산에서 많은 종류의 **해산물**을 즐길 수 있다.

22 **chew**
[tʃu:]

동 씹다

We **chew** food with our teeth.
우리는 이로 음식을 **씹는다**.

23 **swallow**
[swά:lou]

동 삼키다

The pill is hard to **swallow**.
그 알약은 **삼키기**가 어렵다.

교과서 필수 암기 숙어

24 **a spoonful of**

~ 한 숟가락

Mom put **a spoonful of** sugar in the coffee.
엄마는 커피에 설탕 **한 숟가락**을 넣으셨다.

25 **help yourself (to)**

마음껏 (가져다) 먹다

There is a lot of food, so **help yourself**.
음식이 많이 있으니 **마음껏 가져다 드세요**.

Help yourself to some more pie. 파이를 좀 더 **드세요**.

Daily Test

STEP 1 빈틈없이 확인하기

[01-25] 영어는 우리말로, 우리말은 영어로 쓰시오.

01 chew

02 plate

03 chop

04 mixture

05 blend

06 pot

07 seafood

08 noodle

09 slice

10 chopstick

11 steam

12 swallow

13 팬, 냄비

14 끓이다, 삶다

15 밀가루

16 휘젓다, 휘저어 섞다

17 따르다, 붓다, 쏟아지다

18 유리병, 단지

19 식사, 식단, 식이요법

20 껍질을 벗기다; 껍질

21 빨대, 짚

22 요리법, 조리법

23 아주 맛있는

24 help yourself (to)

25 ~ 한 숟가락

정답 p.286

STEP 2 제대로 적용하기

A 단어

그림에 해당하는 단어를 보기에서 골라 쓰시오.

보기	stir	boil	chop	peel

01 ____________ 02 ____________ 03 ____________ 04 ____________

B 구

우리말 의미에 맞게 빈칸에 알맞은 말을 쓰시오.

01 쿠키 단지 a cookie ______________

02 설탕 한 숟가락 a ______________ of sugar

03 요리책 a ______________ book

04 다이어트를 하다 go on a ______________

05 삶은 달걀 a ______________ egg

C 문장

빈칸에 알맞은 말을 넣어 문장을 완성하시오.

01 This apple pie is very ___________. 이 사과 파이는 매우 맛있다.

02 He ate a ___________ of pizza. 그는 피자 한 조각을 먹었다.

03 You must not ___________ gum during class.
수업 시간에 껌을 씹으면 안 된다.

04 Please ___________ yourself to the cake and cookies.
케이크와 쿠키를 마음껏 드세요.

05 ___________ hot water ___________ the pan. 뜨거운 물을 냄비에 부으세요.

DAY

12 패션

들으며 외우기

어휘력 UPGRADE

01 **design** [dizáin]

명 디자인, 설계 동 디자인하다, 설계하다

The **design** of the bag is very simple.
그 가방의 **디자인**은 매우 단순하다.

She **designed** these shoes for her daughter.
그녀는 자신의 딸을 위해 이 신발을 **디자인했다**.

designer 명 디자이너
design의 g는 묵음이에요.

---

02 **style** [stail]

명 스타일, 방식

This coat is not my **style.** 이 코트는 내 **스타일**이 아니다.

⊕ a lifestyle 생활 방식

stylish 형 스타일이 좋은, 멋진

---

03 **trend** [trend]

명 유행, 추세, 트렌드

Fashion designers should understand **trends** well. 패션 디자이너는 **유행**을 잘 이해해야 한다.

⊕ follow a **trend** 유행을 따르다

trendy 형 최신 유행의

---

04 **pattern** [pǽtərn]

명 무늬, 패턴

He is wearing a shirt with a floral **pattern.**
그는 꽃**무늬** 셔츠를 입고 있다.

---

05 **stripe** [straip]

명 줄무늬

Zebras have black and white **stripes.**
얼룩말은 검은색과 흰색 **줄무늬**가 있다.

striped 형 줄무늬가 있는

---

06 **plain** [plein]

형 무늬가 없는, 단순한

She usually wears a **plain** white shirt.
그녀는 대개 **무늬가 없는** 하얀 셔츠를 입는다.

아무것도 섞이지 않은 요거트를 '플레인(plain) 요거트'라고 해요.

어휘력 UPGRADE

07 **colorful**
[kʌ́lərfəl]

형 **색이 다채로운, 화려한**

This hanbok is very **colorful**.
이 한복은 **색이** 매우 **다채롭다**.

---

08 **tight**
[tait]

형 **꼭 끼는, 딱 붙는**

This shirt is too **tight**. 이 셔츠는 너무 **꼭 낀다**.

반의어 loose 느슨한, 헐렁한

---

09 **fit**
[fit]
fit-fit
또는 fitted-fitted

동 (치수·모양 등이) **맞다**

My jeans don't **fit** me anymore.
내 청바지가 더 이상 **맞지** 않는다.

⊕ a **fitting** room 탈의실

---

10 **cloth**
[klɔːθ]

명 **옷감, 천**

You need a lot of **cloth** to make a long dress.
긴 드레스를 만들기 위해서는 많은 **천**이 필요하다.

clothes 명 옷, 의복
clothing 명 의류

시험 POINT cloth vs. clothes

네모 안에서 알맞은 것을 고르시오.

They use old [cloth / clothes] to make [cloth / clothes] such as skirts.
그들은 치마와 같은 옷을 만들기 위해 낡은 천을 사용한다.

cloth: 천
clothes: 옷, 의복

정답 cloth, clothes

---

11 **cotton**
[kɑ́tn]

명 **면, 솜**

The towels are 100% **cotton**.
그 수건들은 **면** 100%이다.

⊕ **cotton** candy 솜사탕

---

12 **wool**
[wul]

명 **양모, 모직** (털실로 만든 옷감)

This sweater is made of **wool**.
이 스웨터는 **양모**로 만들어졌다.

woolen 형 모직의

---

13 **fur**
[fəːr]

명 **털, 모피**

Many animals are hunted for their **fur**.
많은 동물들이 그들의 **털** 때문에 사냥을 당한다.

⊕ fake **fur** 인조 모피

어휘력 UPGRADE

14 **sew**
[sou]

동 바느질하다, 꿰매다

My mother taught me how to **sew.**
어머니는 나에게 **바느질하는** 법을 가르쳐 주셨다.

⊕ a **sewing** machine 재봉틀

---

15 **knit**
[nit]
knitted-knitted

동 (옷 등을) **뜨다,** (옷감을) **짜다** (가늘고 긴 실로 옷감 등을 만들다)

My grandmother is **knitting** a sweater for me.
우리 할머니는 나를 위해 스웨터를 **뜨고** 계신다.

knit에서 k는 묵음이에요.

---

16 **needle**
[ní:dl]

명 바늘

I need a **needle** to sew my shirt.
나는 내 셔츠를 꿰매기 위해 **바늘**이 필요하다.

needle은 바느질을 할 때 쓰는 바늘뿐만 아니라 주삿바늘, 체중계나 저울 등의 눈금을 가리키는 바늘을 나타낼 때도 써요.

---

17 **button**
[bʌ́tən]

명 1. 단추 2. 버튼

One of the **buttons** on my coat was missing.
내 코트의 **단추** 하나가 없어졌다.

Press this **button** when you need help.
도움이 필요할 때 이 **버튼**을 누르세요.

---

18 **sleeve**
[sli:v]

명 소매

She is wearing a dress with long **sleeves.**
그녀는 긴 **소매** 드레스를 입고 있다.

sleeveless
형 소매 없는, 민소매의

---

19 **boots**
[bu:ts]

명 장화, 부츠

I bought a pair of winter **boots.**
나는 겨울 **부츠** 한 켤레를 샀다.

장화의 한 짝을 가리킬 때는 boot라고 써요.

---

20 **sneakers**
[sní:kərz]

명 스니커즈 (밑창이 고무로 된 굽 없는 운동화)

He wore old jeans and **sneakers.**
그는 낡은 청바지를 입고 **스니커즈**를 신었다.

스니커즈의 한 짝을 가리킬 때는 sneaker라고 써요.

21 **suit**
[suːt]

명 (상하 한 벌로 된) **정장** 동 **어울리다**

He was wearing a black **suit**.
그는 검은색 **정장**을 입고 있었다.

This coat really **suits** you.
이 코트는 너에게 잘 **어울린다**.

⊕ a swimsuit 수영복 a spacesuit 우주복

어휘력 UPGRADE

suit는 옷의 스타일이나 색이 어울린다고 말할 때 쓰고, fit는 치수나 모양이 몸에 딱 맞는다고 말할 때 써요.

---

22 **jewelry**
[dʒúːəlri]

명 **보석류, 장신구** (몸이나 옷차림을 보기 좋게 꾸미는 데 쓰는 물건)

She wears a lot of **jewelry**.
그녀는 **장신구**를 많이 착용한다.

jewel 명 보석

jewelry의 l과 r을 바꿔 쓰지 않도록 주의하세요.

---

23 **wallet**
[wálit]

명 **지갑**

I have ten dollars in my **wallet**.
나는 **지갑**에 10달러가 있다.

교과서 필수 암기 숙어

24 **look good on**

~에게 잘 어울리다

The red coat **looks good on** you.
그 빨간색 코트는 너**에게 잘 어울린다**.

---

25 **try on**

~을 입어 보다, ~을 신어 보다

Can I **try** these pants **on**? (= Can I **try on** these pants?)
이 바지를 **입어 봐도** 될까요?

Can I **try** them **on**? 그것을 **입어 봐도** 될까요?

시험 POINT 목적어의 위치

다음 중 틀린 문장을 고르시오.

ⓐ Can I try on this shirt?
ⓑ Can I try on it?
ⓒ Can I try it on?

목적어가 대명사인 경우 「try on+대명사」로는 쓸 수 없다.

정답 ⓑ

Daily Test

STEP 1 빈틈없이 확인하기

[01-25] 영어는 우리말로, 우리말은 영어로 쓰시오.

01 needle

02 cotton

03 sleeve

04 wool

05 suit

06 tight

07 boots

08 colorful

09 trend

10 fur

11 fit

12 wallet

13 무늬, 패턴

14 무늬가 없는, 단순한

15 옷감, 천

16 디자인; 디자인하다

17 바느질하다, 꿰매다

18 스타일, 방식

19 뜨다, 짜다

20 스니커즈

21 줄무늬

22 보석류, 장신구

23 단추, 버튼

24 look good on

25 ~을 입어 보다, ~을 신어 보다

정답 p.286

STEP 2 제대로 적용하기

A 단어

주어진 단어를 의미에 맞게 바꿔 쓰시오.

01 style → 스타일이 좋은 ______________

02 stripe → 줄무늬가 있는 ______________

03 cloth → 옷, 의복 ______________

04 sleeve → 소매 없는 ______________

05 wool → 모직의 ______________

B 구

우리말 의미에 맞게 빈칸에 알맞은 말을 쓰시오.

01 유행을 따르다 follow a ______________

02 탈의실 a ______________ room

03 솜사탕 ______________ candy

04 인조 모피 fake ______________

05 검정색 정장 a black ______________

C 문장

빈칸에 알맞은 말을 넣어 문장을 완성하시오.

01 I'll ___________ ___________ this jacket. 이 재킷을 입어 볼게요.

02 Can you ___________ on a button? 단추를 꿰매 주시겠어요?

03 I will ___________ a scarf for my dad. 나는 아빠를 위해 목도리를 뜰 것이다.

04 Pink doesn't ___________ good on you. 분홍색은 당신에게 어울리지 않아요.

05 She is wearing a ___________ white dress.
그녀는 무늬가 없는 흰색 드레스를 입고 있다.

DAY

13 쇼핑

들으며 외우기

어휘력 UPGRADE

01 **store** [stɔːr]

명 가게, 상점 동 보관하다, 저장하다

I went to the **store** to buy some milk.
나는 우유를 사러 **가게**에 갔다.

Store onions in a cool and dry place.
시원하고 건조한 장소에 양파를 **보관해라**.

⊕ a department **store** 백화점
a convenience **store** 편의점

storage
명 저장, 보관

---

02 **grocery** [gróusəri]

명 식료품

She bought some **groceries** for dinner.
그녀는 저녁 식사를 위해 **식료품**을 조금 샀다.

⊕ a **grocery** store 식료품점

우리나라에서 '슈퍼'라고 불리는 작은 가게는 영어로 grocery store예요. 영어의 supermarket은 대형 마트를 가리켜요.

---

03 **goods** [gudz]

명 상품, 제품

The **goods** will be delivered within ten days.
그 **상품**은 열흘 안에 배달될 것입니다.

goods는 한 단어로 항상 복수 취급해요.

---

04 **prefer** [prifə́ːr]

동 더 좋아하다, 선호하다 (여러 가지 중에서 특별히 좋아하다)

Which do you **prefer**, dogs or cats?
너는 개와 고양이 중에 무엇을 **더 좋아하니**?

I **prefer** the black bag to the red one.
나는 빨간색 가방보다 검은색 가방을 **더 좋아한다**.

⊕ **prefer** *A* to *B* B보다 A를 더 좋아하다

preference 명 선호

시험 POINT prefer *A* to *B*

네모 안에서 알맞은 것을 고르시오.

I prefer math [than / to] English.
나는 영어보다 수학을 더 좋아한다.

prefer 다음에 비교 대상이 올 때는 than이 아니라 to를 쓴다.

정답 to

어휘력 UPGRADE

05 **purchase**
[pə́ːrtʃəs]

동 구입하다, 구매하다 명 구입, 구매

Tickets can be **purchased** online.
입장권은 온라인으로 **구매하실** 수 있습니다.

⊕ within 7 days of **purchase** 구매 후 7일 이내

---

06 **pay**
[pei]
paid-paid

동 지불하다, 내다 명 임금, 보수 (일한 대가로 주는 돈)

She **paid** ten dollars for a bag.
그녀는 가방 하나에 10달러를 **지불했다**.

The **pay** isn't good, but I like the job.
보수는 좋지 않지만, 나는 그 일을 좋아한다.

⊕ **pay** (in) cash 현금으로 지불하다

payment
명 지불, 납부

---

07 **cost**
[kɔːst]
cost-cost

동 (값·비용이) ~이다[들다] 명 값, 비용

How much did the bag **cost**? 그 가방은 얼마**였니**?

You can use the swimming pool at no extra **cost.** 당신은 추가 **비용** 없이 수영장을 사용할 수 있습니다.

---

08 **include**
[inklúːd]

동 포함하다, 넣다

The price of dinner **includes** dessert.
저녁 식사 가격에는 후식이 **포함되어 있다**.

inclusion 명 포함

반의어 exclude
제외하다, 배제하다

---

09 **expensive**
[ikspénsiv]

형 비싼

This smartphone is too **expensive** for me.
이 스마트폰은 나에게 너무 **비싸다**.

반의어 cheap 싼

---

10 **brand**
[brænd]

명 브랜드, 상표

Nike is one of the most popular **brands**.
나이키는 가장 유명한 **브랜드** 중 하나이다.

⊕ brand-new 신상품의

---

11 **discount**
[dískaunt]

명 할인

Can I get a **discount**? **할인**을 받을 수 있나요?

⊕ a 10% **discount** 10% 할인

어휘력 UPGRADE

12 **customer** [kʌ́stəmər]

명 손님, 고객

The **customer** is going to buy a computer.
그 **손님**은 컴퓨터를 사려고 한다.

⊕ **customer** service 고객 지원 (센터)

물건을 사러 오는 '손님'은 customer이고, 집에 찾아오는 '손님'은 guest예요.

---

13 **clerk** [kləːrk]

명 점원, 판매원

The **clerk** in the store kindly answered my questions. 그 상점의 **점원**은 내 질문에 친절히 대답했다.

---

14 **cashier** [kæʃíər]

명 (상점·호텔 등의) 계산원

I paid the **cashier** for the book.
나는 그 책값을 **계산원**에게 지불했다.

cash(현금)+-ier(~하는 사람)

---

15 **counter** [káuntər]

명 계산대, 판매대

There was a long line at the **counter**.
계산대에 긴 줄이 있었다.

---

16 **recommend** [rèkəménd]

동 추천하다, 권하다

Can you **recommend** an interesting book?
재미있는 책을 **추천해** 주실 수 있나요?

---

17 **complain** [kəmpléin]

동 불평하다, 항의하다

Customers **complained** about the high price.
고객들은 높은 가격에 대해 **불평했다**.

complaint 명 불평, 불만

---

18 **receipt** [risíːt]

명 영수증

Do you have the **receipt**?
영수증을 가지고 계신가요?

receipt의 p는 묵음이고, e와 i를 바꿔 쓰지 않도록 철자에 주의하세요.

시험 POINT receipt vs. recipe

네모 안에서 알맞은 것을 고르시오.

Get a [recipe / receipt] if you buy something.

무언가를 사면 영수증을 받아라.

recipe: 조리법
receipt: 영수증

정답 receipt

어휘력 UPGRADE

19 **change**
[tʃeindʒ]

명 1. 거스름돈, 잔돈 2. 변화
동 변하다, 바꾸다

Here's your **change**. **거스름돈** 여기 있습니다.
I want to **change** my life. 나는 내 인생을 **바꾸고** 싶다.

---

20 **precious**
[préʃəs]

형 귀중한, 값비싼

He gave her **precious** jewels.
그는 그녀에게 **값비싼** 보석을 주었다.

---

21 **afford**
[əfɔ́ːrd]

동 (~을 할) **여유가 있다**

We can't **afford** to go abroad this summer.
우리는 이번 여름에 해외에 갈 **여유가 없다**.

+ can't **afford** to ~할 여유가 없다

---

22 **choice**
[tʃɔis]

명 선택(권)

You have no **choice**. 너는 **선택권**이 없다.

choose
동 고르다, 선택하다

---

23 **credit card**
[krédit kaːrd]

명 신용 카드

Can I pay by **credit card**? **신용 카드**로 지불해도 될까요?

교과서 필수 암기 숙어

24 **for free**

무료로

If you buy two pens, you'll get another one **for free**.
펜 두 자루를 사면, 다른 한 자루를 **무료로** 드립니다.

---

25 **stand in line**

줄을 서다

They were **standing in line** to buy tickets.
그들은 입장권을 사려고 **줄을 서 있었다**.

Daily Test

STEP 1 빈틈없이 확인하기

[01-25] 영어는 우리말로, 우리말은 영어로 쓰시오.

01 choice

02 pay

03 store

04 clerk

05 precious

06 goods

07 cost

08 change

09 cashier

10 discount

11 include

12 afford

13 비싼

14 브랜드, 상표

15 구입하다; 구입, 구매

16 계산대, 판매대

17 불평하다, 항의하다

18 식료품

19 추천하다, 권하다

20 손님, 고객

21 더 좋아하다, 선호하다

22 영수증

23 신용 카드

24 무료로

25 줄을 서다

정답 p.286

STEP 2 제대로 적용하기

A 단어

주어진 단어를 활용하여 의미나 지시에 맞게 쓰시오.

01 store → 저장, 보관 ____________

02 choose → 선택(권) ____________

03 complain → 불평, 불만 ____________

04 expensive → 반의어 ____________

05 exclude → 반의어 ____________

B 구

우리말 의미에 맞게 빈칸에 알맞은 말을 쓰시오.

01 식료품점 a ____________ store

02 10% 할인 a 10% ____________

03 구매 후 7일 이내 within 7 days of ____________

04 추가 비용 extra ____________

05 줄을 서다 ____________ in line

C 문장

빈칸에 알맞은 말을 넣어 문장을 완성하시오.

01 Can I ____________ in cash? 현금으로 지불해도 되나요?

02 She can't ____________ to buy the bag. 그녀는 그 가방을 살 여유가 없다.

03 Mark will ____________ a good hotel. Mark가 좋은 호텔을 추천해 줄 것이다.

04 I got the ticket ____________ ____________. 나는 그 입장권을 무료로 받았다.

05 I ____________ the blue shirt ____________ the white one.
나는 흰색 셔츠보다 파란색 셔츠가 더 좋다.

DAY 14 스포츠

들으며 외우기

어휘력 UPGRADE

01 **match** [mætʃ]

명 1. 경기, 시합 2. 성냥 동 어울리다, 일치하다

We have an important **match** on Sunday.
우리는 일요일에 중요한 **시합**이 있다.

That shirt doesn't **match** your jacket.
저 셔츠는 네 재킷과 **어울리지** 않는다.

02 **goal** [goul]

명 1. 목표 2. 골, 득점

Her **goal** is to win the game.
그녀의 **목표**는 그 경기에서 이기는 것이다.

He scored two **goals** in the game.
그는 그 경기에서 두 **골**을 넣었다.

03 **shot** [ʃat]

명 1. (축구·농구 등에서의) 슛 2. (총기의) 발사, 총성 (총소리)

My team lost because I missed the last **shot**.
우리 팀은 내가 마지막 **슛**을 놓쳐서 졌다.

We heard a **shot** last night.
우리는 어젯밤에 **총성**을 들었다.

shoot
동 슛하다, 총을 쏘다

04 **victory** [víktəri]

명 승리, 우승

We fought hard for **victory**.
우리는 **승리**를 위해 열심히 싸웠다.

05 **champion** [tʃǽmpiən]

명 챔피언, 우승자

He wants to become a world **champion**.
그는 세계 **챔피언**이 되고 싶어 한다.

championship
명 선수권 대회

06 **medal** [médl]

명 메달

She won three Olympic **medals**.
그녀는 세 개의 올림픽 **메달**을 땄다.

⊕ win a **medal** 메달을 따다
a gold/silver/bronze **medal** 금/은/동메달

어휘력 UPGRADE

07 **stadium**
[stéidiəm]

명 경기장, 스타디움 (관람석이 있는 규모가 큰 경기장)

The **stadium** was filled with soccer fans.
그 **경기장**은 축구 팬들로 가득 찼다.

---

08 **outdoor**
[áutdɔ̀ːr]

형 야외의

He enjoys **outdoor** sports. 그는 **야외** 스포츠를 즐긴다.

⊕ **outdoor** activities 야외 활동

outdoors
부 야외에서
반의어 indoor 실내의

---

09 **athlete**
[ǽθliːt]

명 (운동)선수

The **athletes** are training hard for the Olympics.
그 **운동선수들**은 올림픽을 위해 열심히 훈련하고 있다.

특히 육상 경기의 선수들을 나타내요.

---

10 **coach**
[koutʃ]

명 (스포츠 팀의) **코치**

He became the **coach** of the Korean baseball team. 그는 한국 야구팀의 **코치**가 되었다.

---

11 **referee**
[rèfəríː]

명 심판

The **referee** gave him a yellow card.
심판은 그에게 옐로카드를 주었다.

---

12 **practice**
[prǽktis]

동 연습하다 명 연습

You have to **practice** speaking English.
너는 영어를 말하는 것을 **연습해야** 한다.

Practice makes perfect. **연습**이 완벽을 만든다. <격언>

시험 POINT practice -ing

네모 안에서 알맞은 것을 고르시오.

She practiced [playing / to play] the piano yesterday.

그녀는 어제 피아노를 연주하는 것을 연습했다.

'~하는 것을 연습하다'라는 의미를 나타낼 때는 practice 다음에 -ing 형태를 쓴다.

정답 playing

---

13 **patience**
[péiʃəns]

명 인내심, 참을성

You need **patience** to be a good player.
훌륭한 선수가 되기 위해서는 **인내심**이 필요하다.

patient
형 인내심이 있는

어휘력 UPGRADE

14 **achieve**
[ətʃíːv]

동 (일·목적 등을) **성취하다, 달성하다**

He practiced hard to **achieve** his goal.
그는 목표를 **달성하기** 위해 열심히 연습했다.

achievement
명 성과, 성취, 달성

---

15 **effort**
[éfərt]

명 **노력, 수고**

He made an **effort** to climb the tree.
그는 나무에 오르기 위해 **노력**했다.

⊕ make an **effort** 노력하다

---

16 **challenge**
[tʃǽlindʒ]

명 **도전** 동 **도전하다**

She enjoys a **challenge.** 그녀는 **도전**을 즐긴다.

I like to **challenge** myself.
나는 내 자신에 **도전하는** 것을 좋아한다.

challenging
형 도전해 볼 만한

---

17 **cheer**
[tʃiər]

동 **환호하다, 응원하다**

We **cheered** at the end of the game.
우리는 경기가 끝났을 때 **환호했다**.

⊕ **Cheer** up. 힘내.

---

18 **beat**
[biːt]
beat-beaten

동 **1. 이기다 2. 치다, 두드리다**

I **beat** her by just three points.
나는 그녀를 단 3점 차로 **이겼다**.

Someone was **beating** at the door.
누군가가 문을 **두드리고** 있었다.

---

19 **competition**
[kɑ̀mpətíʃən]

명 **1. 대회, 시합 2. 경쟁**

She won first place in the diving **competition**.
그녀는 그 다이빙 **대회**에서 1등을 했다.

There is a lot of **competition** in schools.
학교에는 많은 **경쟁**이 있다.

⊕ enter a **competition** 대회에 참가하다

compete
동 경쟁하다

---

20 **marathon**
[mǽrəθɑ̀n]

명 **마라톤**

Running a **marathon** is not easy.
마라톤을 뛰는 것은 쉽지 않다.

우리말 '마라톤'과 발음이 다르므로 주의하세요.

21 **sweat**
[swet]

명 땀 동 땀을 흘리다

She wiped the **sweat** from her face.
그녀는 얼굴에 난 **땀**을 닦았다.

He **sweats** a lot when he exercises.
그는 운동을 할 때 **땀을** 많이 **흘린다**.

어휘력 UPGRADE

sweaty 형 땀투성이의, 땀에 젖은

sweet(달콤한)와 철자 및 발음을 혼동하기 쉬우니 주의하세요.

---

22 **tournament**
[túərnəmənt]

명 토너먼트, 승자 진출전

Ten players will compete in this **tournament**.
10명의 선수들이 이 **토너먼트**에서 경쟁할 것이다.

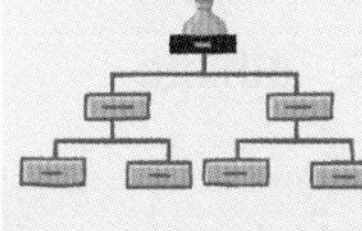

---

23 **gain**
[gein]

동 얻다, 획득하다

He **gained** confidence from this game.
그는 이번 경기로부터 자신감을 **얻었다**.

⊕ **gain** weight 체중이 늘다

반의어 lose 잃다

교과서 필수 암기 숙어

24 **in spite of**

~에도 불구하고

We kept playing soccer **in spite of** the rain.
우리는 비가 오는 **데도 불구하고** 계속 축구를 했다.

유의어 despite

---

25 **be held**

열리다, 개최되다

The World Cup **is held** every four years in a different country. 월드컵은 4년마다 다른 나라에서 **개최된다**.

주의 held는 hold의 과거분사형이에요.

시험 POINT 올바른 형태

네모 안에서 알맞은 것을 고르시오.

The 2018 Winter Olympics [held / were held] in Pyeongchang.
2018 동계 올림픽이 평창에서 열렸다.

'개최되다'라는 의미를 나타낼 때는 「be동사+held(과거분사)」의 수동태로 써야 한다.

정답 were held

Daily Test

STEP 1 빈틈없이 확인하기

[01-25] 영어는 우리말로, 우리말은 영어로 쓰시오.

01 athlete
02 cheer
03 outdoor
04 gain
05 effort
06 match
07 shot
08 referee
09 sweat
10 challenge
11 competition
12 achieve
13 챔피언, 우승자
14 연습하다; 연습
15 메달
16 목표, 골, 득점
17 인내심, 참을성
18 경기장, 스타디움
19 토너먼트, 승자 진출전
20 마라톤
21 코치
22 이기다, 치다, 두드리다
23 승리, 우승
24 be held
25 ~에도 불구하고

정답 p.287

STEP 2 제대로 적용하기

A 단어

주어진 단어를 의미에 맞게 바꿔 쓰시오.

01 shot → 슛하다 ____________

02 outdoor → 야외에서 ____________

03 achieve → 성취, 달성 ____________

04 patience → 인내심이 있는 ____________

B 구

우리말 의미에 맞게 빈칸에 알맞은 말을 쓰시오.

01 세계 챔피언 a world ____________

02 메달을 따다 win a ____________

03 노력하다 make an ____________

04 대회에 참가하다 enter a ____________

C 문장

빈칸에 알맞은 말을 넣어 문장을 완성하시오.

01 We __________ singing every morning.
우리는 매일 아침 노래 부르는 것을 연습한다.

02 You will __________ weight if you eat a lot.
많이 먹으면 체중이 늘 것이다.

03 The Olympic Games are __________ every four years.
올림픽은 4년마다 개최된다.

04 Usain Bolt was the world's number one __________.
우사인 볼트는 세계 최고의 육상 선수였다.

05 She went to school __________ __________ of her illness.
그녀는 아픔에도 불구하고 학교에 갔다.

DAY

15 여행

어휘력 UPGRADE

01 **travel** [trǽvəl]

동 1. 여행하다 2. 이동하다 명 여행, 이동

I love to **travel**. 나는 **여행하는** 것을 정말 좋아한다.

Light **travels** faster than sound.
빛은 소리보다 더 빨리 **이동한다**.

⊕ a **travel** plan 여행 계획

traveler 명 여행자

---

02 **journey** [dʒə́ːrni]

명 (장거리) **여행**

He began a **journey** to Africa.
그는 아프리카로의 **여행**을 시작했다.

---

03 **tourist** [túərist]

명 **관광객**

Millions of **tourists** visit Jeju-do every year.
수백만 명의 **관광객**이 매년 제주도를 방문한다.

⊕ a **tourist** visa 관광 비자

tour
명 관광 여행, 순회 공연
동 관광하다

---

04 **schedule** [skédʒuːl]

명 **일정, 계획표** 동 **일정을 잡다**

I have a busy **schedule** today. 나는 오늘 **일정**이 바쁘다.

The bus is **scheduled** to leave at 9 o'clock.
그 버스는 9시에 떠날 **예정이다**.

⊕ be **scheduled** to ~할 예정이다

---

05 **flight** [flait]

명 **비행, 항공편**

I hope you enjoy the **flight**.
즐거운 **비행** 되시기를 바랍니다.

⊕ the **flight** time 비행 시간

---

06 **airport** [érpɔːrt]

명 **공항**

He arrived at the **airport** this morning.
그는 오늘 아침에 **공항**에 도착했다.

어휘력 UPGRADE

07 **passport**
[pǽspɔːrt]

명 **여권** (외국 여행자의 국적, 신분을 증명하는 문서)

You need a **passport** to travel to another country. 다른 나라를 여행하기 위해서는 **여권**이 필요하다.

---

08 **passenger**
[pǽsəndʒər]

명 **승객, 여객** (기차, 배, 비행기 등에 타는 손님)

All **passengers** for Paris, please go to Gate 14.
파리행 **승객들**께서는 14번 게이트로 가 주세요.

---

09 **flight attendant**
[fláit ətèndənt]

명 (비행기) **승무원**

Flight attendants help passengers on airplanes. **승무원**은 비행기 안에서 승객들을 돕는다.

예전에는 남자 승무원은 steward(스튜어드), 여자 승무원은 stewardess(스튜어디스)로 불렀는데, 요즘에는 성별을 구별하지 않는 flight attendant를 써요.

---

10 **reservation**
[rèzərvéiʃən]

명 **예약**

I made a **reservation** at the restaurant for 6 o'clock. 나는 그 식당을 6시에 **예약**했다.

⊕ make a **reservation** 예약하다

reserve 동 예약하다

---

11 **cancel**
[kǽnsəl]

동 **취소하다**

I'll **cancel** my hotel reservation.
나는 내 호텔 예약을 **취소할** 것이다.

---

12 **board**
[bɔːrd]

동 **탑승하다** 명 **게시판, 칠판, 판자**

The passengers were waiting to **board**.
승객들은 **탑승하기** 위해 기다리고 있었다.

Write the answers on the **board**.
답을 **칠판**에 써라.

⊕ a **boarding** pass 탑승권

---

13 **depart**
[dipáːrt]

동 **떠나다, 출발하다**

Our flight **departs** at 6:15 a.m.
우리 비행기는 오전 6시 15분에 **출발한다**.

departure
명 출발, 떠남

반의어 arrive
도착하다

어휘력 UPGRADE

14 **land**
[lænd]

동 착륙하다, 도착하다 명 육지, 땅

The plane couldn't **land** because of the fog.
그 비행기는 안개 때문에 **착륙할** 수 없었다.

+ a **land** animal 육지 동물

반의어 take off 이륙하다

---

15 **delay**
[diléi]

동 미루다, 연기하다 (뒤로 미루다) 명 지연, 지체

Our flight was **delayed** by bad weather.
우리 비행기는 기상 악화로 **지연되었다**.

+ a **delay** of two hours 두 시간 지연

---

16 **abroad**
[əbrɔ́ːd]

부 외국으로, 해외에

She will go **abroad** to study.
그녀는 공부하기 위해 **외국으로** 갈 것이다.

+ go **abroad** 외국으로 나가다

---

17 **aboard**
[əbɔ́ːrd]

부 탑승하여

The passengers will go **aboard** soon.
승객들이 곧 **탑승할** 것이다.

+ go **aboard** 탑승하다

유의어 on board

시험 POINT aboard vs. abroad

우리말과 일치하도록 네모 안에서 알맞은 것을 고르시오.

It's time to go [aboard / abroad].
탑승할 시간이다.

aboard: 탑승하여
abroad: 해외로

정답 aboard

---

18 **village**
[vílidʒ]

명 마을, 촌락 (시골의 작은 마을)

I visited a small **village** in Spain.
나는 스페인에 있는 작은 **마을**을 방문했다.

---

19 **scenery**
[síːnəri]

명 경치, 풍경

We enjoyed the beautiful mountain **scenery**.
우리는 아름다운 산의 **풍경**을 즐겼다.

scenery의 c를 빠뜨리지 않도록 주의하세요.

20 **landmark**
[lǽndmàːrk]

명 랜드마크 (어떤 지역을 대표 또는 구별되게 하는 것)

N Seoul Tower is a famous **landmark** in Seoul.
N서울타워는 서울의 유명한 **랜드마크**이다.

어휘력 UPGRADE

랜드마크는 특정 지역을 대표하는 건축물뿐만 아니라 자연물을 가리킬 수도 있어요.

---

21 **spot**
[spɑt]

명 1. (특정한) **장소, 지점** 2. **점**

This lake is a favorite **spot** for walkers.
이 호수는 걷는 사람들이 좋아하는 **장소**이다.

The dog was white with black **spots**.
그 개는 흰색에 검은 **점**이 있었다.

⊕ a hot **spot** 명소, 인기 있는 곳

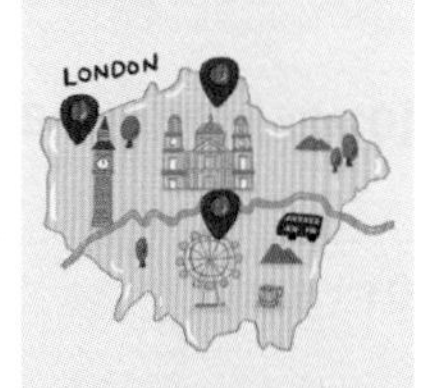

---

22 **amazing**
[əméiziŋ]

형 **놀라운, 굉장한**

The view from the tower is **amazing**.
그 탑에서 보는 풍경은 **굉장하다**.

amazed 형 깜짝 놀란

교과서 필수 암기 숙어

23 **be crowded with**

~으로 붐비다 (좁은 공간이 많은 사람으로 들끓다)

The museum **was crowded with** tourists.
그 박물관은 관광객들**로 붐볐다**.

---

24 **be known for**

~으로 알려져 있다, ~으로 유명하다

The restaurant **is known for** its special desserts.
그 식당은 특별한 디저트**로 알려져 있다**.

유의어 be famous for

---

25 **look forward to**

~을 고대하다 (몹시 기다리다)

I'm **looking forward to** my trip. 나는 내 여행**을 고대하고** 있다.

시험 POINT look forward to -ing

네모 안에서 알맞은 것을 고르시오.

He is looking forward to [meet / meeting] you.
그는 너를 만나기를 고대하고 있다.

to는 전치사이므로 다음에 동사가 올 때는 -ing 형태로 쓴다.

정답 meeting

Daily Test

STEP 1 빈틈없이 확인하기

[01-25] 영어는 우리말로, 우리말은 영어로 쓰시오.

01 spot

02 journey

03 land

04 passport

05 amazing

06 reservation

07 board

08 travel

09 cancel

10 village

11 flight attendant

12 비행, 항공편

13 미루다, 연기하다; 지연

14 공항

15 외국으로, 해외에

16 관광객

17 탑승하여

18 떠나다, 출발하다

19 일정; 일정을 잡다

20 경치, 풍경

21 승객, 여객

22 랜드마크

23 be known for

24 be crowded with

25 ~을 고대하다

정답 p.287

STEP 2 제대로 적용하기

A 단어

주어진 단어를 활용하여 의미나 지시에 맞게 쓰시오.

01 tour → 관광객 ______________

02 travel → 여행자 ______________

03 reserve → 예약 ______________

04 depart → 반의어 ______________

05 on board → 유의어 ______________

B 구

우리말 의미에 맞게 빈칸에 알맞은 말을 쓰시오.

01 비행 시간 the ______________ time

02 탑승권 a ______________ pass

03 명소, 인기 있는 곳 a hot ______________

04 육지 동물 a ______________ animal

C 문장

빈칸에 알맞은 말을 넣어 문장을 완성하시오.

01 We'll go ___________ this summer vacation.
우리는 이번 여름휴가에 해외에 갈 것이다.

02 The planes were ___________ because of heavy snow.
그 비행기들은 폭설로 지연되었다.

03 The bus was ___________ ___________ students.
그 버스는 학생들로 붐볐다.

04 The city is ___________ ___________ its beautiful scenery.
그 도시는 아름다운 경치로 알려져 있다.

05 I'm looking ___________ ___________ seeing the pyramids.
나는 피라미드 보는 것을 고대하고 있다.

내신대비 어휘 Test

PART 3

01 짝지어진 두 단어의 관계가 다른 하나는?

① cheap – expensive ② tight – loose ③ gain – lose
④ depart – leave ⑤ outdoor – indoor

02 빈칸 (A)와 (B)에 알맞은 말이 순서대로 짝지어진 것은? DAY 12 시험 POINT

She needs soft ___(A)___ to make ___(B)___ such as pajamas.

① cloth – cloth ② cloth – clothes ③ cloth – clothing
④ clothes – cloth ⑤ clothes – clothes

03 빈칸에 들어갈 말로 알맞은 것은? DAY 13 시험 POINT

A __________ shows that you bought and paid for something.

① change ② recipe ③ receipt
④ passport ⑤ schedule

04 빈칸에 공통으로 들어갈 말로 알맞은 것은?

- My goal is to win the tennis __________.
- The fur coat doesn't __________ your pants.

① match ② cost ③ beat
④ practice ⑤ board

정답 p.287

05 밑줄 친 말과 바꿔 쓸 수 있는 것은?

Hawaii is known for its beautiful beaches.

① plain ② precious ③ famous
④ amazing ⑤ expensive

06 다음 빈칸 어디에도 들어갈 수 없는 단어는? DAY 13 시험 POINT

- Can I try ___________ this jacket?
- I prefer the blue shirt ___________ the white shirt.
- If you buy a cap, you'll get another one ___________ free.
- The department store was crowded ___________ customers.

① on ② to ③ for
④ than ⑤ with

07 우리말과 일치하도록 주어진 단어를 배열하시오. (필요한 경우, 형태를 바꿀 것)

서술형

DAY 15 시험 POINT

나는 그를 만나기를 고대하고 있다. (him, meet, look, to, forward)

→ I'm ______________________________________.

08 우리말과 일치하도록 <조건>에 맞게 문장을 완성하시오. DAY 11 시험 POINT

서술형

나는 점심으로 피자 두 조각을 먹었다.

→ I ate ________________________________ for lunch.

조건
1. piece와 pizza를 포함하여 네 단어로 쓸 것
2. 필요한 경우, 주어진 단어를 알맞은 형태로 바꿀 것

PART 4

DAY 16 자연

DAY 17 동식물

DAY 18 우주와 기후

DAY 19 상태 묘사

DAY 20 과학

DAY
16 자연

들으며 외우기

어휘력 UPGRADE

01 **nature**
[néitʃər]

명 1. 자연 2. 천성, 본성 (본래 타고난 성격)

A camping trip is a good way to experience **nature.** 캠핑 여행은 **자연**을 경험하는 좋은 방법이다.

She is honest by **nature.** 그녀는 **천성**적으로 정직하다.

natural 형 자연의, 당연한, 타고난

---

02 **forest**
[fɔ́:rist]

명 숲

It is dangerous to enter the **forest** at night.
밤에 그 **숲**에 들어가는 것은 위험하다.

⊕ a rainforest 열대 우림 (열대 지방에서 발달하는 삼림)

---

03 **desert**
[dézərt]

명 사막

Many **deserts** are covered with sand.
많은 **사막**이 모래로 덮여 있다.

시험 POINT desert vs. dessert

네모 안에서 알맞은 것을 고르시오.

The [desert / dessert] is very dry and hot.
그 사막은 매우 건조하고 덥다.

desert: 사막
dessert: 디저트

정답 desert

---

04 **waterfall**
[wɔ́:tərfɔ̀:l]

명 폭포

Niagara Falls is a large **waterfall** in North America. 나이아가라 폭포는 북아메리카에 있는 큰 **폭포**다.

유의어 falls

---

05 **coast**
[koust]

명 해안

We walked together along the **coast.**
우리는 **해안**을 따라 함께 걸었다.

⊕ a coastline 해안선

어휘력 UPGRADE

06 **cave** [keiv]

명 동굴

Some bats live in dark **caves**.
어떤 박쥐는 어두운 **동굴**에서 산다.

07 **valley** [vǽli]

명 골짜기, 계곡

They found a small village in the **valley**.
그들은 **계곡**에서 작은 마을을 발견했다.

08 **shore** [ʃɔːr]

명 물가, 기슭 (물과 닿아 있는 땅)

He had to swim from the boat to the **shore**.
그는 배에서 **물가**까지 수영해야 했다.

09 **cliff** [klif]

명 절벽, 낭떠러지

He stood on the **cliff** and looked at the sea.
그는 **절벽**에 서서 바다를 봤다.

10 **island** [áilənd]

명 섬

Jeju-do is the largest **island** in Korea.
제주도는 한국에서 가장 큰 **섬**이다.

island의 s는 묵음이에요.

시험 POINT 영영풀이

알맞은 말을 골라 영영풀이를 완성하시오.

island: a piece of land that is surrounded by ______

ⓐ forest ⓑ desert ⓒ water

섬: 물로 둘러싸인 땅 한 덩어리

정답 ⓒ

11 **mud** [mʌd]

명 진흙

My boots are covered in **mud**.
내 장화는 **진흙**으로 뒤덮였다.

muddy 형 진흙투성이의

12 **flow** [flou]

동 흐르다, 흘러가다 명 흐름

The river **flows** into the sea. 그 강은 바다로 **흘러간다**.

⊕ a **flow** of air 공기의 흐름

어휘력 UPGRADE

13 **sunset**
[sʌ́nsèt]

명 **해 질 녘, 일몰** (해가 지는 것)

We watched the **sunset** from the beach.
우리는 해변에서 **일몰**을 봤다.

⊕ at **sunset** 해 질 녘에

반의어 sunrise 일출

---

14 **dawn**
[dɔːn]

명 **새벽(녘)**

My grandparents get up at **dawn** every day.
우리 조부모님은 매일 **새벽**에 일어나신다.

---

15 **breeze**
[briːz]

명 **산들바람, 미풍** (기분 좋게 부는 약한 바람)

I felt the **breeze** on my face.
나는 얼굴에 **산들바람**을 느꼈다.

---

16 **lightning**
[láitniŋ]

명 **번개, 번갯불**

The tree was struck by **lightning**.
그 나무는 **번개**를 맞았다.

⊕ thunder and **lightning** 천둥 번개

---

17 **earthquake**
[ə́ːrθkweik]

명 **지진**

The house was destroyed by the **earthquake**.
그 집은 **지진**으로 파괴되었다.

18 **flood**
[flʌd]

명 **홍수** 동 **물에 잠기다, 범람하다** (큰물이 흘러넘치다)

After the heavy rain, there was a big **flood**.
폭우 후에 큰 **홍수**가 났다.

The river **floods** every year. 그 강은 매년 **범람한다**.

---

19 **disaster**
[dizǽstər]

명 **재난, 재해, 참사** (끔찍한 사건)

About 50 people died in the **disaster**.
그 **재해**로 약 50명의 사람들이 죽었다.

⊕ a natural **disaster** 자연재해

어휘력 UPGRADE

20 **landscape**
[lǽndskèip]

명 **풍경, 경치**

He took a picture of the beautiful **landscape**.
그는 그 아름다운 **풍경** 사진을 찍었다.

---

21 **continent**
[kάntənənt]

명 **대륙**

Asia is the largest **continent** in the world.
아시아는 세계에서 가장 큰 **대륙**이다.

continental
형 대륙의

---

22 **pole**
[poul]

명 **1.** (지구의) **극** **2. 막대, 기둥**

The South **Pole** is the coldest place on the earth. **남극**은 지구상에서 가장 추운 곳이다.

⊕ the North **Pole** 북극

polar 형 극지의

남극, 북극을 나타낼 때는 각 단어의 첫 철자를 대문자로 써요.

---

23 **wonder**
[wʌ́ndər]

동 **궁금해하다** 명 **감탄, 경이** (놀랍고 신기하게 여김)

I **wonder** why the sky is blue.
나는 왜 하늘이 파란지 **궁금하다**.

We watched the circus with **wonder**.
우리는 **감탄**하며 서커스를 봤다.

wonderful
형 경이로운

교과서 필수 암기 숙어

24 **be surrounded by**

~으로 둘러싸여 있다

The lake **is surrounded by** trees.
그 호수는 나무**로 둘러싸여 있다**.

---

25 **be filled with**

~으로 가득 차 있다

The sky **was filled with** stars. 하늘은 별들**로 가득 차 있었다**.

유의어 be full of

Daily Test

STEP 1 빈틈없이 확인하기

[01-25] 영어는 우리말로, 우리말은 영어로 쓰시오.

01 coast

02 landscape

03 cave

04 nature

05 dawn

06 continent

07 shore

08 sunset

09 earthquake

10 waterfall

11 mud

12 breeze

13 사막

14 섬

15 번개, 번갯불

16 절벽, 낭떠러지

17 재난, 재해, 참사

18 (지구의) 극, 막대, 기둥

19 골짜기, 계곡

20 숲

21 궁금해하다; 감탄, 경이

22 홍수; 물에 잠기다

23 흐르다, 흘러가다; 흐름

24 be filled with

25 ~으로 둘러싸여 있다

정답 p.288

STEP 2 제대로 적용하기

A 단어

주어진 단어를 의미에 맞게 바꿔 쓰시오.

01 pole → 극지의 ____________

02 mud → 진흙투성이의 ____________

03 nature → 자연의, 타고난 ____________

04 wonder → 경이로운 ____________

B 구

우리말 의미에 맞게 빈칸에 알맞은 말을 쓰시오.

01 공기의 흐름 a ____________ of air

02 천둥 번개 thunder and ____________

03 자연재해 a natural ____________

04 가장 큰 섬 the largest ____________

05 해 질 녘에 at ____________

06 북극 the North ____________

C 문장

빈칸에 알맞은 말을 넣어 문장을 완성하시오.

01 Many animals died in the __________. 많은 동물들이 홍수로 죽었다.

02 This box is __________ with apples. 이 상자는 사과로 가득 차 있다.

03 It is not easy to find water in the __________.
사막에서 물을 찾는 것은 쉽지 않다.

04 You can enjoy the fresh air of the __________.
당신은 숲의 맑은 공기를 즐길 수 있다.

05 The town is __________ __________ mountains.
그 마을은 산으로 둘러싸여 있다.

DAY

17 동식물

들으며 외우기

어휘력 UPGRADE

01 **plant** [plænt]

명 1. 식물 2. 공장 동 (식물·씨 등을) 심다

All **plants** need light and water.
모든 **식물**은 빛과 물이 필요하다.

My father **planted** a tree in the yard.
우리 아버지는 마당에 나무 한 그루를 **심으셨다**.

⊕ a wind power **plant** 풍력 발전소

---

02 **seed** [siːd]

명 씨, 씨앗

We can grow most vegetables from **seeds**.
우리는 대부분의 채소를 **씨앗**에서 재배할 수 있다.

⊕ plant a **seed** 씨를 심다

---

03 **branch** [bræntʃ]

명 1. (나뭇)가지 2. 지점

The monkey is hanging from a **branch**.
그 원숭이는 **나뭇가지**에 매달려 있다.

The bank has **branches** all over the country.
그 은행은 전국에 **지점**이 있다.

큰 나무줄기에서 '가지(branch)'가 갈라져 나오는 것처럼 '지점(branch)'도 본점에서 갈라져 나온 점포를 의미해요.

---

04 **pine** [pain]

명 소나무

Pine trees are green all year round.
소나무는 일 년 내내 푸르다.

fine(좋은)과 혼동하지 않도록 주의하세요.

---

05 **bamboo** [bæmbúː]

명 대나무

Pandas usually eat **bamboo**.
판다는 대개 **대나무**를 먹는다.

---

06 **bush** [buʃ]

명 관목, 덤불 (관목: 키가 작고 가지가 많은 나무)

The boy was hiding in the **bushes**.
그 남자아이는 **덤불** 속에 숨어 있었다.

어휘력 UPGRADE

07 **weed**
[wiːd]

명 잡초

We pulled **weeds** from the garden.
우리는 정원에서 **잡초**를 뽑았다.

⊕ seaweed 해초

---

08 **insect**
[ínsekt]

명 곤충

Insects don't have bones. **곤충**은 뼈가 없다.

---

09 **camel**
[kǽməl]

명 낙타

Camels are often used to travel in the desert.
낙타는 종종 사막을 여행하는 데 이용된다.

---

10 **whale**
[*h*weil]

명 고래

Whales look like fish, but they are not.
고래는 물고기처럼 보이지만, 물고기가 아니다.

---

11 **dinosaur**
[dáinəsɔ̀ːr]

명 공룡

Dinosaurs lived on the earth millions of years ago. **공룡**은 수백만 년 전에 지구에 살았다.

---

12 **lay**
[lei]
laid-laid

동 1. (알을) **낳다** 2. **(내려)놓다, 눕히다**

The chickens **lay** eggs each morning.
그 닭들은 매일 아침 알을 **낳는다**.

She **laid** the money on the table.
그녀는 그 돈을 탁자 위에 **놓았다**.

lay - laid - laid (놓다)
lie - lay - lain (눕다)
lie - lied - lied (거짓말하다)

시험 POINT lie vs. lay

네모 안에서 알맞은 것을 고르시오.

[Lie / Lay] the baby on the bed.
아기를 침대 위에 눕혀라.

lie: 눕다
lay: 눕히다

정답 Lay

---

13 **hatch**
[hætʃ]

동 **부화하다, 부화시키다** (동물의 새끼가 알을 깨고 밖으로 나오다)

Don't count your chickens before they **hatch**.
닭이 **부화하기**도 전에 닭을 세지 마라. (김칫국부터 마시지 마라.) <속담>

어휘력 UPGRADE

14 **leap**
[liːp]

동 뛰어오르다, 뛰어넘다

A fish **leaped** out of the water.
물고기 한 마리가 물 밖으로 **뛰어올랐다**.

15 **bite**
[bait]
bit-bitten

동 물다 명 물린 자국

Does your dog **bite**? 당신의 개가 **무나요**?

+ an insect **bite** 벌레에 물린 자국

16 **dig**
[dig]
dug-dug

동 1. 파다 2. 캐다

We will **dig** a big hole to plant a tree.
우리는 나무를 심기 위해 깊은 구덩이를 **팔** 것이다.

I'll **dig** up some potatoes to make soup.
나는 수프를 만들기 위해 감자 몇 개를 **캘** 것이다.

17 **bloom**
[bluːm]

동 꽃이 피다

Roses begin to **bloom** in May.
장미는 5월에 **꽃이 피기** 시작한다.

18 **male**
[meil]

형 남성의, 수컷의 명 남성, 수컷

Most **male** birds have colorful feathers.
대부분의 **수컷** 새는 화려한 깃털을 가지고 있다.

19 **female**
[fíːmèil]

형 여성의, 암컷의 명 여성, 암컷

Who is your favorite **female** rapper?
네가 가장 좋아하는 **여성** 래퍼는 누구니?

반의어 male

20 **various**
[vέəriəs]

형 여러 가지의, 다양한

There are **various** plants in this garden.
이 정원에는 **다양한** 식물들이 있다.

variety 명 다양성

어휘력 UPGRADE

21 **wild** [waild]

형 야생의

She went to Africa to see **wild** animals.
그녀는 **야생** 동물을 보려고 아프리카에 갔다.

⊕ wildlife 야생 생물

---

22 **hunt** [hʌnt]

동 사냥하다 명 사냥

Lions sometimes **hunt** alone.
사자는 때때로 혼자 **사냥한다**.

⊕ a treasure **hunt** 보물찾기

hunter 명 사냥꾼

---

23 **trap** [træp]
trapped-trapped

명 덫, 함정 동 가두다, 덫으로 잡다

A rat was caught in a **trap**. 쥐 한 마리가 **덫**에 잡혔다.

Five people were **trapped** in the elevator for three hours. 다섯 사람이 세 시간 동안 엘리베이터에 **갇혔다**.

교과서 필수 암기 숙어

24 **look after**

~을 돌보다, ~을 보살피다

I have to **look after** my cats this weekend.
나는 이번 주말에 내 고양이들**을 돌봐야** 한다.

시험 POINT 의미가 같은 말

밑줄 친 말과 바꿔 쓸 수 있는 것을 고르시오.

I will look after my brother tomorrow.

ⓐ look for ⓑ take after ⓒ take care of

나는 내일 남동생을 돌볼 것이다.
ⓐ ~을 찾다
ⓑ ~을 닮다
ⓒ ~을 돌보다

정답 ⓒ

---

25 **find out**

~을 알아내다

I have to **find out** what happened.
나는 무슨 일이 일어났는지 **알아내야** 한다.

Daily Test

STEP 1 빈틈없이 확인하기

[01-25] 영어는 우리말로, 우리말은 영어로 쓰시오.

01 wild

02 hatch

03 camel

04 hunt

05 bamboo

06 plant

07 weed

08 trap

09 bloom

10 dinosaur

11 bite

12 bush

13 곤충

14 (알을) 낳다, (내려)놓다

15 파다, 캐다

16 씨, 씨앗

17 남성의, 수컷의; 남성

18 여성의, 암컷의; 여성

19 고래

20 (나뭇)가지, 지점

21 뛰어오르다, 뛰어넘다

22 여러 가지의, 다양한

23 소나무

24 look after

25 ~을 알아내다

정답 p.288

STEP 2 제대로 적용하기

A 단어

주어진 동사의 과거형과 과거분사형을 쓰시오.

		과거형	과거분사형
01	dig	– ________	– ________
02	trap	– ________	– ________
03	bite	– ________	– ________
04	lay	– ________	– ________

B 구

우리말 의미에 맞게 빈칸에 알맞은 말을 쓰시오.

01 씨를 심다 plant a ________

02 벌레에 물린 자국 an insect ________

03 보물찾기 a treasure ________

04 풍력 발전소 a wind power ________

05 야생 동물 ________ animals

C 문장

빈칸에 알맞은 말을 넣어 문장을 완성하시오.

01 The snake went into the ________. 뱀이 덤불 속으로 들어갔다.

02 Most plants ________ in the spring. 대부분의 식물은 봄에 꽃이 핀다.

03 It took three weeks for the eggs to ________.
그 알은 부화하는 데 3주가 걸렸다.

04 I saw a rabbit with its leg in a ________.
나는 덫에 다리가 걸린 토끼를 보았다.

05 Can you ________ ________ my dog tomorrow?
내일 우리 개를 돌봐줄 수 있니?

DAY

18 우주와 기후

들으며 외우기

어휘력 UPGRADE

01 **space** [speis]

명 1. 우주 2. 공간, 자리

They sent a rocket into **space**.
그들은 로켓을 **우주**로 보냈다.

There is no **space** in the room for a bed.
그 방에는 침대를 놓을 **자리**가 없다.

02 **planet** [plǽnit]

명 행성

Mars is the fourth **planet** from the Sun.
화성은 태양으로부터 네 번째 **행성**이다.

03 **earth** [əːrθ]

명 1. 지구 2. 땅, 육지 3. 흙

The **earth** is round. **지구**는 둥글다.

The **earth** began to shake. **땅**이 흔들리기 시작했다.

'지구'를 의미할 때는 첫 철자를 대문자로 써서 Earth 또는 the Earth로 쓰기도 해요.

04 **spaceship** [spéisʃìp]

명 우주선

We will travel into space by **spaceship** someday. 우리는 언젠가 **우주선**을 타고 우주를 여행할 것이다.

space(우주) + ship(배)

05 **explore** [iksplɔ́ːr]

동 탐험하다, 탐사하다

I want to **explore** space. 나는 우주를 **탐험하고** 싶다.

exploration
명 탐험

06 **astronaut** [ǽstrənɔːt]

명 우주비행사

Her dream is to be an **astronaut**.
그녀의 꿈은 **우주비행사**가 되는 것이다.

07 **exist** [igzíst]

동 존재하다

Do you think UFOs really **exist**?
UFO가 실제로 **존재한다고** 생각하나요?

existence
명 존재, 실재

어휘력 UPGRADE

08 **universe**
[jú:nəvə:rs]

명 우주

How many stars are there in the **universe**?
우주에는 얼마나 많은 별이 있나요?

---

09 **alien**
[éiliən]

명 외계인 형 1. 외계의 2. 낯선

Some people believe that **aliens** exist.
몇몇 사람들은 **외계인**이 존재한다고 믿는다.

⊕ an **alien** environment 낯선 환경

---

10 **gravity**
[grǽvəti]

명 중력 (지구 위의 모든 물체를 지구의 중심으로 잡아당기는 힘)

Things fall to the ground because of **gravity**.
물체는 **중력** 때문에 땅으로 떨어진다.

⊕ zero **gravity** 무중력

---

11 **surface**
[sə́:rfis]

명 표면

Most of the earth's **surface** is covered by water. 지구 **표면**의 대부분은 물로 덮여 있다.

---

12 **float**
[flout]

동 뜨다, 떠다니다

The boat was **floating** on the river.
그 배는 강 위에 **떠** 있었다.

공중에 떠다니는 것을 표현할 때도 float를 써요.

---

13 **solar**
[sóulər]

형 태양의, 태양열의

There are eight planets in the **solar** system.
태양계에는 8개의 행성이 있다.

⊕ **solar** energy 태양 에너지

태양과 그 주위를 도는 행성들을 '태양계(the solar system)'라고 해요.

---

14 **lunar**
[lú:nər]

형 달의

Neil Armstrong was the first person to walk on the **lunar** surface.
닐 암스트롱은 **달의** 표면을 걸은 첫 번째 사람이었다.

⊕ **Lunar** New Year's Day 설날(음력설)

음력은 달의 운행을 기준으로 만든 달력이라서 음력을 나타낼 때 lunar를 써요.

어휘력 UPGRADE

¹⁵ **heat**
[hiːt]

명 **열, 열기** 동 **가열하다**

The sun gives us light and **heat**.
태양은 우리에게 빛과 **열**을 준다.

Heat the oil in a pan. 팬에 있는 기름을 **가열하세요**.

heater
명 히터, 난방장치

---

16 **storm**
[stɔːrm]

명 **폭풍**

We stayed at home because of the **storm**.
우리는 **폭풍** 때문에 집에 머물렀다.

⊕ a snowstorm 눈보라

---

17 **temperature**
[témpərətʃər]

명 **온도, 기온**

The **temperature** is dropping. **온도**가 떨어지고 있다.

⊕ body **temperature** 체온

---

18 **climate**
[kláimit]

명 **기후** (한 지역의 평균적인 날씨)

Korea has a cold and dry **climate** in winter.
한국은 겨울에 춥고 건조한 **기후**이다.

⊕ **climate** change 기후 변화

---

19 **cycle**
[sáikl]

명 **주기, 순환** (주기적으로 자꾸 되풀이되는 것)

Rain is part of the water **cycle**.
비는 물의 **순환**의 일부이다.

---

20 **appear**
[əpíər]

동 **1. 나타나다, 생기다 2. ~처럼 보이다, ~인 것 같다**

Why do rainbows **appear** after it rains?
무지개는 왜 비가 온 후에 **나타나나요**?

She **appears** to be nervous.
그녀는 초조한 것**처럼 보인다**.

반의어 disappear
사라지다

시험 POINT appear의 쓰임

네모 안에서 알맞은 것을 고르시오.

The moon [appears / is appeared] at night.

달은 밤에 나타난다.

주어가 사물이라서 수동태로 혼동하기 쉽지만 달이 나타나는 것이므로 appears로 쓴다.

정답 appears

어휘력 UPGRADE

21 **shadow**
[ʃǽdou]

명 그림자, 그늘

You can see **shadows** on a sunny day.
맑은 날에는 **그림자**를 볼 수 있다.

---

22 **last**
[læst]

동 계속되다, 지속되다
형 1. 마지막의, 최종의 2. 지난

The storm didn't **last** long.
그 폭풍은 오래 **계속되지** 않았다.

I missed the **last** train. 나는 **마지막** 기차를 놓쳤다.

⊕ **last** summer 지난여름

교과서 필수 암기 숙어

23 **be likely to**

~할 것 같다, ~일 것 같다

It **is likely to** be cold this winter. 이번 겨울에는 추울 **것 같다**.

---

24 **sooner or later**

조만간, 머지않아

Sooner or later, it will rain. **조만간** 비가 올 것이다.

---

25 **a number of**

(수가) 많은

I have **a number of** books about space.
나는 우주에 관한 **많은** 책을 가지고 있다.

비교 the number of ~의 수

시험 POINT a number of vs. the number of

우리말을 참고하여 각 네모 안에서 알맞은 것을 고르시오.

1. [A / The] number of stars are shining in the sky. 많은 별들이 하늘에서 빛나고 있다.
2. We can't count [a / the] number of stars in the sky.
   우리는 하늘에 있는 별의 수를 셀 수 없다.

a number of: 많은
the number of: ~의 수

정답 1. A 2. the

Daily Test

STEP 1 빈틈없이 확인하기

[01-25] 영어는 우리말로, 우리말은 영어로 쓰시오.

01	climate		**12**	존재하다	
02	universe		**13**	우주, 공간, 자리	
03	gravity		**14**	태양의, 태양열의	
04	temperature		**15**	탐험하다, 탐사하다	
05	surface		**16**	폭풍	
06	astronaut		**17**	열, 열기; 가열하다	
07	last		**18**	행성	
08	lunar		**19**	나타나다, ~인 것 같다	
09	float		**20**	지구, 땅, 육지, 흙	
10	cycle		**21**	외계인; 외계의, 낯선	
11	spaceship		**22**	그림자, 그늘	

23 be likely to

24 a number of

25 조만간, 머지않아

정답 p.288

STEP 2 제대로 적용하기

A 단어

주어진 단어를 의미에 맞게 바꿔 쓰시오.

01 exploration → 탐험하다 ____________

02 existence → 존재하다 ____________

03 heat → 히터, 난방장치 ____________

B 구

우리말 의미에 맞게 빈칸에 알맞은 말을 쓰시오.

01 무중력 zero ____________

02 설날(음력설) ____________ New Year's Day

03 체온 body ____________

04 기후 변화 ____________ change

05 지난여름 ____________ summer

06 조만간, 머지않아 ____________ or later

C 문장

보기에서 알맞은 말을 골라 문장을 완성하시오.

보기	number	appeared	floating	likely	planet

01 A bus __________ around the corner. 버스 한 대가 모퉁이를 돌아 나타났다.

02 Pluto is not a __________ anymore. 명왕성은 더 이상 행성이 아니다.

03 They were __________ in the spaceship. 그들은 우주선 안에서 떠 있었다.

04 He is __________ to win the game. 그는 그 경기에서 이길 것 같다.

05 You can see a __________ of stars in the sky.
당신은 하늘에서 많은 별을 볼 수 있다.

DAY 19

상태 묘사

어휘력 UPGRADE

01 **material** [mətíəriəl]

명 **1. 재료, 물질 2. 자료**

We need a hard **material** like stone.
우리는 돌처럼 단단한 **물질**이 필요하다.

⊕ teaching **materials** 수업 자료

---

02 **wooden** [wúdn]

형 **나무로 된, 목제의**

He put his toys in the **wooden** box.
그는 **나무로 된** 상자에 장난감들을 넣었다.

wood 명 나무, 목재

---

03 **metal** [métl]

명 **금속**

Iron, silver, and gold are **metals**.
철, 은, 금은 **금속**이다.

---

04 **solid** [sálid]

명 **고체** 형 **고체의, 단단한**

Wood and stone are **solids**. 나무와 돌은 **고체**이다.

⊕ a **solid** rock 단단한 바위

---

05 **liquid** [líkwid]

명 **액체** 형 **액체의**

Water and milk are **liquids**. 물과 우유는 **액체**이다.

⊕ **liquid** soap 액체 비누

---

06 **shape** [ʃeip]

명 **모양, 형태** 동 **~ 모양으로 만들다**

The table has a round **shape**.
그 탁자는 둥근 **모양**이다.

Shape the dough into a ball.
반죽을 공 **모양으로 만들어라**.

⊕ **shape** *A* into *B* A를 B의 형태로 만들다

어휘력 UPGRADE

07 **object** [á:bdʒikt]

명 1. 물건, 물체 2. 목적, 목표

I saw a strange **object** in the sky.
나는 하늘에서 이상한 **물체**를 봤다.

The **object** of the game is to score the most points. 그 게임의 **목적**은 가장 많은 점수를 얻는 것이다.

유의어 thing 물건

---

08 **form** [fɔ:rm]

명 1. 형태, 형식 2. (문서의) 서식
동 형성하다, 구성되다

Energy exists in many different **forms**.
에너지는 많은 다양한 **형태**로 존재한다.

Please fill out the **form**. 그 **서식**을 작성해 주세요.

The boys **formed** a circle. 그 남자아이들은 원을 **이루었다**.

formation
명 형성, 구성

---

09 **melt** [melt]

동 녹다, 녹이다

The ice cream is **melting**. 아이스크림이 **녹고** 있다.

---

10 **frozen** [fróuzn]

형 얼어붙은, 언, 냉동의

They can skate on the **frozen** river in winter.
그들은 겨울에 **얼어붙은** 강에서 스케이트를 탈 수 있다.

⊕ **frozen** food 냉동식품

freeze 동 얼다

만화영화 '겨울왕국'의 영어 제목이 'Frozen'이에요.

---

11 **expand** [ikspǽnd]

동 확대되다, 팽창하다

Iron **expands** when you heat it.
철은 가열하면 **팽창한다**.

expansion
명 확대, 증가

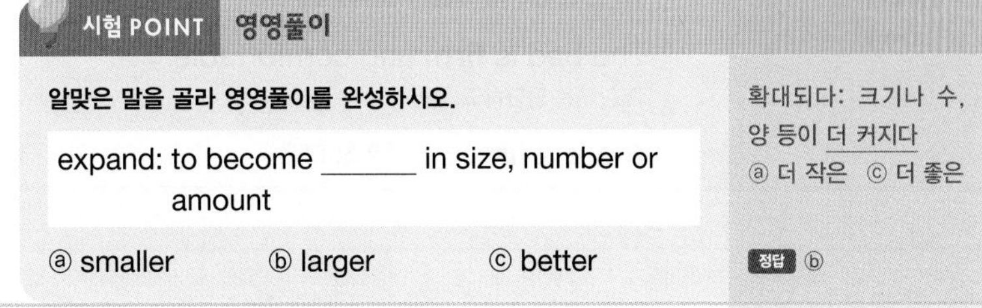

시험 POINT 영영풀이

알맞은 말을 골라 영영풀이를 완성하시오.

expand: to become ______ in size, number or amount

ⓐ smaller ⓑ larger ⓒ better

확대되다: 크기나 수, 양 등이 더 커지다
ⓐ 더 작은 ⓒ 더 좋은

정답 ⓑ

---

12 **unique** [ju:ní:k]

형 독특한, 유일한, 고유의

Every flower has a **unique** smell.
모든 꽃은 **고유의** 향기가 있다.

어휘력 UPGRADE

13 **different**
[dífərənt]

형 다른, 차이가 있는

My plan is **different** from yours.
내 계획은 너의 것과 **다르다**.

+ be **different** from ~와 다르다

difference 명 차이

---

14 **similar**
[símələr]

형 비슷한, 유사한

This animal is **similar** to a duck.
이 동물은 오리와 **비슷하다**.

+ be **similar** to ~와 비슷하다

반의어 different 다른

시험 POINT be similar to

네모 안에서 알맞은 것을 고르시오.

Tom is similar [with / to] his father.
Tom은 그의 아버지와 비슷하다.

'~와 비슷하다'라는 의미를 나타낼 때는 전치사 to를 쓴다.

정답 to

---

15 **perfect**
[pə́ːrfikt]

형 완벽한

It was a **perfect** day for the beach.
해변에 가기에 **완벽한** 날이었다.

---

16 **possible**
[pásəbl]

형 가능한

Is it **possible** to live on Mars?
화성에 사는 것이 **가능한가요**?

반의어 impossible 불가능한

---

17 **firm**
[fəːrm]

형 단단한, 확고한 명 회사

The bed is **firm** and comfortable.
그 침대는 **단단하고** 편안하다.

+ a law **firm** 법률 사무소(로펌)

---

18 **sink**
[siŋk]
sank-sunk

동 가라앉다 명 싱크대, 세면대

The ship **sank** after hitting a rock.
그 배는 바위에 부딪힌 후에 **가라앉았다**.

Put the dishes in the **sink**. 그 그릇들을 **싱크대**에 넣어라.

어휘력 UPGRADE

컴퓨터 자판의 스페이스 바(bar)도 막대기(bar) 모양이라 그렇게 불러요.

19 **bar**
[bɑːr]

명 **1. 막대기,** (막대기 모양의) **바**
2. (특정 음식이나 음료를 파는) **바**

She gave me a **bar** of chocolate.
그녀는 나에게 초콜릿 **바** 한 개를 주었다.

I'm hungry. Let's go to the snack **bar**.
나 배고파. 스낵**바**에 가자.

20 **powder**
[páudər]

명 **가루, 분말**

If you add this **powder**, the water will turn red.
이 **가루**를 넣으면, 그 물이 빨갛게 변할 것이다.

21 **everywhere**
[évriwὲr]

부 **모든 곳에, 어디에나**

My dog follows me **everywhere**.
우리 개는 **어디나** 나를 따라온다.

22 **still**
[stil]

부 **아직도, 여전히**

Do you **still** love him? 너는 **아직도** 그를 사랑하니?

23 **forever**
[fərévər]

부 **영원히, 언제까지나**

No one can live **forever**.
아무도 **영원히** 살 수 없다.

교과서 필수 암기 숙어

24 **upside down**

거꾸로, 뒤집혀

He is holding the book **upside down**.
그는 그 책을 **거꾸로** 들고 있다.

25 **turn into**

~이 되다, ~으로 변하다

The rain suddenly **turned into** snow.
그 비는 갑자기 눈**으로 변했다**.

Daily Test

STEP 1 빈틈없이 확인하기

[01-25] 영어는 우리말로, 우리말은 영어로 쓰시오.

01 form
02 sink
03 everywhere
04 shape
05 bar
06 unique
07 wooden
08 object
09 forever
10 metal
11 powder
12 expand
13 고체; 고체의, 단단한
14 액체; 액체의
15 재료, 물질, 자료
16 완벽한
17 녹다, 녹이다
18 단단한, 확고한; 회사
19 비슷한, 유사한
20 다른, 차이가 있는
21 아직도, 여전히
22 얼어붙은, 언, 냉동의
23 가능한
24 upside down
25 ~이 되다, ~으로 변하다

정답 p.289

STEP 2 제대로 적용하기

A 단어

주어진 단어를 활용하여 의미나 지시에 맞게 쓰시오.

01 wood → 나무로 된 ____________

02 expand → 확대, 증가 ____________

03 freeze → 얼어붙은 ____________

04 similar → 반의어 ____________

05 possible → 반의어 ____________

B 구

우리말 의미에 맞게 빈칸에 알맞은 말을 쓰시오.

01 수업 자료 teaching ____________

02 액체 비누 ____________ soap

03 법률 사무소 a law ____________

04 초콜릿 바 한 개 a ____________ of chocolate

05 단단한 바위 a ____________ rock

C 문장

빈칸에 알맞은 말을 넣어 문장을 완성하시오.

01 The snow began to ____________. 눈이 녹기 시작했다.

02 Her hairstyle is very ____________. 그녀의 머리 모양은 무척 독특하다.

03 The boat floated ____________ ____________ on the lake.
그 배는 호수에 뒤집혀 떠 있었다.

04 Your watch is ____________ ____________ mine.
네 시계는 내 것과 비슷하다.

05 Water ____________ ____________ ice below zero degrees.
물은 0도 아래에서 얼음이 된다.

DAY 20 과학

들으며 외우기

어휘력 UPGRADE

01 **experiment** [ikspérimənt]

명 실험

We did a simple **experiment** in science class.
우리는 과학 시간에 간단한 **실험**을 했다.

⊕ do an **experiment** 실험을 하다

experimental
형 실험의

02 **research** [risə́ːrtʃ]

명 연구, 조사 동 연구하다, 조사하다

Their **research** is about sleep.
그들의 **연구**는 수면에 관한 것이다.

I **researched** the Korean War for my history class. 나는 역사 수업을 위해 한국 전쟁을 **조사했다**.

researcher
명 연구원, 조사원

03 **cause** [kɔːz]

명 원인, 이유 동 초래하다, 야기하다 (일이나 사건을 일으키다)

Cars are the main **cause** of air pollution.
자동차는 대기 오염의 주요한 **원인**이다.

The accident **caused** a traffic jam.
그 사고가 교통 체증을 **초래했다**.

04 **result** [rizʌ́lt]

명 결과

What were the **results** of the study?
그 연구의 **결과**는 무엇이었나요?

⊕ as a **result** 결과적으로

05 **method** [méθəd]

명 방법, 방식

This is the best **method** for solving the problem.
이것은 그 문제를 해결하기 위한 가장 좋은 **방법**이다.

06 **process** [práses]

명 과정, 절차

He explained the **process** of building a boat.
그는 배를 만드는 **과정**을 설명했다.

어휘력 UPGRADE

07 **detail**
[ditéil]

명 세부 사항

I want to know the **details** of the plan.
나는 그 계획의 **세부 사항**을 알고 싶다.

Please tell me in **detail.** 저에게 **자세히** 말해 주세요.

⊕ in **detail** 자세히

---

08 **collect**
[kəlékt]

동 모으다, 수집하다

She likes to **collect** dolls from different countries.
그녀는 각기 다른 나라의 인형을 **수집하는** 것을 좋아한다.

collection
명 수집품, 소장품

---

09 **predict**
[pridíkt]

동 예상하다, 예측하다

We can't **predict** the future.
우리는 미래를 **예측할** 수 없다.

prediction
명 예상, 예측

---

10 **analyze**
[ǽnəlaiz]

동 분석하다

We **analyzed** the cause of our failure.
우리는 실패의 원인을 **분석했다**.

analysis 명 분석

---

11 **compare**
[kəmpέər]

동 비교하다

He **compared** the iPhone to the Galaxy.
그는 아이폰을 갤럭시와 **비교했다**.

⊕ **compare** *A* to *B* A를 B와 비교하다

comparison
명 비교

---

12 **try**
[trai]
tried-tried

동 1. 노력하다, 애를 쓰다 2. (시험 삼아) 해 보다

I **tried** to find a solution. 나는 해결책을 찾으려고 **노력했다**.

I **tried** pressing the button.
나는 **(시험 삼아)** 그 버튼을 눌러**봤다**.

「try to+동사원형」은 '~하려고 노력하다'라는 의미이고, try -ing는 '시험 삼아 ~을 해 보다'라는 의미예요.

시험 POINT try의 쓰임

우리말과 일치하도록 네모 안에서 알맞은 것을 고르시오.

She tried [staying / to stay] up all night.
그녀는 밤새 깨어 있으려고 노력했다.

'~하려고 노력했다'라는 의미이므로 try 다음에 「to+동사원형」을 쓴다.

정답 to stay

어휘력 UPGRADE

13 **curiosity** [kjùəriɑ́səti]

명 호기심

The students were full of **curiosity**.
그 학생들은 **호기심**으로 가득 차 있었다.

curious 형 호기심이 많은, 궁금해하는

---

14 **focus** [fóukəs]

명 초점, 중점 동 집중하다

What is the **focus** of your study?
당신의 연구의 **초점**은 무엇인가요?

We should **focus** on our experiments.
우리는 우리의 실험에 **집중해야** 한다.

⊕ **focus** on ~에 집중하다

---

15 **prove** [pru:v]

동 입증하다, 증명하다 (증거를 내세워 증명하다)

You're wrong. I can **prove** it.
네가 틀렸어. 내가 그것을 **입증할** 수 있어.

proof 명 증거

---

16 **complete** [kəmplí:t]

형 완전한, 완벽한 동 끝마치다, 완성하다

Write your answer in **complete** sentences.
당신의 답을 **완전한** 문장으로 쓰세요.

I have to **complete** my painting.
나는 내 그림을 **완성해야** 한다.

completely 부 완전히

반의어 incomplete 불완전한, 불충분한

시험 POINT 의미가 같은 말

밑줄 친 단어와 바꿔 쓸 수 있는 것을 고르시오.

We will complete the work this week.

ⓐ start ⓑ continue ⓒ finish

우리는 이번 주에 그 일을 끝마칠 것이다.

정답 ⓒ

---

17 **exact** [igzǽkt]

형 정확한, 딱 맞는

Can you tell me the **exact** time, please?
저에게 **정확한** 시간을 말씀해 주시겠어요?

exactly 부 정확히

---

18 **range** [reindʒ]

명 1. 범위 2. 다양성

The price **range** is from $10 to $50.
가격 **범위**는 10~50달러이다.

This hotel has a **range** of services.
이 호텔에는 **다양한** 서비스가 있다.

⊕ a **range** of 여러 종류의, 다양한

10 50

19 **control**
[kəntróul]
controlled-controlled

동 통제하다, 조절하다 명 통제, 제어

They couldn't **control** their dog.
그들은 그들의 개를 **통제하지** 못했다.

+ a remote **control** 리모컨

---

20 **cell**
[sel]

명 세포

Our body is made up of **cells**.
우리 몸은 **세포**로 구성되어 있다.

---

21 **chemical**
[kémikəl]

형 화학의, 화학적인 명 화학 물질

He works for a **chemical** company.
그는 **화학** 회사에 근무한다.

We use many **chemicals** in our everyday lives.
우리는 일상생활에서 많은 **화학 물질**을 사용한다.

chemistry 명 화학

---

22 **electricity**
[ilektrísəti]

명 전기

We can use wind to create **electricity**.
우리는 **전기**를 만들기 위해 바람을 이용할 수 있다.

electric 형 전기의

교과서 필수 암기 숙어

23 **except for**

~을 제외하고

Except for one mistake, his report was perfect.
한 가지 실수**를 제외하고** 그의 보고서는 완벽했다.

---

24 **come up with**

~을 생각해 내다

She finally **came up with** a solution.
그녀는 마침내 해결책**을 생각해 냈다**.

---

25 **first of all**

우선, 첫째로, 무엇보다도

First of all, you have to read this book.
우선, 당신은 이 책을 읽어야 한다.

Daily Test

STEP 1 빈틈없이 확인하기

[01-25] 영어는 우리말로, 우리말은 영어로 쓰시오.

01	focus	12	모으다, 수집하다
02	analyze	13	통제하다; 통제
03	exact	14	세부 사항
04	process	15	실험
05	cell	16	전기
06	research	17	원인, 이유; 초래하다
07	prove	18	비교하다
08	try	19	결과
09	method	20	호기심
10	chemical	21	완전한; 끝마치다
11	range	22	예상하다, 예측하다

23 come up with

24 ~을 제외하고

25 우선, 첫째로, 무엇보다도

정답 p.289

STEP 2 제대로 적용하기

A 단어

주어진 단어를 의미에 맞게 바꿔 쓰시오.

01 electric → 전기 ______________

02 analyze → 분석 ______________

03 prove → 증거 ______________

04 collect → 수집품, 소장품 ______________

05 exact → 정확히 ______________

B 구

우리말 의미에 맞게 빈칸에 알맞은 말을 쓰시오.

01 실험을 하다 do an ______________

02 결과적으로 as a ______________

03 리모컨 a remote ______________

04 자세히 in ______________

C 문장

빈칸에 알맞은 말을 넣어 문장을 완성하시오.

01 I tried to ___________ the work in a day.
나는 그 일을 하루에 끝내려고 노력했다.

02 You'd better ___________ ___________ your studies.
너는 공부에 집중하는 게 좋겠다.

03 Don't ___________ me ___________ my brother.
저를 남동생과 비교하지 마세요.

04 You can have anything, ___________ ___________ this book.
이 책을 제외하고 너는 어떤 것이든 가져도 된다.

05 We have to ___________ ___________ ___________ a new method.
우리는 새로운 방법을 생각해 내야 한다.

내신 대비

어휘 Test

PART 4

01 짝지어진 두 단어의 관계가 다른 하나는?

① prove – proof
② curious – curiosity
③ analyze – analysis
④ expand – expansion
⑤ exist – existence

02 빈칸에 들어갈 말이 순서대로 짝지어진 것은? DAY 19 시험 POINT

- The box is filled __________ oranges.
- Your watch is similar __________ mine in shape.
- Except __________ math, my grades are good.

① of – with – to
② of – to – for
③ with – of – to
④ with – to – for
⑤ by – with – by

03 영영풀이에 해당하는 단어로 알맞은 것은? DAY 16 시험 POINT

a piece of land that is surrounded by water

① cave
② forest
③ island
④ continent
⑤ waterfall

04 빈칸에 공통으로 들어갈 말로 알맞은 것은? DAY 17 시험 POINT

- The bird __________ three eggs this morning.
- She __________ her bag on the table.

① lie
② lied
③ lay
④ laid
⑤ lain

정답 p. 289

05 밑줄 친 표현과 바꿔 쓸 수 있는 것은? DAY 17 시험 POINT

I have to take care of Amy's dogs this weekend.

① find out ② turn into ③ focus on
④ come up with ⑤ look after

06 밑줄 친 부분의 쓰임이 어색한 것은? DAY 16, 18 시험 POINT

① You must complete the report by tomorrow.
② A deer appeared from the forest.
③ The Sahara is the largest desert in the world.
④ It is likely to be very hot this summer.
⑤ I have the number of things to do today.

07 빈칸에 공통으로 들어갈 한 단어를 쓰시오.

서술형

- Their friendship didn't ___________ long.
  (그들의 우정은 계속되지 않았다.)
- He is reading the ___________ page of the book.
  (그는 그 책의 마지막 페이지를 읽고 있다.)

____

08 〈보기〉에서 필요한 말만 골라 문장을 완성하시오. DAY 20 시험 POINT

서술형

우리는 물과 에너지를 아끼려고 노력해야 한다.

→ We should ________________________________.

보기				
	save	try	and	energy
	saving	trying	to	water

PART 5

DAY 21 사회

들으며 외우기

어휘력 UPGRADE

01 **society** [səsáiəti]

명 사회 (공동생활을 하는 사람들의 집단)

The family is the smallest unit of **society**.
가족은 **사회**의 가장 작은 단위이다.

social 형 사회의, 사회적인

02 **crowd** [kraud]

명 군중, 무리 (한곳에 모인 많은 사람들)

A **crowd** gathered to see the movie star.
많은 사람들이 그 영화배우를 보기 위해 모였다.

03 **citizen** [sítizən]

명 시민, 주민

If you live in Seoul, you are a **citizen** of Seoul.
당신이 서울에 살고 있다면, 당신은 서울 **시민**이다.

04 **senior** [sí:njər]

명 1. 연장자, 상급자 2. (고등학교·대학교의) 졸업반 학생

She gave her seat to a **senior** citizen.
그녀는 한 **노인**에게 자리를 양보했다.

My sister will be a high school **senior** this year.
우리 누나는 올해 고등학교 **졸업반 학생**이 될 것이다.

⊕ a **senior** citizen 고령자, 노인

05 **freedom** [frí:dəm]

명 자유

We have the **freedom** to express our thoughts.
우리는 우리의 생각을 표현할 **자유**가 있다.

free 형 자유로운
유의어 liberty

06 **equal** [í:kwəl]

형 동일한, 같은, 평등한
동 (크기·수량 등이) ~와 같다, 동등하다

I think that all people are **equal**.
나는 모든 사람이 **평등하다**고 생각한다.

One plus one **equals** two. 1 더하기 1은 2**와 같다**.

equality 명 평등, 균등

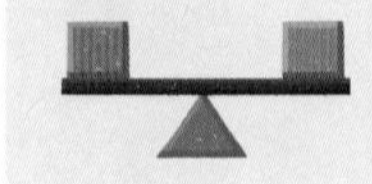

어휘력 UPGRADE

07 **right** [rait]

형 1. 옳은, 올바른 2. 오른쪽의
명 1. 권리 2. 오른쪽

I decided to do the **right** thing.
나는 **옳은** 일을 하기로 결정했다.

Everyone has the **right** to be happy.
모든 사람은 행복할 **권리**가 있다.

The bookstore is on your **right**.
그 서점은 당신 **오른편**에 있습니다.

반의어 wrong 틀린
left 왼쪽의

시험 POINT right의 의미

밑줄 친 단어의 의미를 골라 기호를 쓰시오.

보기 ⓐ 옳은 ⓑ 오른쪽의 ⓒ 권리

1. Judy raised her right hand.
2. I have the right to know the truth.

1. Judy는 그녀의 오른손을 들었다.
2. 나는 진실을 알 권리가 있다.

정답 1. ⓑ 2. ⓒ

08 **rule** [ru:l]

명 규칙, 원칙 동 통치하다, 지배하다

The **rules** of the game are very simple.
그 게임의 **규칙**은 매우 간단하다.

The queen **ruled** England for 44 years.
그 여왕은 44년 동안 영국을 **통치했다**.

ruler
명 통치자, 지배자

09 **real** [rí:əl]

형 진짜의, 현실의

Tell me your **real** name. 네 **진짜** 이름을 나에게 말해 줘.

+ the **real** world 현실 세계

really
부 실제로, 정말

10 **common** [kámən]

형 1. 평범한, 흔한 2. 공통의

Mike is a **common** English name.
Mike는 **흔한** 영어 이름이다.

They share a **common** interest in sports.
그들은 스포츠에 **공통의** 관심을 갖고 있다.

+ **common** sense 상식

반의어 uncommon
흔하지 않은, 드문

11 **private** [práivət]

형 1. 개인적인, 사적인 2. 사립의

He doesn't talk about his **private** life.
그는 자신의 **개인적인** 삶에 대해 말하지 않는다.

+ a **private** school 사립학교

privacy 명 사생활

어휘력 UPGRADE

12 **lead**
[li:d]
led-led

동 **인도하다, 이끌다**

He **led** the nation during a difficult time.
그는 어려운 시기 동안 나라를 **이끌었다**.

leader
명 지도자, 선두

---

13 **wealth**
[welθ]

명 **부(富), (많은) 재산**

Health is more important than **wealth**.
건강이 **재산**보다 더 중요하다.

wealthy 형 부유한, 재산이 많은

---

14 **fame**
[feim]

명 **명성** (이름이 널리 알려지고 칭찬을 받는 것)

She gained **fame** as a singer.
그녀는 가수로서 **명성**을 얻었다.

famous 형 유명한

---

15 **population**
[pɑ̀pjuléiʃən]

명 **인구, 주민 수**

The **population** of Seoul is over nine million.
서울의 **인구**는 9백만이 넘는다.

---

16 **matter**
[mǽtər]

명 (고려하거나 처리해야 할) **문제, 일** 동 **중요하다**

What's the **matter**? 무슨 **문제**가 있니?

It doesn't **matter** what you did.
당신이 무엇을 했는지는 **중요하지** 않다.

---

17 **main**
[mein]

형 **주요한, 주된**

The **main** problem in this city is air pollution.
이 도시의 **주요한** 문제는 대기 오염이다.

mainly 부 주로

시험 POINT 영영풀이

밑줄 친 말의 의미로 알맞은 것을 고르시오.

Our main goal is to help other people.

ⓐ the best ⓑ the most important
ⓒ the most difficult

우리의 주된 목표는 다른 사람을 돕는 것이다.
ⓐ 최고의 ⓑ 가장 중요한 ⓒ 가장 어려운

정답 ⓑ

---

18 **general**
[dʒénərəl]

형 **일반적인, 보통의** 명 (육군·공군의) **장군**

I want to know the **general** opinion about this matter. 나는 이 문제에 대한 **일반적인** 의견을 알고 싶다.

⊕ **General** MacArthur 맥아더 장군

generally
부 일반적으로, 대체로

어휘력 UPGRADE

19 **responsible** [rispάnsəbl]

형 **책임이 있는**

Teachers are **responsible** for teaching their students. 교사는 학생들을 가르칠 **책임이 있다**.

⊕ be **responsible** for ~할 책임이 있다

responsibility
명 책임(감)

20 **support** [səpɔ́:rt]

동 **지지하다, 지원하다** 명 **지지, 지원**

No one **supports** the war.
아무도 그 전쟁을 **지지하지** 않는다.

I didn't get **support** from my parents.
나는 부모님으로부터 **지원**을 받지 못했다.

21 **volunteer** [vὰ:ləntíər]

동 **자원봉사를 하다** 명 **자원봉사자**

I **volunteered** at the nursing home.
나는 양로원에서 **자원봉사를 했다**.

The **volunteers** picked up trash on the beach.
그 **자원봉사자들**은 해변에서 쓰레기를 주웠다.

⊕ do **volunteer** work 자원봉사 활동을 하다

22 **charity** [tʃǽrəti]

명 **자선, 자선 단체** (자선: 어려운 형편에 있는 사람을 물질적으로 도와주는 일)

This **charity** helps hungry children in Africa.
이 **자선 단체**는 아프리카에 있는 배고픈 어린이들을 돕는다.

⊕ a **charity** event 자선 행사

23 **donate** [dóuneit]

동 **기부하다, 기증하다**

They **donated** their old clothes to charity.
그들은 자선 단체에 그들의 헌 옷을 **기증했다**.

donation
명 기부, 기증

교과서 필수 암기 숙어

24 **in need**

어려움에 처한, 도움이 필요한

We must help people **in need**.
우리는 **어려움에 처한** 사람들을 도와야 한다.

25 **tend to**

~하는 경향이 있다, ~하기 쉽다

Women **tend to** live longer than men.
여성이 남성보다 더 오래 사는 **경향이 있다**.

Daily Test

STEP 1 빈틈없이 확인하기

[01-25] 영어는 우리말로, 우리말은 영어로 쓰시오.

01 freedom

02 right

03 crowd

04 fame

05 private

06 charity

07 senior

08 volunteer

09 rule

10 support

11 population

12 common

13 사회

14 문제, 일; 중요하다

15 인도하다, 이끌다

16 진짜의, 현실의

17 시민, 주민

18 책임이 있는

19 일반적인, 보통의; 장군

20 주요한, 주된

21 평등한, 같은; 동등하다

22 기부하다, 기증하다

23 부, 재산

24 tend to

25 어려움에 처한, 도움이 필요한

정답 p.290

STEP 2 제대로 적용하기

A 단어

주어진 단어를 의미에 맞게 바꿔 쓰시오.

01 society → 사회의, 사회적인 ____________

02 equal → 평등, 균등 ____________

03 private → 사생활 ____________

04 wealth → 부유한, 재산이 많은 ____________

05 donate → 기부, 기증 ____________

B 구

우리말 의미에 맞게 빈칸에 알맞은 말을 쓰시오.

01 고령자, 노인 a ____________ citizen

02 현실 세계 the ____________ world

03 상식 ____________ sense

04 자원봉사 활동을 하다 do ____________ work

05 자선 행사 a ____________ event

C 문장

빈칸에 알맞은 말을 넣어 문장을 완성하시오.

01 Most of the __________ lives in cities. 인구의 대부분이 도시에 산다.

02 I thank for your __________. 지지해 주셔서 감사합니다.

03 Young people __________ __________ follow trends.
젊은 사람들은 유행을 따르는 경향이 있다.

04 Parents are __________ __________ raising their children.
부모는 자녀를 키울 책임이 있다.

05 Don't leave your friends when they are __________ __________.
네 친구가 어려움에 처했을 때 그 친구를 떠나지 마라.

경제

어휘력 UPGRADE

01 **economy** [ikánəmi]

명 경제, 경기

The **economy** is growing slowly.
경제가 천천히 성장하고 있다.

economic
형 경제의

---

02 **rich** [ritʃ]

형 1. 부유한 2. 풍부한

Rich countries need to help poor countries.
부유한 나라들은 가난한 나라들을 도울 필요가 있다.

Milk is **rich** in calcium. 우유는 칼슘이 **풍부하다**.

반의어 poor
가난한, 빈곤한

---

03 **exchange** [ikstʃéindʒ]

동 교환하다, 맞바꾸다

Can I **exchange** this jacket for a bigger one?
이 재킷을 더 큰 것으로 **교환할** 수 있나요?

⊕ **exchange** *A* for *B* A를 B와 바꾸다[교환하다]

---

04 **produce** [prədjúːs]

동 생산하다, 제작하다

The factory **produces** smartwatches.
그 공장은 스마트워치를 **생산한다**.

production
명 생산, 제작

---

05 **product** [prádʌkt]

명 생산물, 상품, 제품

The company's **products** are selling well.
그 회사의 **상품**은 잘 팔리고 있다.

시험 POINT product vs. production

네모 안에서 알맞은 것을 고르시오.

We should not use plastic [products / productions].
우리는 플라스틱 제품을 사용하지 않아야 한다.

product: 만들어낸 결과물인 '상품, 제품'
production: 만드는 행위인 '생산, 제작'

정답 products

어휘력 UPGRADE

06 **income**
[ínkʌm]

명 **수입, 소득**

She spends most of her **income** on clothes.
그녀는 자신의 **수입**의 대부분을 옷에 쓴다.

---

07 **tax**
[tæks]

명 **세금**

You must pay **tax** on your income.
당신은 수입에 대해 **세금**을 내야 한다.

⊕ **tax**-free 비과세의, 면세의(세금이 붙지 않는)

---

08 **supply**
[səplái]
supplied-supplied

동 **공급하다, 제공하다** 명 **공급**

He **supplied** us with fresh water.
그는 우리에게 깨끗한 물을 **제공했다**.

⊕ electricity **supply** 전기 공급

---

09 **demand**
[dimǽnd]

동 **요구하다** 명 **수요, 요구**

He **demanded** an apology. 그는 사과를 **요구했다**.

⊕ supply and **demand** 공급과 수요

---

10 **invest**
[invést]

동 **투자하다** (이익을 얻기 위해 돈이나 시간을 쓰다)

He **invested** his money in a new company.
그는 그의 돈을 새 회사에 **투자했다**.

investment
명 투자

---

11 **trade**
[treid]

동 **거래하다** 명 **무역, 거래**

People **traded** goods at the market.
사람들은 시장에서 물건을 **거래했다**.

⊕ international **trade** 국제 무역

---

12 **increase**
동사 [inkríːs]
명사 [ínkriːs]

동 **증가하다, 늘다** 명 **증가, 인상**

Online sales **increased** this year.
온라인 판매가 올해 **증가했다**.

⊕ a price **increase** 가격 인상

반의어 decrease
감소하다, 줄다; 감소

동사일 때와 명사일 때 강세의 위치가 다르므로 발음에 주의하세요.

어휘력 UPGRADE

13 **reduce**
[ridjúːs]

동 **줄이다, 낮추다**

The boss is trying to **reduce** costs.
그 사장은 비용을 **줄이려고** 애쓰고 있다.

reduction
명 축소, 인하

---

14 **provide**
[prəváid]

동 **제공하다, 공급하다**

Cows **provide** us with milk.
젖소는 우리에게 우유를 **제공한다**.

⊕ **provide** *A* with *B* A에게 B를 제공하다

시험 POINT **provide *A* with *B***

네모 안에서 알맞은 것을 고르시오.

They provided the players [for / with] some food.
그들은 선수들에게 음식을 제공했다.

'A에게 B를 제공하다' 라는 의미를 나타낼 때 B 앞에는 with를 쓴다.

정답 with

---

15 **charge**
[tʃɑːrdʒ]

동 1. (요금을) **청구하다** 2. **충전하다**
명 **요금, 사용료**

The café **charges** five dollars for a cup of coffee. 그 카페는 커피 한 잔에 5달러를 **받는다**.

I need to **charge** my phone.
나는 내 전화기를 **충전해야** 한다.

⊕ a delivery **charge** 배달료

charger 명 충전기

---

16 **extra**
[ékstrə]

형 **여분의, 추가의**

Do you have an **extra** blanket?
여분의 담요가 있습니까?

⊕ an **extra** charge 추가 요금

영화의 단역 배우를 의미하는 '엑스트라'도 이 단어를 써요.

---

17 **fee**
[fiː]

명 **요금, 비용**

There is no entrance **fee** to the museum.
그 박물관은 입장**료**가 없다.

⊕ an entrance **fee** 입장료

fee는 수업료, 의료비, 변호사 수임료처럼 전문적인 서비스에 대한 비용이나 가입비, 입장료 등을 나타낼 때 쓰여요.

---

18 **total**
[tóutl]

형 **총, 전체의** 명 **합계**

The **total** cost of the trip is $300.
그 여행의 **총** 비용은 300달러이다.

⊕ in **total** 모두 합해서, 통틀어

totally
부 완전히, 전적으로

19 **profit**
[prάfit]

명 이익, 수익

The company made a huge **profit** last year.
그 회사는 작년에 엄청난 **수익**을 냈다.

어휘력 UPGRADE

반의어 loss
손실, 손해

20 **average**
[ǽvəridʒ]

명 평균 형 평균의, 보통의

Her score is above **average**.
그녀의 점수는 **평균** 이상이다.

+ the **average** temperature 평균 기온

21 **deal**
[diːl]

명 거래

They made a new **deal** with the company.
그들은 그 회사와 새로운 **거래**를 했다.

22 **fortune**
[fɔ́ːrtʃən]

명 1. 재산, 부 2. 운, 행운

He left a large **fortune** to his son.
그는 그의 아들에게 큰 **재산**을 남겼다.

She had the **fortune** to win the lottery.
그녀는 복권에 당첨되는 **행운**을 가졌다.

'포춘 쿠키(fortune cookie)'는 운세, 명언 등이 적힌 종이가 들어 있는 과자예요.

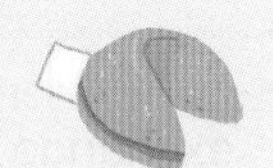

교과서 필수 암기 숙어

23 **on the other hand**

다른 한편으로는, 반면에

The product has a good design. **On the other hand**, it is not practical. 그 제품은 디자인이 좋다. **반면에**, 그것은 실용적이지 않다.

24 **instead of**

~ 대신에

I bought a skirt **instead of** jeans.
나는 청바지 **대신에** 치마를 샀다.

25 **depend on**

1. ~에 의존하다 2. ~에 달려 있다

She still **depends on** her parents for money.
그녀는 여전히 금전적으로 그녀의 부모님**에게 의존한다**.

The price **depends on** the size. 가격은 크기**에 달려 있다**.

Daily Test

STEP 1 빈틈없이 확인하기

[01-25] 영어는 우리말로, 우리말은 영어로 쓰시오.

01 demand

02 economy

03 profit

04 fee

05 provide

06 exchange

07 deal

08 invest

09 supply

10 charge

11 total

12 수입, 소득

13 여분의, 추가의

14 부유한, 풍부한

15 생산물, 상품, 제품

16 평균; 평균의, 보통의

17 증가하다, 늘다; 증가

18 세금

19 생산하다, 제작하다

20 재산, 부, 운, 행운

21 줄이다, 낮추다

22 거래하다; 무역, 거래

23 on the other hand

24 ~에 의존하다, ~에 달려 있다

25 ~ 대신에

정답 p.290

STEP 2 제대로 적용하기

A 단어

주어진 단어를 활용하여 의미나 지시에 맞게 쓰시오.

01 economy → 경제의 ______________

02 produce → 생산, 제작 ______________

03 rich → 반의어 ______________

04 increase → 반의어 ______________

B 구

우리말 의미에 맞게 빈칸에 알맞은 말을 쓰시오.

01 공급과 수요 ______________ and demand

02 국제 무역 international ______________

03 추가 요금 an ______________ charge

04 평균 기온 the ______________ temperature

05 입장료 an entrance ______________

C 문장

빈칸에 알맞은 말을 넣어 문장을 완성하시오.

01 I'd like to ___________ this shirt for a smaller one.
이 셔츠를 더 작은 것으로 교환하고 싶어요.

02 Our plans ___________ ___________ the weather.
우리의 계획은 날씨에 달려 있다.

03 How much money did you spend in ___________?
모두 합해서 얼마를 썼니?

04 They ___________ students ___________ free meals.
그들은 학생들에게 무료 식사를 제공한다.

05 I walked to school ___________ ___________ taking the bus.
나는 버스를 타고 가는 대신에 학교에 걸어갔다.

DAY

23 역사

들으며 외우기

어휘력 UPGRADE

01 **historical** [histɔ́:rikəl]

형 **역사에 관련된, 역사적인**

On this trip, we will visit a **historical** site.
이번 여행에서 우리는 **역사적인** 장소를 방문할 것이다.

history 명 역사

---

02 **past** [pæst]

명 **과거** 형 **과거의, 지난**

In the **past**, many people died young.
과거에는 많은 사람들이 젊은 나이에 죽었다.

+ **past** experience 과거의 경험

---

03 **present** [préznt]

명 **1. 현재, 지금 2. 선물** 형 **1. 현재의 2. 참석한**

The past and **present** are linked together.
과거와 **현재**는 함께 연결되어 있다.

Everyone was **present** at the meeting.
모든 사람들이 그 모임에 **참석했다**.

+ a birthday **present** 생일 선물

---

04 **century** [séntʃəri]

명 **세기(世紀), 100년**

This temple was built in the 16th **century**.
이 절은 16**세기**에 지어졌다.

세기 앞에 숫자는 서수(숫자+th)로 써요.

---

05 **period** [pí:əriəd]

명 **1. 기간, 시기 2. 시대**

He will stay here for a short **period**.
그는 여기에 짧은 **기간** 동안 머물 것이다.

+ the Joseon **period** 조선 시대

---

06 **ancient** [éinʃənt]

형 **고대의**

He studied life in **ancient** Egypt.
그는 **고대** 이집트의 생활을 연구했다.

어휘력 UPGRADE

07 **modern**
[mάːdərn]

형 현대의, 근대의

We are learning about **modern** history.
우리는 **근대의** 역사에 대해 배우고 있다.

⊕ **modern** society 현대 사회

반의어 ancient 고대의

08 **royal**
[rɔ́iəl]

형 왕의, 왕실의

She is a member of the British **royal** family.
그녀는 영국 **왕실** 가족의 일원이다.

09 **treasure**
[tréʒər]

명 보물

Alibaba found a **treasure** inside the cave.
알리바바는 그 동굴 안에서 **보물**을 찾았다.

10 **dynasty**
[dáinəsti]

명 왕가, 왕조 (특정 왕가가 다스리는 시대)

It is a beautiful palace from the Joseon **Dynasty.** 그것은 조선 **왕조**의 아름다운 궁전이다.

11 **record**
동사 [rikɔ́ːrd]
명사 [rékəːrd]

동 1. 기록하다 2. 녹음하다 명 기록

They **recorded** the kings' words and actions.
그들은 왕들의 말과 행동을 **기록했다**.

I **recorded** our conversation.
나는 우리의 대화를 **녹음했다**.

⊕ break the **record** 기록을 깨다

동사일 때와 명사일 때 발음이 다르므로 주의하세요.

12 **remind**
[rimáind]

동 생각나게 하다, 상기시키다 (지난 일을 떠올리게 하다)

He **reminds** me of my uncle.
그는 나에게 우리 삼촌을 **생각나게 한다**.

⊕ **remind** *A* of *B* A에게 B를 생각나게 하다

시험 POINT remind *A* of *B*

우리말을 영어로 바르게 옮긴 것을 고르시오.

그 노래는 나에게 우리 엄마를 생각나게 한다.

ⓐ The song reminds me of my mother.
ⓑ The song reminds my mother of me.

remind *A* of *B*에서 생각이 나는 대상(우리 엄마)을 B에 쓴다.

정답 ⓐ

어휘력 UPGRADE

13 **human**
[hjúːmən]

명 인간, 인류 형 인간의, 인류의

Chimpanzees are similar to **humans** in many ways. 침팬지는 여러 면에서 **인간**과 유사하다.

⊕ the **human** behavior 인간의 행동

---

14 **generation**
[dʒènəréiʃən]

명 세대 (같은 시대에 사는 비슷한 연령층의 사람들)

We should learn the wisdom of past **generations**. 우리는 지난 **세대들**의 지혜를 배워야 한다.

⊕ a **generation** gap 세대 차이

---

15 **tradition**
[trədíʃən]

명 전통

My country has a rich cultural **tradition**.
우리나라는 풍부한 문화적 **전통**이 있다.

traditional
형 전통의, 전통적인

---

16 **custom**
[kʌ́stəm]

명 관습, 풍습

It is a **custom** to eat tteokguk on New Year's Day in Korea. 한국에서는 설날에 떡국을 먹는 것이 **풍습**이다.

---

17 **remain**
[riméin]

동 1. 계속 ~이다 2. 남아 있다

I hope we **remain** friends.
나는 우리가 **계속** 친구**이기**를 바란다.

Nothing **remained** after the fire.
화재 후에 아무것도 **남아 있지** 않았다.

---

18 **revolution**
[rèvəlúːʃən]

명 (정치적·사회적) 혁명

The **revolution** brought many changes.
그 **혁명**은 많은 변화를 가져왔다.

⊕ the French **Revolution** 프랑스 혁명

---

19 **important**
[impɔ́ːrtənt]

형 중요한

It is **important** to learn history.
역사를 배우는 것은 **중요하다**.

importance
명 중요성

20 **truth** [tru:θ]

명 **진실, 사실**

I want to know the **truth.** 나는 **진실**을 알고 싶다.

어휘력 UPGRADE

true
형 사실의, 진실의

---

21 **false** [fɔ:ls]

형 **거짓의, 사실이 아닌**

He gave me **false** information.
그는 나에게 **거짓** 정보를 주었다.

⊕ true or **false** 참인지 거짓인지

반의어 true
사실의, 진실의

---

22 **realize** [rí:əlàiz]

동 **1. 깨닫다, 알아차리다** 2. (목표·꿈 등을) **실현하다**

She **realized** her mistake.
그녀는 자신의 실수를 **깨달았다**.

He **realized** his dream to win an Olympic medal.
그는 올림픽 메달을 따겠다는 그의 꿈을 **실현했다**.

교과서 필수 암기 숙어

23 **due to**

~ 때문에

Due to the bad weather, the game was canceled.
안 좋은 날씨 **때문에** 그 경기는 취소되었다.

유의어 because of

---

24 **in the end**

마침내, 결국

He worked hard. **In the end**, he achieved his goal.
그는 열심히 일했다. **마침내**, 그는 그의 목표를 달성했다.

---

25 **used to**

(전에는) **~였다, ~하곤 했다**

There **used to** be a big tree near here.
여기 근처에 큰 나무가 한 그루 **있었다**.

I **used to** swim in the lake. 나는 그 호수에서 수영을 **하곤 했다**.

시험 POINT used to의 쓰임

네모 안에서 알맞은 것을 고르시오.

We [used to / are used to] go camping on weekends.
우리는 주말마다 캠핑을 가곤 했다.

과거의 습관을 나타낼 때는 「used to+동사원형」을 쓴다.

정답 used to

Daily Test

STEP 1 빈틈없이 확인하기

[01-25] 영어는 우리말로, 우리말은 영어로 쓰시오.

01 record

02 remind

03 generation

04 historical

05 remain

06 century

07 false

08 dynasty

09 realize

10 revolution

11 present

12 보물

13 전통

14 중요한

15 현대의, 근대의

16 과거; 과거의, 지난

17 관습, 풍습

18 진실, 사실

19 기간, 시기, 시대

20 고대의

21 왕의, 왕실의

22 인간, 인류; 인간의

23 due to

24 in the end

25 (전에는) ~였다, ~하곤 했다

정답 p. 291

STEP 2 제대로 적용하기

A 주어진 단어를 활용하여 의미나 지시에 맞게 쓰시오.

단어

01 history → 역사적인 ____________

02 true → 진실, 사실 ____________

03 tradition → 전통적인 ____________

04 modern → 반의어 ____________

05 false → 반의어 ____________

B 우리말 의미에 맞게 빈칸에 알맞은 말을 쓰시오.

구

01 조선 시대 the Joseon ____________

02 기록을 깨다 break the ____________

03 세대 차이 a ____________ gap

04 프랑스 혁명 the French ____________

C 빈칸에 알맞은 말을 넣어 문장을 완성하시오.

문장

01 A __________ is a period of 100 years. 한 세기는 100년의 기간이다.

02 Lots of old customs still __________ here.
많은 오래된 풍습이 여전히 이곳에 남아 있다.

03 These pictures __________ us of a sad time.
이 사진들은 우리에게 슬펐던 때를 생각나게 한다.

04 My team lost the game __________ to my mistake.
내 실수 때문에 우리 팀이 경기에서 졌다.

05 My country __________ __________ be poor in the 1970s.
우리나라는 1970년대에 가난했었다.

DAY
24 법과 범죄

들으며 외우기

어휘력 UPGRADE

01 **law** [lɔː]

명 법, 법률

We need a new **law** to protect animals.
우리는 동물을 보호하기 위해 새로운 **법**이 필요하다.

⊕ break the **law** 법을 어기다

---

02 **crime** [kraim]

명 범죄, 범행

The police are trying to reduce **crime**.
경찰은 **범죄**를 줄이려고 노력하고 있다.

criminal 형 범죄의 명 범인, 범죄자

---

03 **judge** [dʒʌdʒ]

명 1. 판사 2. 심사 위원 동 판단하다

The **judge** made a brave decision.
그 **판사**는 용감한 결정을 했다.

There are three **judges** for the contest.
그 대회에는 세 명의 **심사 위원**이 있다.

Don't **judge** a book by its cover.
책을 표지로 **판단하지** 마라. (겉모습으로 판단하지 마라.) <속담>

judgment 명 판단, 재판

---

04 **lawyer** [lɔ́ːjər]

명 변호사

I want to be a **lawyer** to help poor people.
나는 가난한 사람을 돕는 **변호사**가 되고 싶다.

---

05 **detective** [ditéktiv]

명 형사, 탐정

Sherlock Holmes is a famous **detective** in stories. 셜록 홈스는 이야기에 나오는 유명한 **탐정**이다.

⊕ a **detective** story 탐정 소설

---

06 **thief** [θiːf]

명 도둑

The police caught the **thief**. 경찰이 그 **도둑**을 잡았다.

어휘력 UPGRADE

07 **kill**
[kil]

동 **죽이다**

Three people were **killed** in a fire.
세 사람이 화재로 **죽었다**.

⊕ **kill** oneself 자살하다

---

08 **steal**
[stiːl]
stole-stolen

동 **훔치다, 도둑질하다**

Someone **stole** my smartphone.
누군가가 내 스마트폰을 **훔쳤다**.

---

09 **rob**
[rɑːb]
robbed-robbed

동 **강탈하다,** (강제로 빼앗다) (은행·상점 등을) **털다**

The two men **robbed** the bank.
그 두 남자가 은행을 **털었다**.

robber 명 강도(사람)
robbery 명 강도 사건

---

10 **happen**
[hǽpən]

동 **일어나다, 발생하다**

The accident **happened** on Sunday morning.
그 사고는 일요일 아침에 **발생했다**.

⊕ What **happened**? 무슨 일이니?

시험 POINT happen의 쓰임

네모 안에서 알맞은 것을 고르시오.

A funny thing [was happened / happened] in class today. 오늘 수업 시간에 웃긴 일이 일어났다.

happen은 수동태로 쓰지 않는다.

정답 happened

---

11 **chase**
[tʃeis]

동 **뒤쫓다, 추격하다** 명 **추적, 추격**

Alice **chased** the rabbit. 앨리스는 그 토끼를 **뒤쫓았다**.

⊕ a car **chase** 자동차 추격

---

12 **arrest**
[ərést]

동 **체포하다** 명 **체포**

The police **arrested** him at his home.
경찰이 그의 집에서 그를 **체포했다**.

---

13 **prison**
[prízn]

명 **교도소, 감옥**

He spent ten years in **prison**.
그는 **감옥**에서 10년을 보냈다.

prisoner 명 죄수, 포로
유의어 jail

어휘력 UPGRADE

14 **escape**
[iskéip]

동 탈출하다 명 탈출

A lion **escaped** from the zoo.
사자 한 마리가 동물원에서 **탈출했다**.

---

15 **court**
[kɔːrt]

명 1. 법정, 법원 2. 코트

The judge came into the **court**.
판사가 **법정**으로 들어왔다.

⊕ a tennis **court** 테니스 코트

특히, 테니스나 농구의 경기장을 나타내요.

---

16 **fair**
[fɛər]

형 공평한, 공정한 명 박람회

It is not **fair** to give him a second chance.
그에게 두 번째 기회를 주는 것은 **공정하지** 않다.

⊕ a science **fair** 과학 박람회

반의어 unfair
불공정한, 부당한

---

17 **trial**
[tráiəl]

명 재판

He didn't get a fair **trial**. 그는 공정한 **재판**을 받지 못했다.

---

18 **suspect**
명사 [sʌ́spekt]
동사 [səspékt]

명 용의자 동 의심하다

Two **suspects** were arrested.
두 명의 **용의자**가 체포되었다.

He **suspected** that she was lying.
그는 그녀가 거짓말을 하고 있다고 **의심했다**.

동사일 때와 명사일 때 강세의 위치가 다르므로 발음에 주의하세요.

---

19 **punish**
[pʌ́niʃ]

동 처벌하다, 벌주다

She was **punished** for her crime.
그녀는 자신의 범행에 대해 **벌을 받았다**.

punishment
명 벌, 처벌

---

20 **admit**
[ədmít]
admitted-admitted

동 1. 인정하다 2. 허가하다

Did he **admit** his mistake?
그는 자신의 실수를 **인정했나요**?

They **admitted** her into the club.
그들은 그녀가 동아리에 들어오는 것을 **허가했다**.

admission
명 인정, 입장 (허가)

21 **deny**
[dinái]
denied-denied

동 부인하다, 부정하다 (어떤 사실이나 말을 인정하지 않다)

She **denied** that she knew the man.
그녀는 그 남자를 안다는 것을 **부인했다**.

어휘력 UPGRADE

denial 명 부인, 부정

---

22 **footprint**
[fútprint]

명 발자국

The robber left **footprints** on the floor.
그 강도는 바닥에 **발자국**을 남겼다.

foot(발)+print(자국)

교과서 필수 암기 숙어

23 **run away**

도망치다, 달아나다

He **ran away** as soon as he saw the police.
그는 경찰을 보자마자 **도망쳤다**.

---

24 **turn out**

~인 것으로 드러나다[밝혀지다]

His story **turned out** to be false.
그의 이야기는 거짓인 것**으로 드러났다**.

---

25 **keep ~ from -ing**

~가 …하지 못하게 하다

The noise **kept** me **from sleeping**.
그 소음이 내**가** 잠을 **자지 못하게 했다**. (그 소음 때문에 나는 잠을 자지 못했다.)

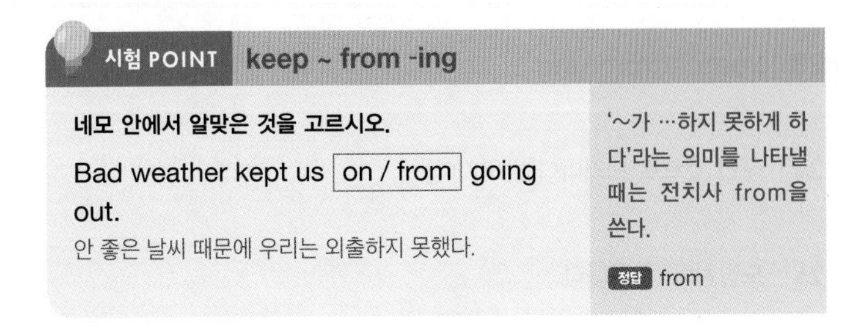

시험 POINT keep ~ from -ing

네모 안에서 알맞은 것을 고르시오.

Bad weather kept us [on / from] going out.
안 좋은 날씨 때문에 우리는 외출하지 못했다.

'~가 …하지 못하게 하다'라는 의미를 나타낼 때는 전치사 from을 쓴다.

정답 from

Daily Test

STEP 1 빈틈없이 확인하기

[01-25] 영어는 우리말로, 우리말은 영어로 쓰시오.

01 crime

02 chase

03 escape

04 trial

05 steal

06 lawyer

07 admit

08 deny

09 detective

10 rob

11 suspect

12 일어나다, 발생하다

13 죽이다

14 체포하다; 체포

15 판사; 판단하다

16 공평한; 박람회

17 법, 법률

18 발자국

19 법정, 법원, 코트

20 도둑

21 처벌하다, 벌주다

22 교도소, 감옥

23 keep ~ from -ing

24 ~인 것으로 드러나다[밝혀지다]

25 도망치다, 달아나다

정답 p.291

STEP 2 제대로 적용하기

A
단어

주어진 단어를 의미에 맞게 바꿔 쓰시오.

01 rob → 강도 ____________

02 prison → 죄수, 포로 ____________

03 crime → 범죄의; 범인 ____________

04 punish → 벌, 처벌 ____________

B
구

우리말 의미에 맞게 빈칸에 알맞은 말을 쓰시오.

01 법을 어기다 break the ____________

02 탐정 소설 a ____________ story

03 과학 박람회 a science ____________

04 자동차 추격 a car ____________

05 테니스 코트 a tennis ____________

C
문장

보기에서 알맞은 말을 골라 문장을 완성하시오.

보기	happened	keep	escaped	arrested	turned

01 He was __________ for stealing a car. 그는 차량 절도로 체포되었다.

02 Tom __________ from the prison. Tom은 그 감옥에서 탈출했다.

03 A strange thing __________ last night. 어젯밤에 이상한 일이 일어났다.

04 Tom __________ out to be a thief. Tom이 도둑인 것으로 드러났다.

05 An umbrella will __________ you from getting wet.
우산이 네가 젖지 않도록 할 것이다.

DAY

25 세계

들으며 외우기

어휘력 UPGRADE

01 **nation** [néiʃən]

명 1. 국가 2. 국민

Each **nation** has its own history.
각 **국가**는 그 국가만의 역사를 가지고 있다.

The president spoke to the **nation** on TV.
대통령은 TV에서 **국민들**에게 말했다.

national 형 국가의

'국민'을 나타낼 때는 the nation으로 써요.

02 **kingdom** [kíŋdəm]

명 왕국

A **kingdom** is ruled by a king or queen.
왕국은 왕이나 여왕에 의해 통치된다.

⊕ the United **Kingdom** 영국(the UK)

03 **capital** [kǽpitl]

명 1. 수도 2. 자본 3. (알파벳의) 대문자

Seoul is the **capital** of Korea.
서울은 한국의 **수도**이다.

We need more **capital** to start the business.
우리는 사업을 시작하기 위해 더 많은 **자본**이 필요하다.

⊕ **capital** letters 대문자

04 **flag** [flæg]

명 기, 깃발

Our national **flag** is called Taegeukgi.
우리 국**기**는 '태극기'라고 불린다.

⊕ a national **flag** 국기

05 **culture** [kʌ́ltʃər]

명 문화

Many people want to know about Korean **culture.** 많은 사람들이 한국 **문화**에 대해 알고 싶어 한다.

cultural
형 문화의, 문화적인

06 **language** [lǽŋgwidʒ]

명 언어, 말

How many **languages** do you speak?
당신은 몇 개 **언어**를 하시나요?

어휘력 UPGRADE

07 **race**
[reis]

명 1. 인종 2. 경주, 달리기

There are many different **races** in the world.
세계에는 많은 다양한 **인종**이 있다.

Let's go to see the car **race**. 자동차 **경주**를 보러 가자.

racial 형 인종의

시험 POINT race의 의미

밑줄 친 단어의 의미를 골라 기호를 쓰시오.

보기 ⓐ 인종 ⓑ 경주

1. He was the first winner of the race.
2. The US is a nation of many races.

1. 그는 그 경주의 첫 번째 우승자였다.
2. 미국은 많은 인종의 나라이다.

정답 1. ⓑ 2. ⓐ

08 **tribe**
[traib]

명 부족, 종족

Each **tribe** has its own unique culture.
각각의 **부족**은 그들 자신만의 독특한 문화를 가지고 있다.

09 **native**
[néitiv]

형 1. 태어난 곳의 2. 모국어의

He is a hero in his **native** country.
그는 그의 고국(**태어난** 나라)에서 영웅이다.

+ a **native** language 모국어

10 **foreigner**
[fɔ́ːrənər]

명 외국인

He teaches Korean to **foreigners**.
그는 **외국인들**에게 한국어를 가르친다.

foreign 형 외국의

foreigner의 g는 묵음이에요.

11 **area**
[ɛ́əriə]

명 지역, 구역

Thousands of tourists visit the **area** every year.
수천 명의 관광객이 매년 그 **지역**을 방문한다.

12 **local**
[lóukəl]

형 지역의, 현지의 명 현지인 (그 지역에 사는 사람)

What is the **local** time in New York?
뉴욕의 **현지** 시각은 몇 시인가요?

The restaurant is popular with the **locals**.
그 식당은 **현지인들**에게 인기가 있다.

어휘력 UPGRADE

13 **international** [ìntərnǽʃənəl]

형 국제적인

The World Cup is an **international** sports event. 월드컵은 **국제적인** 스포츠 행사이다.

inter(~ 사이에) + national(국가의)

14 **peace** [piːs]

명 평화

The UN works hard for world **peace**.
UN은 세계 **평화**를 위해 열심히 일한다.

peaceful 형 평화로운, 평화적인

piece(조각)와 발음이 같아요.

15 **war** [wɔːr]

명 전쟁

The Korean **War** began on June 25, 1950.
한국 **전쟁**은 1950년 6월 25일에 시작되었다.

16 **soldier** [sóuldʒər]

명 군인, 병사

My grandfather was a **soldier** during the war.
우리 할아버지는 그 전쟁 동안에 **군인**이셨다.

17 **army** [áːrmi]

명 군대, 육군

My brother joined the **army** last month.
우리 형은 지난달에 **군대**에 입대했다.

join the **army** (육)군에 입대하다

'해군'은 navy, '공군'은 air force라고 해요.

18 **invade** [invéid]

동 침략하다, 침입하다

Napoleon **invaded** Egypt in 1798.
나폴레옹은 1798년에 이집트를 **침략했다**.

invader 명 침략자

invasion 명 침략, 침입

19 **attack** [ətǽk]

명 공격, 폭행 동 공격하다, 폭행하다

The surprise **attack** came at dawn.
기습 **공격**은 새벽에 일어났다.

Terrorists **attacked** several European cities.
테러리스트들은 몇몇 유럽의 도시들을 **공격했다**.

20 **defend**
[difénd]

동 **방어하다, 지키다**

We are prepared to **defend** our country.
우리는 우리나라를 **지킬** 준비가 되어 있다.

어휘력 UPGRADE
defense
명 방어, 수비
반의어 attack
공격하다

시험 POINT **defend vs. depend**

네모 안에서 알맞은 것을 고르시오.

They [depended / defended] their country against the invaders.
그들은 침략자들로부터 그들의 나라를 지켰다.

depend: 의존하다
defend: 지키다

정답 defended

21 **independence**
[indipéndəns]

명 **독립, 자립**

We gained **independence** from Japan in 1945.
우리는 1945년에 일본으로부터 **독립**을 얻었다.

independent
형 독립된, 독립적인

22 **symbol**
[símbəl]

명 **상징, 상징물**

The dove is a **symbol** of peace.
비둘기는 평화의 **상징**이다.

symbolize
동 상징하다

23 **global**
[glóubəl]

형 **세계적인, 지구상의**

English is a **global** language. 영어는 **세계적인** 언어이다.

⊕ **global** warming 지구 온난화

교과서 필수 암기 숙어

24 **be located in**

~에 위치해 있다

Big Ben **is located in** London.
빅벤은 런던**에 위치해 있다**.

25 **be divided into**

~으로 나뉘다

Germany **was divided into** two countries.
독일은 두 개의 나라**로 나뉘었었다**.

Daily Test

STEP 1 빈틈없이 확인하기

[01-25] 영어는 우리말로, 우리말은 영어로 쓰시오.

01 area

02 native

03 soldier

04 nation

05 attack

06 capital

07 army

08 tribe

09 independence

10 local

11 race

12 international

13 기, 깃발

14 전쟁

15 평화

16 문화

17 방어하다, 지키다

18 침략하다, 침입하다

19 왕국

20 세계적인, 지구상의

21 외국인

22 언어, 말

23 상징, 상징물

24 be located in

25 ~으로 나뉘다

정답 p.291

STEP 2 제대로 적용하기

A 단어

주어진 단어를 의미에 맞게 바꿔 쓰시오.

01 culture → 문화의, 문화적인 ____________

02 peace → 평화로운 ____________

03 invade → 침략, 침입 ____________

04 defend → 방어, 수비 ____________

05 symbol → 상징하다 ____________

B 구

우리말 의미에 맞게 빈칸에 알맞은 말을 쓰시오.

01 국기 a national ____________

02 모국어 a ____________ language

03 군에 입대하다 join the ____________

04 대문자 ____________ letters

05 지구 온난화 ____________ warming

C 문장

빈칸에 알맞은 말을 넣어 문장을 완성하시오.

01 She speaks three __________. 그녀는 세 개의 언어를 말할 수 있다.

02 Many __________ live in this area. 많은 외국인들이 이 지역에 산다.

03 We visited the __________ market yesterday.
우리는 어제 현지 시장을 방문했다.

04 The __________ book fair was held in Seoul.
국제 도서 박람회가 서울에서 열렸다.

05 The UN is __________ __________ New York.
UN은 뉴욕에 위치해 있다.

내신 대비 어휘 Test

PART 5

01 짝지어진 두 단어의 관계가 나머지와 다른 하나는?

① true – false
② profit – loss
③ modern – ancient
④ increase – decrease
⑤ freedom – liberty

02 대화의 빈칸에 들어갈 말로 알맞은 것은?

A Can I help you?
B Yes, please. I'd like to __________ this hat for a smaller one.

① reduce
② charge
③ exchange
④ produce
⑤ supply

03 밑줄 친 말과 바꿔 쓸 수 있는 것은?

Our trip was canceled because of the heavy snow.

① due to
② in need
③ instead of
④ in the end
⑤ in spite of

04 〈보기〉의 밑줄 친 right와 같은 의미로 쓰인 것은? DAY 21 시험 POINT

보기 Everyone has a right to a fair trial.

① They are demanding equal rights.
② The flower shop is on your right.
③ The student's answer was right.
④ The judge must make the right decision.
⑤ Go two blocks and turn right at the corner.

정답 p.292

05 빈칸에 들어갈 말이 순서대로 짝지어진 것은? DAY 22, 23 시험 POINT

- They provided the poor people ___________ food and clothes.
- This picture reminds me ___________ my childhood.
- This book is divided ___________ twelve chapters.

① to – with – in
② to – of – into
③ with – of – from
④ with – of – into
⑤ with – to – into

06 밑줄 친 단어의 의미로 알맞지 않은 것은? DAY 25 시험 POINT

① He was present at the meeting. (참석한)
② Why do you suspect me? (의심하다)
③ Paris is the capital of France. (수도)
④ Many different races live in this country. (경기)
⑤ I'll discuss the matter with my parents. (문제)

07 우리말과 일치하도록 주어진 말을 배열하여 문장을 완성하시오. DAY 24 시험 POINT

서술형

그 눈은 우리를 나가지 못하게 했다. (from, going, us, kept, out)

→ The snow ______________________________.

08 우리말과 일치하도록 〈조건〉에 맞게 문장을 완성하시오. DAY 23 시험 POINT

서술형

아빠와 나는 함께 낚시하러 가곤 했다.

→ My dad and I ____________________ fishing together.

조건 1. used와 go를 반드시 사용할 것
2. 필요한 경우, 주어진 단어를 알맞은 형태로 바꿀 것

PART 6

DAY

26 문학

들으며 외우기

어휘력 UPGRADE

01 **tale** [teil]

명 이야기

Dad told us interesting **tales** every night.
아빠는 매일 밤 우리에게 재미있는 **이야기**를 해 주셨다.

시험 POINT **tale vs. tail**

각 네모 안에서 알맞은 것을 고르시오.

My grandmother told me a [tale / tail] about the rabbit's [tale / tail].
우리 할머니는 나에게 토끼 꼬리에 관한 이야기를 해 주셨다.

tale: 이야기
tail: 꼬리
발음이 같으므로 혼동하지 않도록 주의한다.

정답 tale, tail

02 **fable** [féibl]

명 우화 (동물이나 사물을 주인공으로 하여 교훈을 주는 이야기)

We can learn many lessons from **fables**.
우리는 **우화**에서 많은 교훈을 배울 수 있다.

⊕ Aesop's **Fables** 이솝 우화

03 **novel** [nά:vl]

명 소설

I enjoy reading detective **novels**.
나는 탐정 **소설** 읽는 것을 즐긴다.

novelist 명 소설가

04 **poem** [póuəm]

명 시

He wrote a **poem** about his dream.
그는 자신의 꿈에 관한 **시**를 한 편 썼다.

poet 명 시인
poetry 명 시
poem은 각각의 시 한 편을 가리키고, poetry는 시 전체를 가리켜요.

05 **play** [plei]

명 1. 연극, 희곡 (연극의 대본) 2. 놀이
동 1. 놀다 2. 경기하다 3. 연주하다

Romeo and Juliet is a famous **play** by Shakespeare.
'로미오와 줄리엣'은 셰익스피어의 유명한 **희곡**이다.

Can you **play** the violin?
당신은 바이올린을 **연주할** 수 있나요?

어휘력 UPGRADE

06 **tragedy**
[trǽdʒədi]

명 비극 (불행한 결말을 갖는 슬픈 극)

Hamlet is one of Shakespeare's **tragedies**.
'햄릿'은 셰익스피어의 **비극** 중 하나이다.

반의어 comedy 희극

---

07 **comic**
[kámik]

형 만화의, 웃기는

He is reading a **comic** book. 그는 **만화**책을 읽고 있다.

⊕ a **comic** book 만화책

---

08 **publish**
[pʌ́bliʃ]

동 출판하다, 발행하다

The book was first **published** in 2007.
그 책은 2007년에 처음 **출판되었다**.

---

09 **describe**
[diskráib]

동 묘사하다, 자세히 설명하다

Can you **describe** the robber?
그 강도에 대해 **자세히 설명해** 주시겠어요?

description
명 설명, 묘사

---

10 **conclusion**
[kənklúːʒən]

명 결론, 결말

What is your **conclusion**? 네 **결론**은 무엇이니?

⊕ in **conclusion** 결론적으로

conclude
동 결론을 내리다

---

11 **character**
[kǽriktər]

명 1. 등장인물, 캐릭터 2. 성격, 특징 3. 문자

He is the most important **character** in this novel. 그는 이 소설에서 가장 중요한 **등장인물**이다.

My sister and I are very different in **character**.
내 여동생과 나는 **성격**이 매우 다르다.

⊕ Chinese **characters** 한자

---

12 **adventure**
[ədvéntʃər]

명 모험

The book is about his **adventure** in the jungle.
그 책은 정글에서의 그의 **모험**에 관한 것이다.

어휘력 UPGRADE

13 **monster**
[mάnstər]

명 괴물

The **monster** has three heads.
그 **괴물**은 머리가 3개이다.

---

14 **dragon**
[drǽgən]

명 용

Dragons can breathe fire. **용**은 불을 내뿜을 수 있다.

---

15 **ghost**
[goust]

명 유령

Have you ever seen a **ghost**? 너는 **유령**을 본 적이 있니?

---

16 **fairy**
[fέəri]

명 요정

Tinker Bell is a **fairy** in *Peter Pan*.
팅커벨은 '피터팬'에 나오는 **요정**이다.

+ a **fairy** tale 동화

---

17 **giant**
[dʒáiənt]

명 거인 형 거대한, 초대형의

Gulliver arrived at the land of **giants**.
걸리버는 **거인**의 땅에 도착했다.

+ the **giant** panda 대왕 판다

---

18 **witch**
[witʃ]

명 마녀

The **witch** changed the prince into a frog.
그 **마녀**는 왕자를 개구리로 변하게 했다.

---

19 **scary**
[skέəri]

형 무서운, 겁나는

Look at that big and **scary** monster!
저 크고 **무서운** 괴물을 봐!

scared
형 무서워하는, 겁먹은

시험 POINT **scared vs. scary**

네모 안에서 알맞은 것을 고르시오.

I don't like hearing [scared / scary] stories at night.
나는 밤에 무서운 이야기를 듣는 것을 좋아하지 않는다.

scared는 무서움을 느낄 때, scary는 무서움을 주는 대상에 쓴다.

정답 scary

어휘력 UPGRADE

castle의 t는 묵음이에요.

20 **castle**
[kǽsl]

명 성

There is an old **castle** on the hill.
언덕 위에 오래된 **성**이 있다.

21 **saying**
[séiiŋ]

명 속담, 격언

Remember the **saying**, "No pain, no gain."
'고통 없이는 얻는 것도 없다.'라는 **속담**을 기억해라.

22 **sentence**
[séntəns]

명 문장

In English, **sentences** begin with capital letters.
영어에서 **문장**은 대문자로 시작한다.

⊕ a topic **sentence** 주제문

교과서 필수 암기 숙어

23 **once upon a time**

옛날 옛적에

Once upon a time, there lived a beautiful princess.
옛날 옛적에 아름다운 공주가 살았다.

24 **be based on**

~에 기초를 두다, ~을 바탕으로 하다

The novel **was based on** a true story.
그 소설은 실화를 **바탕으로 했다**.

25 **for the first time**

처음으로

I wrote a poem **for the first time** in my life.
나는 내 생애 **처음으로** 시를 한 편 썼다.

Daily Test

STEP 1 빈틈없이 확인하기

[01-25] 영어는 우리말로, 우리말은 영어로 쓰시오.

01	fable	12	유령
02	tragedy	13	소설
03	character	14	괴물
04	play	15	시
05	adventure	16	무서운, 겁나는
06	conclusion	17	출판하다, 발행하다
07	witch	18	성
08	tale	19	만화의, 웃기는
09	fairy	20	거인; 거대한
10	saying	21	문장
11	dragon	22	묘사하다

23 be based on

24 처음으로

25 옛날 옛적에

정답 p.292

STEP 2 제대로 적용하기

A 단어

주어진 단어를 의미에 맞게 바꿔 쓰시오.

01 novel → 소설가 ______________

02 conclude → 결론, 결말 ______________

03 describe → 설명, 묘사 ______________

B 구

우리말 의미에 맞게 빈칸에 알맞은 말을 쓰시오.

01 만화책 a ______________ book

02 동화 a ______________ tale

03 한자 Chinese ______________

04 주제문 a topic ______________

05 처음으로 for the ______________ time

C 문장

보기에서 알맞은 말을 골라 문장을 완성하시오.

보기	published	scary	play	based	adventure

01 I read interesting ___________ stories. 나는 흥미로운 모험 이야기를 읽었다.

02 She wrote a ___________ for children. 그녀는 아이들을 위한 희곡을 썼다.

03 My brother likes watching ___________ movies.
내 남동생은 무서운 영화 보는 것을 좋아한다.

04 This novel was ___________ in many languages.
이 소설은 여러 언어로 출판되었다.

05 This movie is ___________ on the famous novel.
이 영화는 유명한 소설을 바탕으로 한다.

DAY 27 예술

들으며 외우기

어휘력 UPGRADE

01 **artwork** [á:rtwə̀:rk]

명 예술 작품

You can see many **artworks** in the museum.
당신은 박물관에서 많은 **예술 작품**을 볼 수 있다.

art(예술) + work(작품)

---

02 **artist** [á:rtist]

명 화가, 예술가

Vincent van Gogh is one of the greatest **artists** in the world.
빈센트 반 고흐는 세계에서 가장 위대한 **예술가** 중 한 명이다.

art(예술) + -ist(~하는 사람)

---

03 **create** [kriéit]

동 창조하다, 만들어 내다

Picasso **created** unique and creative works.
피카소는 독특하고 창의적인 작품을 **만들어 냈다**.

creation 명 창조물
creator 명 창작자, 창조자

---

04 **opera** [ápərə]

명 오페라, 가극

Opera started in Italy in the 16th century.
오페라는 16세기 이탈리아에서 시작되었다.

⊕ a soap **opera** 연속극, 드라마

---

05 **classical** [klǽsikəl]

형 고전의, 고전적인

I enjoy listening to **classical** music.
나는 **클래식** 음악 듣는 것을 즐긴다.

classic 명 고전

시험 POINT '클래식 음악'의 영어 표현

네모 안에서 알맞은 것을 고르시오.

I think [classic / classical] music is boring.
나는 클래식 음악이 지루하다고 생각한다.

우리말은 '클래식 음악'이지만, 영어에서는 classical music으로 쓴다.

정답 classical

어휘력 UPGRADE

06 **chorus**
[kɔ́ːrəs]

명 **합창**

Everyone sang the song in **chorus**.
모든 사람이 **합창**으로 그 노래를 불렀다.

---

07 **rhythm**
[ríðm]

명 **리듬**

She danced to the **rhythm**.
그녀는 **리듬**에 맞춰 춤췄다.

철자가 어려우니 주의하세요.

---

08 **note**
[nout]

명 **1. 쪽지, 메모 2. 음, 음표**

Mom left a **note** on the table.
엄마가 탁자 위에 **쪽지**를 남기셨다.

I know how to sing high **notes** easily.
나는 높은 **음**을 쉽게 노래하는 법을 안다.

---

09 **instrument**
[ínstrəmənt]

명 **기구, 악기**

Can you play any musical **instruments**?
연주할 수 있는 **악기**가 있나요?

⊕ a musical **instrument** 악기

---

10 **stage**
[steidʒ]

명 **1. 무대 2. 단계, 시기**

He is playing the piano on the **stage**.
그는 **무대**에서 피아노를 연주하고 있다.

I can't make a decision at this **stage**.
나는 이 **단계**에서는 결정을 할 수 없다.

---

11 **perform**
[pərfɔ́ːrm]

동 **1. 공연하다 2. 수행하다**

The opera will be **performed** here tonight.
그 오페라는 오늘 밤 여기에서 **공연될** 것이다.

A computer can **perform** many tasks very fast.
컴퓨터는 많은 일을 매우 빨리 **수행할** 수 있다.

performance 명 공연, 연주회

---

12 **exhibition**
[èksəbíʃən]

명 **전시회, 전시**

I saw Monet's paintings at the **exhibition**.
나는 그 **전시회**에서 모네의 그림을 봤다.

exhibit 동 전시하다

어휘력 UPGRADE

13 **display** [displéi]

동 **전시하다, 진열하다** 명 **전시, 진열**

We will **display** our paintings on the wall.
우리는 우리의 그림을 벽에 **전시할** 것이다.

⊕ on **display** 전시되어, 진열되어

14 **portrait** [pɔ́:rtrit]

명 **초상화**

He mainly painted **portraits** of kings.
그는 주로 왕의 **초상화**를 그렸다.

⊕ a self-portrait 자화상

15 **statue** [stǽtʃu:]

명 **조각상**

You can see the **Statue** of Liberty in New York.
당신은 뉴욕에서 자유의 여신**상**을 볼 수 있다.

16 **architecture** [ɑ́:rkitèktʃər]

명 **1. 건축 양식 2. 건축학**

The **architecture** of the building is modern.
그 건물의 **건축 양식**은 현대적이다.

architect 명 건축가

17 **original** [ərídʒənl]

형 **본래의** 명 **원본, 원작**

We changed our **original** plan.
우리는 우리의 **본래** 계획을 바꿨다.

This painting is a copy. The **original** is in Paris.
이 그림은 복사본이다. **원본**은 파리에 있다.

origin 명 기원, 근원

18 **beauty** [bjú:ti]

명 **1. 아름다움, 미(美) 2. 미인**

They showed the **beauty** of the hanbok to the world. 그들은 한복의 **아름다움**을 세계에 보여 주었다.

⊕ **Beauty** and the Beast 미녀와 야수

19 **value** [vǽlju:]

명 **가치, 중요성**

No one noticed the **value** of the painting.
아무도 그 그림의 **가치**를 알아차리지 못했다.

valuable
형 값비싼, 귀중한

어휘력 UPGRADE

20 **clap**
[klæp]
clapped-clapped

동 박수를 치다 명 박수

They **clapped** loudly at the end of the concert.
그들은 콘서트가 끝날 즈음에 크게 **박수를 쳤다**.

21 **folk**
[fouk]

형 민속의, 민간의

"Arirang" is a Korean **folk** song.
'아리랑'은 한국 **민**요(**민속** 노래)이다.

⊕ **folk** music 민속 음악, 포크 음악

folk의 l은 묵음이에요. 음식을 먹을 때 사용하는 포크(fork)와 혼동하지 않도록 주의하세요.

22 **attract**
[ətrǽkt]

동 끌다, 끌어들이다

The *Mona Lisa* **attracts** many visitors each year. '모나리자'는 매년 많은 방문객을 **끌어들인다**.

attraction
명 끌림, 매력
attractive
형 매력적인

교과서 필수 암기 숙어

23 **most of all**

무엇보다도

Most of all, the song touched many people.
무엇보다도, 그 노래는 많은 사람들을 감동시켰다.

24 **be worth -ing**

~할 만한 가치가 있다

The performance **is worth seeing**.
그 공연은 **볼 만한 가치가 있다**.

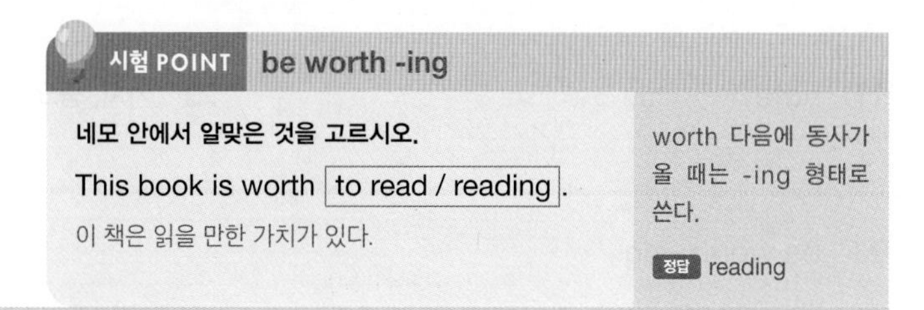
시험 POINT be worth -ing

네모 안에서 알맞은 것을 고르시오.

This book is worth [to read / reading].
이 책은 읽을 만한 가치가 있다.

worth 다음에 동사가 올 때는 -ing 형태로 쓴다.

정답 reading

25 **be known as**

~으로 알려지다

Leonardo da Vinci **is known as** a great artist and scientist.
레오나르도 다빈치는 위대한 예술가이자 과학자**로 알려져 있다**.

Daily Test

STEP 1 빈틈없이 확인하기

[01-25] 영어는 우리말로, 우리말은 영어로 쓰시오.

01 clap		12 전시회, 전시	
02 rhythm		13 창조하다, 만들어 내다	
03 portrait		14 본래의; 원본, 원작	
04 attract		15 공연하다, 수행하다	
05 artwork		16 기구, 악기	
06 display		17 고전의, 고전적인	
07 folk		18 화가, 예술가	
08 statue		19 아름다움, 미, 미인	
09 chorus		20 오페라, 가극	
10 architecture		21 무대, 단계, 시기	
11 note		22 가치, 중요성	

23 be worth -ing

24 be known as

25 무엇보다도

정답 p.292

STEP 2 제대로 적용하기

A 단어

주어진 단어를 의미에 맞게 바꿔 쓰시오.

01 perform → 공연, 연주회 ____________

02 exhibit → 전시회, 전시 ____________

03 architecture → 건축가 ____________

04 value → 값비싼, 귀중한 ____________

05 origin → 본래의 ____________

B 구

우리말 의미에 맞게 빈칸에 알맞은 말을 쓰시오.

01 연속극 a soap ____________

02 악기 a musical ____________

03 자화상 a self-____________

04 클래식 음악 ____________ music

C 문장

보기 에서 알맞은 말을 골라 문장을 완성하시오.

보기	stage	known	created	display	worth

01 Paris is __________ as the City of Love. 파리는 사랑의 도시로 알려져 있다.

02 Beethoven __________ beautiful music. 베토벤은 아름다운 음악을 만들어 냈다.

03 Judy is singing a song on the __________. Judy가 무대에서 노래를 하고 있다.

04 This movie is __________ watching several times.
이 영화는 여러 번 볼 만한 가치가 있다.

05 Famous artworks are on __________ in the museum.
유명한 예술 작품들이 박물관에 전시되어 있다.

DAY
28 영화와 방송

어휘력 UPGRADE

01 **film** [film]

명 영화

I am interested in making **films** about nature.
나는 자연에 관한 **영화**를 만드는 것에 관심이 있다.

⊕ Busan International **Film** Festival 부산국제영화제

유의어 movie

---

02 **theater** [θíːətər]

명 극장

Let's go to the **theater** this Saturday.
이번 토요일에 **극장**에 가자.

⊕ a movie **theater** 영화관

---

03 **fantasy** [fǽntəsi]

명 환상, 공상, 판타지

She has a **fantasy** about marrying a movie star.
그녀는 영화배우와 결혼하는 것에 대한 **환상**을 가지고 있다.

⊕ a **fantasy** movie 판타지 영화

fantastic 형 환상적인, 굉장한

---

04 **romantic** [roumǽntik]

형 낭만적인, 로맨틱한

We had dinner at a **romantic** restaurant.
우리는 **로맨틱한** 식당에서 저녁을 먹었다.

romance 명 연애, 사랑의 감정

---

05 **comedy** [kámədi]

명 코미디, 희극

It is a popular **comedy** show.
그것은 인기 있는 **코미디** 쇼이다.

⊕ a romantic **comedy** 로맨틱 코미디(영화)

comedian 명 코미디언, 희극인
반의어 tragedy 비극

---

06 **horror** [hɔ́ːrər]

명 공포

He enjoys watching **horror** movies.
그는 **공포** 영화 보는 것을 즐긴다.

horrible 형 섬뜩한, 끔찍한

어휘력 UPGRADE

07 **mystery**
[místəri]

명 1. 미스터리, 수수께끼 2. 추리물

She tried to solve the **mystery** of his death.
그녀는 그의 죽음에 대한 **미스터리**를 풀려고 노력했다.

mysterious
형 신비한, 불가사의한

08 **sci-fi**
[sáifái]

명 공상 과학 영화[소설], SF물

Star Wars is my favorite **sci-fi** movie.
'스타워즈'는 내가 가장 좋아하는 **공상 과학 영화**이다.

sci-fi는 science fiction의 줄임말이에요.

09 **series**
[síəri:z]

명 시리즈, 연속

What is your favorite TV **series**?
네가 가장 좋아하는 TV **시리즈**는 무엇이니?

복수형과 단수형의 형태가 같아요.

10 **scene**
[si:n]

명 1. 장면 2. 현장

It is the most important **scene** in the movie.
그것은 그 영화에서 가장 중요한 **장면**이다.

⊕ a crime **scene** 범죄 현장

11 **screen**
[skri:n]

명 화면, 스크린

My new TV has a very wide **screen**.
나의 새 TV는 **화면**이 매우 넓다.

⊕ on **screen** 영화[TV]에서

12 **audition**
[ɔ:díʃən]

명 오디션, 심사

She had an **audition** for a short film.
그녀는 단편 영화의 **오디션**을 봤다.

13 **cast**
[kæst]
cast-cast

동 캐스팅하다, 배우로 선정하다
명 1. 출연진 2. 깁스

The director **cast** her as the witch.
그 감독은 그녀를 마녀로 **캐스팅했다**.

The musical has a strong **cast**.
그 뮤지컬은 **출연진**이 강력하다.

Her leg is in a **cast**. 그녀는 다리에 **깁스**를 하고 있다.

어휘력 UPGRADE

14 **award**
[əwɔ́ːrd]

명 상 동 수여하다 (상을 주다)

The **award** for the best film went to *Minari*.
최고의 영화**상**은 '미나리'에게 돌아갔다.

She was **awarded** the Nobel Peace Prize.
그녀는 노벨 평화상을 **수상했다**.

Academy Awards(아카데미상)는 미국 최대의 영화 시상식이에요.

15 **public**
[pʌ́blik]

형 대중의, 공공의 명 대중, 일반인

Smoking is not allowed in **public** places.
흡연은 **공공**장소에서 허용되지 않는다.

The museum is open to the **public**.
그 박물관은 **일반인**에게 공개되어 있다.

반의어 private 개인의, 사적인

16 **live**
[laiv]

형 생방송의, 라이브의

This is a **live** TV show. 이것은 **생방송** TV 쇼이다.

live가 '살다'라는 의미의 동사로 쓰인 때는 [리브]로 발음되고, 형용사로 쓰인 때는 [라이브]로 발음되는 것에 주의하세요.

시험 POINT live의 의미

밑줄 친 단어의 의미를 골라 기호를 쓰시오.

보기 ⓐ 라이브의 ⓑ 살다

1. I want to live with my parents.
2. I enjoy listening to live music.

1. 나는 부모님과 함께 살기를 원한다.
2. 나는 라이브 음악 듣는 것을 즐긴다.

정답 1. ⓑ 2. ⓐ

17 **audience**
[ɔ́ːdiəns]

명 관중, 청중

The **audience** cheered loudly.
관중은 큰 소리로 환호했다.

18 **celebrity**
[səlébrəti]

명 유명 인사

He became a **celebrity** after he won a gold medal at the Olympics.
그는 올림픽에서 금메달을 딴 후에 **유명 인사**가 되었다.

19 **idol**
[áidl]

명 우상, 아이돌 스타 (숭배의 대상)

I want to meet my **idol** someday.
나는 언젠가 내 **우상**을 만나고 싶다.

어휘력 UPGRADE

20 **director** [diréktər]

명 **감독, 관리자**

Bong Joonho is my favorite movie **director**.
봉준호는 내가 가장 좋아하는 영화**감독**이다.

direct 동 연출하다, 감독하다

21 **advertisement** [ædvərtáizmənt]

명 **광고**

Advertisements tell people about products.
광고는 사람들에게 제품에 대해 말해 준다.

advertise 동 광고하다

advertisement는 줄여서 ad로 주로 써요.

22 **article** [á:rtikl]

명 (신문의) **기사**

I read an interesting **article** about BTS.
나는 BTS에 관한 재미있는 **기사**를 읽었다.

23 **report** [ripɔ́:rt]

동 **1. 보도하다 2. 보고하다**
명 **1. 보도 2. 보고(서)**

We have to **report** the news as soon as possible. 우리는 가능한 한 빨리 그 뉴스를 **보도해야** 한다.

I finished writing the **report**.
나는 **보고서** 쓰는 것을 끝냈다.

⊕ a book **report** 독후감

reporter 명 기자, 리포터

교과서 필수 암기 숙어

24 **be moved by**

~에 감동하다

I **was moved by** his story. 나는 그의 이야기**에 감동했다**.

25 **take place**

(행사·회의 등이) **열리다, 개최되다**

The first concert will **take place** in Seoul.
첫 번째 콘서트는 서울에서 **열릴** 것이다.

시험 POINT 의미가 같은 표현

밑줄 친 말과 바꿔 쓸 수 있는 것을 고르시오.

The film festival will take place in July.

ⓐ be held ⓑ take off ⓒ give up

그 영화제는 7월에 열릴 것이다.
ⓐ 열리다 ⓑ 이륙하다 ⓒ 포기하다

정답 ⓐ

Daily Test

STEP 1 빈틈없이 확인하기

[01-25] 영어는 우리말로, 우리말은 영어로 쓰시오.

01 award

02 report

03 film

04 audience

05 horror

06 cast

07 sci-fi

08 director

09 public

10 audition

11 celebrity

12 advertisement

13 생방송의, 라이브의

14 낭만적인, 로맨틱한

15 (신문의) 기사

16 극장

17 장면, 현장

18 미스터리, 추리물

19 코미디, 희극

20 화면, 스크린

21 우상, 아이돌 스타

22 환상, 공상, 판타지

23 시리즈, 연속

24 be moved by

25 열리다, 개최되다

정답 p.293

STEP 2 제대로 적용하기

A 단어

주어진 단어를 의미에 맞게 바꿔 쓰시오.

01 fantasy → 환상적인, 굉장한 ____________

02 romance → 낭만적인 ____________

03 comedy → 코미디언, 희극인 ____________

04 mystery → 신비한 ____________

05 advertise → 광고 ____________

B 구

우리말 의미에 맞게 빈칸에 알맞은 말을 쓰시오.

01 영화관 a movie ____________

02 공포 영화 a ____________ movie

03 범죄 현장 a crime ____________

04 독후감 a book ____________

C 문장

빈칸에 알맞은 말을 넣어 문장을 완성하시오.

01 She wants to be a movie __________. 그녀는 영화감독이 되고 싶어 한다.

02 He became a TV __________ overnight.
그는 하룻밤 사이에 TV에 나오는 유명 인사가 되었다.

03 The music festival will take __________ in July.
음악 축제가 7월에 열릴 것이다.

04 Most of the __________ in the movie act well.
그 영화의 출연진 대부분이 연기를 잘한다.

05 The audience was __________ __________ his performance.
청중은 그의 공연에 감동했다.

DAY

29 생각과 표현

들으며 외우기

어휘력 UPGRADE

01 **thought** [θɔːt]

명 생각

We can share our **thoughts** with other people.
우리는 다른 사람들과 **생각**을 공유할 수 있다.

think 동 생각하다

---

02 **expression** [ikspréʃən]

명 표현

What is the meaning of the **expression** "a piece of cake"?
'a piece of cake'라는 **표현**의 의미가 무엇인가요?

+ freedom of **expression** 표현의 자유

express 동 표현하다, 나타내다

---

03 **knowledge** [nálidʒ]

명 지식, 앎

We get different kinds of **knowledge** from books. 우리는 책으로부터 다양한 종류의 **지식**을 얻는다.

know 동 알다

---

04 **communication** [kəmjùːnəkéiʃən]

명 의사소통

You have to learn **communication** skills to make new friends.
새로운 친구를 사귀기 위해서는 **의사소통** 기술을 배워야 한다.

communicate 동 의사소통하다

---

05 **conversation** [kɑ̀ːnvərséiʃən]

명 대화

I usually have a **conversation** with my family after dinner.
나는 보통 저녁 식사 후에 가족과 **대화**를 나눈다.

+ have a **conversation** with ~와 대화를 나누다

---

06 **explain** [ikspléin]

동 설명하다

The teacher **explained** the rules to us.
선생님은 우리에게 그 규칙을 **설명해 주셨다**.

explanation 명 설명

어휘력 UPGRADE

07 **discuss** [diskʌ́s]

동 논의하다, 토론하다

We need to **discuss** our travel plans.
우리는 여행 계획에 대해 **논의할** 필요가 있다.

discussion 명 논의

시험 POINT discuss의 쓰임

우리말을 영어로 바르게 바꾼 것을 고르시오.

우리는 나중에 그것에 대해 논의해야 한다.

ⓐ We should discuss it later.
ⓑ We should discuss about it later.

'~에 대해 논의하다'라는 우리말 때문에 전치사 about을 쓰지 않도록 주의한다.

정답 ⓐ

08 **opinion** [əpínjən]

명 의견, 견해

He has a different **opinion** on the case.
그는 그 사건에 대해 다른 **의견**을 가지고 있다.

+ in my **opinion** 내 의견[생각]으로는

유의어 view

09 **agree** [əgríː]

동 동의하다

I don't **agree** with you. 나는 너에게 **동의하지** 않아.

agreement 명 동의
반의어 disagree 동의하지 않다

10 **advise** [ədváiz]

동 충고하다, 조언하다

The doctor **advised** me to exercise more.
그 의사는 나에게 운동을 더 하라고 **충고했다**.

advice 명 조언, 충고
동사(advise)와 명사(advice)를 혼동하지 않도록 주의하세요.

11 **order** [ɔ́ːrdər]

동 1. 명령하다 2. 주문하다
명 1. 명령 2. 주문 3. 순서

The police officer **ordered** him to stop.
경찰관은 그에게 멈추라고 **명령했다**.

I **ordered** sandwiches and orange juice.
나는 샌드위치와 오렌지 주스를 **주문했다**.

+ in alphabetical **order** 알파벳 순서로

12 **suggest** [səgdʒést]

동 제안하다

She **suggested** that I should get some rest.
그녀는 내가 좀 쉬어야 한다고 **제안했다**.

suggestion 명 제안, 제의

13 **allow**
[əláu]

동 허락하다, 허용하다

My parents didn't **allow** me to go out at night.
우리 부모님은 내가 밤에 외출하는 것을 **허락하지** 않으셨다.

+ **allow** *A* to *B* A가 B하는 것을 허락하다

시험 POINT allow *A* to *B*

네모 안에서 알맞은 것을 고르시오.

He allowed us [going / to go] home.
그는 우리가 집에 가는 것을 허락했다.

어휘력 UPGRADE

'A가 B하는 것을 허락하다'라는 의미를 나타낼 때 to 다음에는 동사원형을 쓴다.

정답 to go

14 **mistake**
[mistéik]

명 실수, 잘못

I made a big **mistake**. 나는 큰 **실수**를 했다.

+ by **mistake** 실수로

15 **mind**
[maind]

동 신경 쓰다, 싫어하다 명 마음, 정신

A Do you **mind** opening the window?
창문을 열어도 될까요?
B Of course not. 물론이죠.

I couldn't change her **mind**.
나는 그녀의 **마음**을 바꾸지 못했다.

+ Never **mind**. 신경 쓰지 마.

상대방의 허락을 구할 때 Do you mind ~?를 사용하면 '~하는 것이 싫은가요?'로 묻는 것이므로 허락할 때는 Of course not. 또는 No, go ahead. 등의 부정 표현으로 답해야 해요.

16 **argue**
[á:rgju:]

동 말다툼하다, 언쟁하다

I don't want to **argue** with you.
나는 너와 **말다툼하고** 싶지 않아.

17 **imagine**
[imǽdʒin]

동 상상하다

I can't **imagine** my life without you.
나는 네가 없는 내 삶을 **상상할** 수 없다.

imagination
명 상상력

18 **nod**
[nɑ:d]
nodded-nodded

동 (고개를) 끄덕이다

She smiled and **nodded** quietly.
그녀는 미소 지으며 조용히 **고개를 끄덕였다**.

nod는 상대방의 말에 동의하거나 긍정하는 의미로 고개를 끄덕이는 것을 나타내요.

19 **yell** [jel]

동 소리치다, 고함지르다

Don't **yell** at me. 나에게 **소리치지** 마.

20 **whisper** [*h*wíspə*r*]

동 속삭이다

I couldn't hear them because they were **whispering**.
그들이 **속삭이고** 있어서 나는 그들의 말을 들을 수 없었다.

21 **correct** [kərékt]

형 맞는, 정확한 동 고치다, 바로잡다

What is the **correct** answer?
맞는 답이 무엇인가요?

I **corrected** a few spelling mistakes.
나는 몇 개의 철자 실수를 **고쳤다**.

유의어 right 맞는, 정확한
반의어 incorrect 틀린, 부정확한

22 **confuse** [kənfjúːz]

동 1. 혼란스럽게 하다 2. 혼동하다

His words **confused** me. 그의 말은 나를 **혼란스럽게 했다**.

Be careful not to **confuse** "advise" with "advice." 'advise'를 'advice'와 **혼동하지** 않도록 주의하세요.

⊕ **confuse** *A* with *B* A를 B와 혼동하다

confused 형 혼란스러워하는
confusing 형 혼란스러운

23 **memory** [méməri]

명 1. 기억력 2. 기억, 추억

He has a bad **memory** for names.
그는 이름을 잘 **기억**하지 못한다.

Do you have good **memories** of your childhood? 어린 시절의 좋은 **추억**이 있나요?

컴퓨터의 '기억 장치'를 메모리(memory)라고 해요.

교과서 필수 암기 숙어

24 **can't help -ing**

~하지 않을 수 없다

I **can't help telling** you about him.
나는 그에 대해 너에게 **말하지 않을 수 없다**.

25 **give ~ a call**

~에게 전화를 하다

Give me **a call** when you arrive at the hotel.
호텔에 도착하면 나**에게 전화해**.

Daily Test

STEP 1 빈틈없이 확인하기

[01-25] 영어는 우리말로, 우리말은 영어로 쓰시오.

01	argue	
02	communication	
03	opinion	
04	correct	
05	expression	
06	confuse	
07	suggest	
08	order	
09	whisper	
10	conversation	
11	yell	
12	mind	
13	상상하다	
14	논의하다, 토론하다	
15	생각	
16	끄덕이다	
17	동의하다	
18	허락하다, 허용하다	
19	지식, 앎	
20	기억력, 기억, 추억	
21	충고하다, 조언하다	
22	설명하다	
23	실수, 잘못	
24	give ~ a call	
25	~하지 않을 수 없다	

정답 p. 293

STEP 2 제대로 적용하기

A 단어

주어진 단어를 의미에 맞게 바꿔 쓰시오.

01 know → 지식, 앎 ______________

02 explain → 설명 ______________

03 suggest → 제안, 제의 ______________

04 advise → 조언, 충고 ______________

05 imagine → 상상력 ______________

B 구

우리말 의미에 맞게 빈칸에 알맞은 말을 쓰시오.

01 표현의 자유 freedom of ______________

02 알파벳 순서로 in alphabetical ______________

03 실수로 by ______________

04 의사소통 기술 ______________ skills

C 문장

빈칸에 알맞은 말을 넣어 문장을 완성하시오.

01 We will ___________ the classroom rules.
우리는 학급 규칙에 대해 논의할 것이다.

02 I can't ___________ smiling when I see her.
나는 그녀를 볼 때면 미소짓지 않을 수 없다.

03 In my ___________, the second plan is better.
내 생각으로는 두 번째 계획이 더 좋다.

04 I sometimes ___________ Emily with her sister.
나는 가끔 Emily와 그녀의 언니를 혼동한다.

05 Mom didn't ___________ me to play computer games.
엄마는 내가 컴퓨터 게임하는 것을 허락하지 않으셨다.

DAY

30 온라인

들으며 외우기

어휘력 UPGRADE

01 **online**
[ɔ́nlain]

형 온라인의 부 온라인으로

Online shopping is both cheap and convenient.
온라인 쇼핑은 싸고 편리하다.

You can buy concert tickets **online**.
당신은 **온라인으로** 콘서트 입장권을 살 수 있다.

반의어 offline 오프라인의; 오프라인으로

02 **connect**
[kənékt]

동 연결하다, 접속하다

First, **connect** the printer to the computer.
먼저, 프린터를 컴퓨터에 **연결해라**.

⊕ **connect** *A* to *B* A를 B에 연결하다

connection
명 연결, 접속

03 **click**
[klik]

동 (마우스·아이콘 등을) **클릭하다**

Click on the icon to open the program.
프로그램을 열려면 아이콘을 **클릭하세요**.

04 **address**
[ədrés]

명 1. 주소 2. 연설, 강연

Write your email **address** here.
여기에 당신의 이메일 **주소**를 쓰세요.

⊕ give an **address** 연설을 하다

05 **file**
[fail]

명 파일, 서류

I'll send you the **file** by email.
너에게 그 **파일**을 이메일로 보내줄게.

06 **image**
[ímidʒ]

명 1. 이미지, 인상 2. 모습, 그림

She wants to change her **image**.
그녀는 자신의 **이미지**를 바꾸고 싶어 한다.

Click on the **image** to hear the sound.
소리를 들으려면 그 **그림**을 클릭해라.

어휘력 UPGRADE

07 **information** [ìnfərméiʃən]

명 정보

We can find a lot of **information** on the internet.
우리는 인터넷에서 많은 **정보**를 찾을 수 있다.

---

08 **search** [səːrtʃ]

동 찾아보다, 검색하다 명 수색, 검색

He **searched** for the book. 그는 그 책을 **찾아보았다**.

I did an internet **search** for the recipe.
나는 그 요리법을 찾기 위해 인터넷 **검색**을 했다.

시험 POINT search for

네모 안에서 알맞은 것을 고르시오.

They [searched / searched for] the lost dog.
그들은 잃어버린 개를 찾아다녔다.

search 다음에 찾고 있는 대상을 쓸 때는 대상 앞에 for를 쓴다.

정답 searched for

---

09 **download** [dáunlòud]

동 다운로드하다, 내려받다

He **downloaded** songs from the website.
그는 그 웹사이트에서 노래를 **내려받았다**.

반의어 upload 업로드하다

---

10 **post** [poust]

동 (웹사이트에 정보·사진을) **올리다**

I **posted** some pictures on Instagram.
나는 사진 몇 장을 인스타그램에 **올렸다**.

posting 명 (인터넷의) 게시글

---

11 **comment** [káment]

명 논평, 댓글 동 의견을 말하다

I left **comments** on my friends' selfies.
나는 내 친구들의 셀카에 **댓글**을 남겼다.

He refused to **comment** on my essay.
그는 내 에세이에 대해 **의견을 말하기**를 거절했다.

질문에 답하고 싶지 않을 때 "No comment!(노코멘트)"라고 해요.

---

12 **reply** [riplái] replied-replied

동 대답하다, 답변하다 명 대답, 답장

He didn't **reply** to my question.
그는 내 질문에 **대답하지** 않았다.

I waited for her **reply**. 나는 그녀의 **답장**을 기다렸다.

⊕ **reply** to ~에 대답하다

유의어 answer
answer는 뒤에 대상을 바로 쓰지만, reply는 to 다음에 써야 하는 것을 주의하세요.

어휘력 UPGRADE

13 **data**
[déitə]

명 자료, 데이터

He is collecting **data** about the weather.
그는 날씨에 대한 **자료**를 모으고 있다.

---

14 **delete**
[dilíːt]

동 삭제하다

He **deleted** an important file by mistake.
그는 실수로 중요한 파일을 **삭제했다**.

---

15 **update**
[ʌ̀pdéit]

동 갱신하다, 업데이트하다

My computer needs to be **updated**.
내 컴퓨터는 **업데이트될** 필요가 있다.

---

16 **application**
[æ̀pləkéiʃən]

명 1. 애플리케이션, 응용 프로그램 (=app)
2. 지원(서), 신청(서)

You can take pictures with this **app**.
당신은 이 **앱**으로 사진을 찍을 수 있다.

⊕ a job **application** 입사 지원서

apply
동 지원하다, 신청하다
'앱'을 의미하는 경우에만 app으로 줄여 써요.

---

17 **text**
[tekst]

동 (휴대 전화로) 문자를 보내다 명 글, 본문

I'll **text** you when I get home.
집에 도착하면 너에게 **문자를 보낼게**.

⊕ a **text** message 문자 메시지

---

18 **chat**
[tʃæt]
chatted-chatted

동 이야기를 나누다, 채팅하다 명 수다, 채팅

I usually **chat** with my friends on KakaoTalk.
나는 보통 내 친구들과 카카오톡으로 **채팅을 한다**.

---

19 **influence**
[ínfluəns]

명 영향(력) 동 영향을 미치다

The **influence** of the internet is growing every day. 인터넷의 **영향력**이 매일 커지고 있다.

Most children are **influenced** by their parents.
대부분의 아이들은 그들의 부모님의 **영향을 받는다**.

SNS 상에서 영향력이 큰 사람을 'influencer(인플루언서)'라고 해요.

어휘력 UPGRADE

20 **anytime**
[énitàim]

부 **언제든지, 언제나**

We can shop online **anytime**.
우리는 **언제든지** 온라인으로 쇼핑을 할 수 있다.

21 **even**
[íːvən]

부 **~조차도, 심지어**

I don't **even** know his name.
나는 **심지어** 그의 이름도 모른다.

22 **addiction**
[ədíkʃən]

명 **중독**

Smartphone **addiction** is a big problem these days. 스마트폰 **중독**은 요즘 큰 문제이다.

교과서 필수 암기 숙어

23 **thanks to**

~ 덕분에

Thanks to you, we finished the project.
네 **덕분에** 우리는 프로젝트를 끝냈어.

24 **stand for**

(약자·기호 등이) **~을 의미하다, ~을 나타내다**

"TMI" **stands for** "too much information."
'TMI'는 '너무 많은 정보'**를 의미한다**.

25 **stop -ing**

~하는 것을 그만두다[멈추다]

Stop playing games right now.
지금 당장 게임**하는 것을 그만둬라**.

비교 stop to+**동사원형** ~하기 위해 (하던 것을) 멈추다

시험 POINT stop의 쓰임

우리말과 일치하도록 네모 안에서 알맞은 것을 고르시오.

She stopped [chatting / to chat] with her friends.
그녀는 친구들과 채팅하는 것을 멈췄다.

stop -ing: ~하는 것을 멈추다
stop to+동사원형: ~하기 위해 (하던 것을) 멈추다

정답 chatting

Daily Test

STEP 1 빈틈없이 확인하기

[01-25] 영어는 우리말로, 우리말은 영어로 쓰시오.

01 search

02 comment

03 delete

04 text

05 application

06 image

07 anytime

08 reply

09 connect

10 update

11 chat

12 파일, 서류

13 다운로드하다, 내려받다

14 (웹사이트에) 올리다

15 온라인의; 온라인으로

16 영향(력); 영향을 미치다

17 자료, 데이터

18 정보

19 클릭하다

20 ~조차도, 심지어

21 주소, 연설, 강연

22 중독

23 stop -ing

24 ~을 의미하다, ~을 나타내다

25 ~ 덕분에

정답 p.293

STEP 2 제대로 적용하기

A 단어

주어진 단어를 참고하여 지시에 맞게 쓰시오.

01 online → 반의어 ____________

02 reply → 유의어 ____________

03 download → 반의어 ____________

B 구

우리말 의미에 맞게 빈칸에 알맞은 말을 쓰시오.

01 인터넷의 영향 the ____________ of the internet

02 입사 지원서 a job ____________

03 문자 메시지 a ____________ message

04 스마트폰 중독 smartphone ____________

05 연설을 하다 give an ____________

C 문장

빈칸에 알맞은 말을 넣어 문장을 완성하시오.

01 He __________ the cable to his phone.
그는 그 케이블을 그의 전화기에 연결했다.

02 She __________ for the recipe on the internet.
그녀는 인터넷으로 요리법을 검색했다.

03 Amy __________ some pictures from her blog.
Amy는 자신의 블로그에서 사진 몇 장을 삭제했다.

04 “Idk” __________ __________ “I don’t know.”
‘Idk’는 ‘나는 모른다’를 의미한다.

05 __________ __________ the internet, people can meet each other online. 인터넷 덕분에 사람들은 온라인으로 서로를 만날 수 있다.

내신 대비 어휘 Test

PART 6

01 단어의 성격이 나머지와 다른 하나는?

① director ② poetry ③ musician
④ novelist ⑤ architect

02 짝지어진 단어의 관계가 다른 하나는?

① fantasy – fantastic ② advise – advice
③ know – knowledge ④ perform – performance
⑤ connect – connection

03 각 빈칸에 알맞은 말이 순서대로 짝지어진 것은? DAY 26, 27 시험 POINT

- My mother usually listens to ___________ music.
- I had a really ___________ dream last night.

① classic – scary ② classic – scared
③ classical – scare ④ classical – scary
⑤ classical – scared

04 밑줄 친 말의 의미로 알맞지 않은 것은?

① BTS gave an address to the UN. (연설)
② I have trouble singing the high notes. (음)
③ He is playing the violin on the stage. (무대)
④ Stella is the major character in this book. (성격)
⑤ *Hamlet* is a famous play by Shakespeare. (희곡)

정답 p. 294

05 밑줄 친 부분과 바꿔 쓸 수 있는 것은? DAY 28 시험 POINT

The film festival will be held in September.

① take off ② stand for ③ give up
④ be known as ⑤ take place

06 밑줄 친 말의 쓰임이 어색한 것은? DAY 29, 30 시험 POINT

① We should discuss about our project.
② The police searched for the missing child.
③ Thanks to him, I finished my art homework.
④ "UK" stands for "United Kingdom."
⑤ Korean pop music is known as K-pop.

07 빈칸 (A)와 (B)에 들어갈 play의 알맞은 형태를 각각 쓰시오. DAY 29, 30 시험 POINT

서술형

- He allowed us __________ soccer.
- Stop __________ the piano. It's time for bed.

(A) __________ (B) __________

08 우리말과 일치하도록 〈조건〉에 맞게 문장을 완성하시오. DAY 27 시험 POINT

서술형

그 과학 박물관은 방문할 만한 가치가 있다.

→ The science museum __________________________.

조건 1. worth, visit를 반드시 포함할 것
2. 필요한 경우, 주어진 단어를 알맞은 형태로 바꿀 것

PART 7

DAY 31 회사와 일

DAY 32 기계와 기술

DAY 33 사고와 안전

DAY 34 환경 보호

DAY 35 상황 묘사

DAY

31 회사와 일

들으며 외우기

어휘력 UPGRADE

01 **company** [kʌ́mpəni]

명 **회사, 기업**

My dad works for a small **company**.
우리 아빠는 작은 **회사**에서 일하신다.

⊕ run a **company** 회사를 경영하다

02 **business** [bíznis]

명 **사업, 업무**

She is in the fashion **business**.
그녀는 패션 **사업**에 종사하고 있다.

⊕ a **business** trip 출장

businessman
명 사업가, 직장인

03 **manage** [mǽnidʒ]

동 **경영하다, 운영하다, 관리하다**

The company is **managed** by the owner's son.
그 회사는 소유주의 아들에 의해 **운영된다**.

You need to **manage** your time well.
너는 시간을 잘 **관리할** 필요가 있다.

management
명 경영, 관리
manager
명 경영자, 관리자

04 **boss** [bɔːs]

명 **사장, (직장의) 상사**

My **boss** told me to rewrite the report.
내 **상사**는 나에게 보고서를 다시 쓰라고 말했다.

05 **client** [kláiənt]

명 **의뢰인, 고객**

The lawyer met his **client** this morning.
그 변호사는 오늘 아침에 **의뢰인**을 만났다.

client는 전문적인 서비스를 제공하는 변호사나 회계사, 건축가 등의 의뢰인 또는 고객을 말해요.

06 **meeting** [míːtiŋ]

명 **회의**

We have a **meeting** every Monday morning.
우리는 월요일 아침마다 **회의**를 한다.

어휘력 UPGRADE

07 **salary**
[sǽləri]

명 **급여, 봉급** (직장에서 일의 대가로 받는 일정한 돈)

She gets a high **salary**. 그녀는 높은 **급여**를 받는다.

⊕ a monthly **salary** 월급

---

08 **earn**
[əːrn]

동 (돈을) **벌다**

He worked hard to **earn** a lot of money.
그는 많은 돈을 **벌기** 위해서 열심히 일했다.

---

09 **task**
[tæsk]

명 (일정 기간 내에 해야 할) **일, 과제**

I have not finished the **task** yet.
나는 아직 그 **일**을 끝내지 못했다.

---

10 **hire**
[haiər]

동 **고용하다, 채용하다**

We will **hire** more workers to help us.
우리는 우리를 도와줄 더 많은 직원을 **고용할** 것이다.

유의어 employ

---

11 **fire**
[faiər]

동 **해고하다** (회사가 직원을 내보내다) 명 **불**

He got **fired** from his job. 그는 직장에서 **해고되었다**.

Fire is both useful and dangerous.
불은 유용하면서 위험하다.

⊕ get **fired** 해고되다

---

12 **apply**
[əplái]
applied-applied

동 **지원하다, 신청하다**

Any student can **apply** for the program.
어떤 학생이든 그 프로그램에 **지원할** 수 있다.

⊕ **apply** for ~에 지원하다

application
명 지원(서), 신청(서)

---

13 **quit**
[kwit]
quit-quit

동 **그만두다**

She decided to **quit** her job.
그녀는 직장을 **그만두기**로 결정했다.

시험 POINT quit -ing

네모 안에서 알맞은 것을 고르시오.

He quit [smoking / to smoke] two years ago.
그는 2년 전에 담배 피는 것을 그만두었다.

quit 다음에 동사가 오는 경우에는 -ing 형태로 쓴다.

정답 smoking

어휘력 UPGRADE

14 **interview**
[íntərvjùː]

동 인터뷰를 하다, 면접하다 명 인터뷰, 면접

He will **interview** the president tomorrow.
그는 내일 대통령을 **인터뷰할** 것이다.

⊕ a job **interview** 입사 면접

interviewer 명 인터뷰 진행자, 면접관

---

15 **ability**
[əbíləti]

명 능력, 자질

Jason has the **ability** to do the job.
Jason은 그 일을 해낼 **능력**을 갖고 있다.

---

16 **skill**
[skil]

명 기술, 기능

You need computer **skills** for the job.
그 일을 위해서는 컴퓨터 **기술**이 필요하다.

---

17 **reward**
[riwɔ́ːrd]

명 보상, 사례(금) 동 보상하다

Her success is a **reward** for her effort.
그녀의 성공은 그녀의 노력에 대한 **보상**이다.

He promised to **reward** me for my work.
그는 내가 한 일에 대해 나에게 **보상하기**로 약속했다.

---

18 **career**
[kəríər]

명 직업, 경력

She started her **career** as an English teacher.
그녀는 영어 교사로서 그녀의 **경력**을 시작했다.

career에서 a의 발음에 주의하세요. '커리어 우먼'으로 발음을 기억해 보세요.

---

19 **copy**
[kάpi]
copied-copied

동 1. 복사하다 2. 모방하다, 베끼다 명 복사(본)

A Could you **copy** this report for me?
이 보고서를 **복사해** 주시겠어요?

B Sure. How many **copies** do you need?
네. 몇 **부** 필요하세요?

⊕ a **copy** machine 복사기

---

20 **print**
[print]

동 인쇄하다, 프린트하다

I **printed** the report on both sides of the paper.
나는 그 종이의 양면에 보고서를 **프린트했다**.

printer 명 프린터

21 **contract**
명사 [kɑ́:ntrækt]
동사 [kəntrǽkt]

명 계약(서), 약정 동 계약하다

We signed a **contract** with a French company.
우리는 프랑스 회사와 **계약**을 체결했다.

I am **contracted** to work 40 hours a week.
나는 일주일에 40시간을 일하기로 **계약되어 있다**.

⊕ sign a **contract** 계약을 체결하다

어휘력 UPGRADE
동사일 때와 명사일 때 강세의 위치가 다르므로 발음에 주의하세요.

---

22 **signature**
[sígnətʃər]

명 서명, 사인 형 대표하는

Write your **signature** in the blank space.
빈칸에 당신의 **서명**을 쓰세요.

⊕ the chef's **signature** dish 주방장의 대표 요리

시험 POINT sign vs. signature

네모 안에서 알맞은 것을 고르시오.

You need a parent's [sign / signature] to join the club.
동아리에 가입하려면 부모님의 서명이 필요하다.

sign: 서명하다
signature: 서명, 사인

정답 signature

교과서 필수 암기 숙어

23 **carry on**

계속해 나가다, 이어서 계속하다

He wants to **carry on** the family business.
그는 가업을 **계속해 나가길** 원한다.

---

24 **ask ~ to**

~에게 …해 달라고 부탁[요청]하다

He **asked** me **to** close the door.
그는 나**에게** 문을 닫아 **달라고 부탁했다**.

---

25 **make a living**

생계를 꾸리다

We moved to the city to **make a living**.
우리는 **생계를 꾸리기** 위해서 도시로 이사했다.

Daily Test

STEP 1 빈틈없이 확인하기

[01-25] 영어는 우리말로, 우리말은 영어로 쓰시오.

01 apply

02 client

03 reward

04 earn

05 contract

06 meeting

07 business

08 quit

09 task

10 manage

11 signature

12 인터뷰를 하다; 인터뷰

13 회사, 기업

14 직업, 경력

15 능력, 자질

16 고용하다, 채용하다

17 인쇄하다, 프린트하다

18 해고하다; 불

19 급여, 봉급

20 복사하다; 복사(본)

21 사장, 상사

22 기술, 기능

23 ask ~ to

24 생계를 꾸리다

25 계속해 나가다, 이어서 계속하다

정답 p.294

STEP 2 제대로 적용하기

A 단어

주어진 단어를 의미에 맞게 바꿔 쓰시오.

01 business → 사업가 ______________

02 manage → 경영, 관리 ______________

03 interview → 인터뷰 진행자, 면접관 ______________

04 apply → 지원, 신청 ______________

B 구

우리말 의미에 맞게 빈칸에 알맞은 말을 쓰시오.

01 월급 a monthly ______________

02 복사기 a ______________ machine

03 입사 면접 a job ______________

04 계약을 체결하다 sign a ______________

05 회사를 경영하다 run a ______________

C 문장

빈칸에 알맞은 말을 넣어 문장을 완성하시오.

01 She got ___________ from her job. 그녀는 직장에서 해고되었다.

02 I ___________ Tom ___________ carry the box.
나는 Tom에게 그 상자를 옮겨 달라고 부탁했다.

03 He worked at a supermarket to make a ___________.
그는 생계를 꾸리기 위해 슈퍼마켓에서 일했다.

04 She decided to ___________ ___________ her father's business.
그녀는 아버지의 사업을 계속해 나가기로 결심했다.

05 He doesn't have the ___________ to support his family.
그는 가족을 부양할 능력이 없다.

32 기계와 기술

들으며 외우기

어휘력 UPGRADE

01 **tool** [tu:l]

명 도구, 연장

These **tools** are used for building houses.
이 **도구들**은 집을 짓는 데 사용된다.

---

02 **machine** [məʃíːn]

명 기계

Do you know how to use this **machine**?
이 **기계**를 사용하는 법을 아시나요?

⊕ a washing **machine** 세탁기

---

03 **technology** [teknáːlədʒi]

명 (과학) 기술

Technology has changed our lives.
과학 기술은 우리의 삶을 바꾸고 있다.

technological 형 기술의, 기술적인

---

04 **develop** [divéləp]

동 발전하다, 발달시키다

Smartphones are **developing** rapidly.
스마트폰은 빠르게 **발전하고** 있다.

development 명 발달, 성장

---

05 **invent** [invént]

동 발명하다

King Sejong **invented** Hangeul.
세종대왕은 한글을 **발명했다**.

invention 명 발명품, 발명
inventor 명 발명가

시험 POINT 영영풀이

알맞은 말을 골라 영영풀이를 완성하시오.

invent: to ______ something for the first time

ⓐ know ⓑ create ⓒ find

발명하다: 처음으로 무언가를 만들어 내다
ⓐ 알다 ⓒ 찾다

정답 ⓑ

---

06 **bulb** [bʌlb]

명 전구

The light **bulb** was invented by Thomas Edison.
전구는 토머스 에디슨에 의해 발명되었다.

어휘력 UPGRADE

07 **device** [diváis]
명 장치, 장비
It is a simple **device** for measuring temperature.
그것은 온도를 재는 간단한 **장치**이다.
⊕ a safety **device** 안전장치

08 **energy** [énərdʒi]
명 1. 에너지 2. 활력, 기운
We can get **energy** from the sun.
우리는 태양으로부터 **에너지**를 얻을 수 있다.
energetic 형 활동적인

09 **powerful** [páuərfəl]
형 강력한, 강한
This car has a **powerful** engine.
이 차는 **강력한** 엔진을 갖고 있다.
power 명 힘, 능력

10 **level** [lévəl]
명 1. 수준, 정도 2. 높이
Students have different **levels** of math ability.
학생들은 서로 다른 **수준**의 수학 능력을 가지고 있다.
⊕ eye **level** 눈높이

11 **replace** [ripléis]
동 대체하다, 대신하다
Robots can **replace** humans for many jobs.
로봇은 많은 일에서 인간을 **대신할** 수 있다.

12 **automatic** [ɔ̀:təmǽtik]
형 자동의
This train is completely **automatic**, so it has no driver. 이 기차는 완전히 **자동**이라서 운전기사가 없다.
⊕ **automatic** doors 자동문
automatically 부 자동적으로

13 **necessary** [nésəseri]
형 필요한, 필수적인
Smartphones are **necessary** these days.
스마트폰은 요즘 꼭 **필요하다**.
⊕ if **necessary** 필요하면, 필요시에
necessity 명 필요(성)

어휘력 UPGRADE

14 **practical** [prǽktikəl]

형 1. 실제적인, 현실적인 2. 실용적인

He gave me some **practical** advice.
그는 나에게 몇 가지 **현실적인** 조언을 해 주었다.

This car is nice, but it is not **practical**.
이 차는 멋있지만, **실용적이지** 않다.

practically
부 사실상, 현실적으로

15 **convenient** [kənví:njənt]

형 편리한

This camera is **convenient** to use.
이 카메라는 사용하기에 **편리하다**.

convenience
명 편리, 편의

반의어 inconvenient
불편한, 곤란한

시험 POINT **convenient vs. convenience**

네모 안에서 알맞은 것을 고르시오.

Our lives have become [convenient / convenience] because of many inventions.
우리의 삶은 많은 발명품 때문에 편리해졌다.

'편리해지다'라는 의미는 become 다음에 형용사를 써서 나타낸다.

정답 convenient

16 **easily** [í:zəli]

부 쉽게

I solved the problem **easily**.
나는 그 문제를 **쉽게** 풀었다.

easy 형 쉬운

17 **press** [pres]

동 누르다, 압박하다 명 신문, 언론

Press the red button to stop the machine.
그 기계를 멈추려면 빨간색 버튼을 **눌러라**.

⊕ freedom of the **press** 언론의 자유

pressure 명 압력

'언론'의 의미로 쓰이는 press 앞에는 꼭 the를 써요.

18 **system** [sístəm]

명 체계, 시스템, 장치

They developed a new computer **system**.
그들은 새로운 컴퓨터 **시스템**을 발전시켰다.

19 **combination** [kàmbinéiʃən]

명 결합, 조합

A smartphone is a **combination** of a computer, telephone, and camera.
스마트폰은 컴퓨터, 전화, 카메라의 **결합**이다.

combine
동 결합하다, 조합하다

'콤비네이션 피자'는 다양한 토핑이 '조합'된 피자예요.

어휘력 UPGRADE

adaptation 명 적응

20 **adapt**
[ədǽpt]

동 1. 적응하다 2. 각색하다 (다른 장르의 작품으로 고쳐 쓰다)

You have to **adapt** quickly to the new system.
너는 새로운 시스템에 빨리 **적응해야** 한다.

This story was **adapted** into a film.
이 이야기는 영화로 **각색되었다**.

⊕ **adapt** to ~에 적응하다

21 **flash**
[flæʃ]

동 번쩍이다 명 1. 번쩍이는 빛 2. (카메라의) 플래시

Lightning **flashed** in the sky.
번개가 하늘에서 **번쩍였다**.

You can't use a **flash** in the museum.
그 박물관에서는 **플래시**를 사용할 수 없다.

22 **tube**
[tjuːb]

명 관, 튜브

The water flows through a plastic **tube**.
그 물은 플라스틱 **관**을 통해 흐른다.

⊕ a **tube** of toothpaste 치약 한 통

교과서 필수 암기 숙어

23 **get rid of**

~을 버리다, ~을 제거하다

He **got rid of** his old computer. 그는 그의 오래된 컴퓨터를 **버렸다**.

24 **up to date**

최신의, 첨단의

All their systems were **up to date**.
그들의 모든 시스템은 **최신식이었다**.

반의어 out of date 낡은, 오래된

25 **deal with**

~을 다루다, ~을 처리하다

Computers can **deal with** different kinds of problems.
컴퓨터는 다양한 종류의 문제를 **처리할** 수 있다.

Daily Test

STEP 1 빈틈없이 확인하기

[01-25] 영어는 우리말로, 우리말은 영어로 쓰시오.

01 practical

02 press

03 bulb

04 combination

05 powerful

06 flash

07 device

08 easily

09 automatic

10 tube

11 technology

12 에너지, 활력, 기운

13 편리한

14 도구, 연장

15 적응하다, 각색하다

16 수준, 정도, 높이

17 발전하다, 발달시키다

18 필요한, 필수적인

19 기계

20 대체하다, 대신하다

21 체계, 시스템, 장치

22 발명하다

23 deal with

24 최신의, 첨단의

25 ~을 버리다, ~을 제거하다

정답 p.294

STEP 2 제대로 적용하기

A 단어

주어진 단어를 의미에 맞게 바꿔 쓰시오.

01 develop → 발달, 성장 ____________

02 invent → 발명가 ____________

03 energy → 활동적인 ____________

04 convenient → 편리, 편의 ____________

05 adapt → 적응 ____________

B 구

우리말 의미에 맞게 빈칸에 알맞은 말을 쓰시오.

01 세탁기 a washing ____________

02 안전장치 a safety ____________

03 눈높이 eye ____________

04 자동문 ____________ doors

05 언론의 자유 freedom of the ____________

C 문장

빈칸에 알맞은 말을 넣어 문장을 완성하시오.

01 If __________, you can call me anytime. 필요하면 언제든 내게 전화해라.

02 The e-book will __________ the paper book.
전자책이 종이책을 대신할 것이다.

03 I get __________ __________ spam email every day.
나는 매일 스팸 메일을 버린다.

04 All their records were __________ __________ date.
그들의 모든 기록은 최신이었다.

05 I can't __________ __________ this problem right now.
나는 지금 당장 이 문제를 처리할 수 없다.

사고와 안전

어휘력 UPGRADE

01 **accident** [ǽksidənt]

명 사고

Accidents can happen anytime.
사고는 언제든지 일어날 수 있다.

---

02 **dangerous** [déindʒərəs]

형 위험한

It is **dangerous** to swim in the river.
그 강에서 수영하는 것은 **위험하다**.

danger 명 위험
반의어 safe 안전한

---

03 **safety** [séifti]

명 안전, 안전성

You should wear a helmet for **safety**.
안전을 위해서 헬멧을 써야 한다.

⊕ **safety** first 안전제일

safe 형 안전한

---

04 **trouble** [trʌ́bl]

명 문제, 어려움, 곤경

Do you have **trouble** sleeping?
잠자는 것에 **어려움**을 겪고 있나요?

⊕ have **trouble** -ing ~하는 데 어려움을 겪다

---

05 **alarm** [əlɑ́ːrm]

명 1. 자명종(알람 시계) 2. 경보(기), 경고 신호

She set the **alarm** for seven o'clock.
그녀는 **알람 시계**를 7시에 맞췄다.

⊕ a fire **alarm** 화재경보기

---

06 **signal** [sígnəl]

명 신호

He gave the **signal** to stop. 그는 멈추라는 **신호**를 줬다.

sign(표지판, 신호)의 g는 묵음이지만, signal의 g는 묵음이 아니므로 주의하세요.

어휘력 UPGRADE

07 **prevent** [privént]

동 막다, 예방하다

Careful driving **prevents** accidents.
조심하여 운전하는 것은 사고를 **예방한다**.

prevention
명 예방, 방지

08 **notice** [nóutis]

동 알다, 알아차리다 명 예고, 통지, 안내문

No one will **notice** the difference.
아무도 그 차이를 **알아차리지** 못할 것이다.

Did you see the **notice** about the meeting?
그 모임에 대한 **안내문**을 봤니?

+ without **notice** 예고 없이

09 **avoid** [əvɔ́id]

동 피하다, 방지하다

He tried to **avoid** the same mistake.
그는 같은 실수를 **피하기** 위해 노력했다.

시험 POINT avoid -ing

네모 안에서 알맞은 것을 고르시오.

I'll avoid [to eat / eating] fast food.
나는 패스트푸드 먹는 것을 피할 것이다.

'~하는 것을 피하다'라는 의미를 나타낼 때는 avoid 다음에 -ing를 쓴다.

정답 eating

10 **damage** [dǽmidʒ]

명 손상, 피해 동 손상을 입히다, 피해를 주다

There was no **damage** to the car.
그 차에는 아무 **손상**이 없었다.

The fire **damaged** many shops.
그 화재는 많은 상점에 **피해를 입혔다**.

11 **terrible** [térəbl]

형 끔찍한, 참혹한

I saw a **terrible** car accident this morning.
나는 오늘 아침에 **끔찍한** 교통사고를 봤다.

12 **exit** [éksit]

명 출구 동 나가다

There are six **exits** in this building.
이 건물에는 여섯 개의 **출구**가 있다.

You can **exit** through the back door.
당신은 뒷문을 통해서 **나갈** 수 있다.

반의어 entrance 입구

어휘력 UPGRADE

13 **crash**
[kræʃ]

동 **충돌하다, 추락하다** 명 **충돌, 추락 (사고)**

The car **crashed** into the wall.
그 자동차는 벽에 **충돌했다**.

All the passengers were killed in the plane **crash**. 그 비행기 **추락 사고**에서 승객 전원이 사망했다.

---

14 **burn**
[bəːrn]
burnt-burnt 또는 burned-burned

동 1. (불에) **타다, 태우다** 2. **데다, 화상을 입다**

The house was **burning**. 그 집이 **불타고** 있었다.

She **burned** her hand on the hot stove.
그녀는 뜨거운 난로에 손을 **데었다**.

---

15 **poison**
[pɔ́izn]

명 **독, 독약**

Some plants can be used to make **poison**.
몇몇 식물은 **독약**을 만드는 데 사용될 수 있다.

poisonous
형 독성이 있는

---

16 **injure**
[índʒər]

동 **부상을 입다[입히다]**

She fell and **injured** her arm.
그녀는 넘어져서 팔에 **부상을 입었다**.

injury 명 부상, 상처

---

17 **serious**
[síəriəs]

형 1. **심각한** 2. **진지한**

He quit playing soccer because of a **serious** injury. 그는 **심각한** 부상 때문에 축구를 그만뒀다.

Don't laugh. I'm **serious**. 웃지 마. 난 **진지해**.

seriously
부 심각하게, 진지하게

---

18 **rescue**
[réskjuː]

동 **구조하다, 구출하다** 명 **구조, 구출**

The firefighters **rescued** three people from the building. 소방관들이 그 건물에서 세 사람을 **구조했다**.

⊕ an animal **rescue** center 동물 구조 센터

시험 POINT 의미가 비슷한 말

밑줄 친 말과 바꿔 쓸 수 있는 것을 고르시오.

We tried to rescue the cat.

ⓐ catch ⓑ respect ⓒ save

우리는 그 고양이를 구하려고 노력했다.
ⓐ 잡다 ⓑ 존경하다
ⓒ 구하다

 ⓒ

어휘력 UPGRADE

19 **survive** [sərváiv]

동 살아난다, 생존하다

They **survived** the train crash.
그들은 열차 충돌 사고에서 **살아남았다**.

survival 명 생존

---

20 **unexpected** [ʌ̀nikspéktid]

형 예상치 못한, 뜻밖의

That was an **unexpected** result.
그것은 **예상치 못한** 결과였다.

un(~ 아닌) + expected (예상되는)

---

21 **emergency** [imə́ːrdʒənsi]

명 긴급 상황, 비상(사태)

We should keep calm in an **emergency**.
우리는 **긴급 상황**에서 침착해야 한다.

⊕ an **emergency** exit 비상구

---

22 **urgent** [ə́ːrdʒənt]

형 긴급한, 다급한

The patient needs **urgent** care.
그 환자는 **긴급한** 치료가 필요하다.

urgently 부 긴급하게

---

23 **first aid** [fə́ːrst éid]

명 응급 처치, 응급 치료

I learned **first aid** at school.
나는 학교에서 **응급 처치**를 배웠다.

⊕ a **first aid** kit 구급상자

교과서 필수 암기 숙어

24 **after a while**

잠시 후에

After a while, the children fell asleep.
잠시 후에 그 아이들은 잠이 들었다.

---

25 **watch out for**

~을 조심하다, ~에 대해 주의하다

Watch out for that dog in the road!
도로 위에 있는 저 개**를 조심해**!

Daily Test

STEP 1 빈틈없이 확인하기

[01-25] 영어는 우리말로, 우리말은 영어로 쓰시오.

01 trouble

02 rescue

03 avoid

04 crash

05 alarm

06 unexpected

07 signal

08 notice

09 first aid

10 damage

11 poison

12 emergency

13 끔찍한, 참혹한

14 위험한

15 막다, 예방하다

16 살아남다, 생존하다

17 사고

18 심각한, 진지한

19 안전, 안전성

20 긴급한, 다급한

21 부상을 입다[입히다]

22 출구; 나가다

23 타다, 태우다, 데다

24 watch out for

25 잠시 후에

정답 p.295

STEP 2 제대로 적용하기

A 단어

주어진 단어를 의미에 맞게 바꿔 쓰시오.

01 danger → 위험한 ______________

02 prevent → 예방, 방지 ______________

03 survive → 생존 ______________

04 poison → 독성이 있는 ______________

05 injure → 부상, 상처 ______________

B 구

우리말 의미에 맞게 빈칸에 알맞은 말을 쓰시오.

01 화재경보기 a fire ______________

02 동물 구조 센터 an animal ______________ center

03 비상구 an ______________ exit

04 비행기 추락 사고 a plane ______________

05 안전제일 ______________ first

C 문장

보기에서 알맞은 말을 골라 문장을 완성하시오.

보기	avoided	trouble	watch	accident	damaged

01 She ___________ answering my questions. 그녀는 내 질문에 대답하기를 피했다.

02 The flood ___________ the whole town. 홍수는 마을 전체에 피해를 주었다.

03 The car ___________ happened last night. 그 자동차 사고는 어젯밤에 일어났다.

04 ___________ out for cars when you cross the road. 길을 건널 때 차를 조심해라.

05 She had ___________ adapting to the new school.
그녀는 새 학교에 적응하는 데 어려움을 겪었다.

DAY

34 환경 보호

들으며 외우기

어휘력 UPGRADE

01 **environment** [inváirənmənt]

명 **환경**

Plastic bags are bad for the **environment**.
비닐봉지는 **환경**에 좋지 않다.

environmental 형 환경의

---

02 **protect** [prətékt]

동 **보호하다, 지키다**

It is important to **protect** the environment.
환경을 **보호하는** 것은 중요하다.

protection 명 보호

---

03 **pollution** [pəlú:ʃən]

명 **오염, 공해**

Water **pollution** is a big problem.
수질 **오염**은 큰 문제이다.

+ air[soil] **pollution** 대기[토양] 오염

pollute 동 오염시키다

---

04 **trash** [træʃ]

명 **쓰레기**

We should clean up the **trash**.
우리는 **쓰레기**를 치워야 한다.

+ take out the **trash** 쓰레기를 내놓다

---

05 **dust** [dʌst]

명 **먼지**

The floor was covered with **dust**.
바닥은 **먼지**로 덮여 있었다.

+ fine **dust** 미세 먼지 yellow **dust** 황사

dusty 형 먼지투성이인

---

06 **noise** [nɔiz]

명 (시끄러운) **소리, 소음**

I can't hear anything because of the **noise**.
나는 그 **소음** 때문에 아무것도 들을 수가 없다.

+ make **noise** 시끄럽게 하다, 소음을 내다

noisy 형 시끄러운

어휘력 UPGRADE

07 **greenhouse** [grí:nhàus]

명 온실

Air pollution causes the **greenhouse** effect.
대기 오염은 **온실** 효과를 초래한다.

⊕ a **greenhouse** gas 온실 가스(이산화탄소, 메탄 등 온실 효과를 일으키는 가스)

'온실 효과'란 이산화탄소, 오존 등이 열을 흡수하여 지구 표면의 온도를 높이는 것을 의미해요.

---

08 **harmful** [há:rmfəl]

형 해로운, 유해한

Smoking is **harmful** to your health.
흡연은 네 건강에 **해롭다**.

harm 명 피해, 손해 동 해를 끼치다

harm(해) + ful(~이 많은)

---

09 **save** [seiv]

동 1. 구하다 2. 절약하다 3. 저축하다

A What can we do to **save** the earth?
지구를 **구하기** 위해 무엇을 할 수 있을까?

B We can **save** energy. 우리는 에너지를 **절약할** 수 있어.

He **saved** money for the trip.
그는 여행을 위해 돈을 **저축했다**.

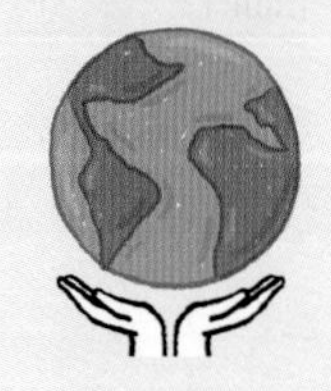

---

10 **recycle** [ri:sáikl]

동 재활용하다

We **recycle** cans and bottles.
우리는 캔과 병을 **재활용한다**.

recycling 명 재활용

---

11 **separate** [sépərèit]

동 분리하다

We should **separate** the recycling from the trash. 우리는 쓰레기로부터 재활용품을 **분리해야** 한다.

separate의 첫 번째 a를 e로 쓰지 않도록 주의하세요.

---

12 **immediately** [imí:diətli]

부 즉시, 곧바로

We have to save the dogs **immediately**.
우리는 **즉시** 그 개들을 구해야 한다.

시험 POINT 의미가 비슷한 말

밑줄 친 말과 바꿔 쓸 수 있는 것을 고르시오.

I'll do it immediately.

ⓐ at first ⓑ right away ⓒ for a while

나는 그것을 즉시 할 것이다.
ⓐ 처음에는 ⓑ 즉시
ⓒ 잠시 동안

정답 ⓑ

어휘력 UPGRADE

13 **effective**
[iféktiv]

형 효과적인

Planting trees is an **effective** way to prevent yellow dust. 나무를 심는 것은 황사를 막는 **효과적인** 방법이다.

effect 명 효과, 영향

---

14 **warn**
[wɔːrn]

동 경고하다, 주의를 주다

They **warned** us about the storm.
그들은 우리에게 폭풍에 대해 **경고했다**.

warning 명 경고

---

15 **limit**
[límit]

동 제한하다, 한정하다 명 제한, 한계

We should **limit** the use of plastic bags in shops. 우리는 상점에서의 비닐봉지 사용을 **제한해야** 한다.

+ a time **limit** 시간 제한

---

16 **destroy**
[distrɔ́i]

동 파괴하다

Huge storms **destroyed** everything.
거대한 폭풍이 모든 것을 **파괴했다**.

---

17 **threaten**
[θrétn]

동 위협하다, 협박하다

Plastic trash is **threatening** ocean life.
플라스틱 쓰레기가 해양 생물을 **위협하고** 있다.

threat 명 협박, 위협

---

18 **waste**
[weist]

동 낭비하다 명 1. 낭비 2. 폐기물, 쓰레기

Don't **waste** water. 물을 **낭비하지** 마라.

This river is polluted with factory **waste**.
이 강은 공장의 **폐기물**로 오염되었다.

+ a **waste** of time 시간 낭비

---

19 **affect**
[əfékt]

동 영향을 미치다

Climate change **affects** us all.
기후 변화는 우리 모두에게 **영향을 미친다**.

affect는 동사이고, effect(영향)는 명사예요. 혼동하지 않도록 주의하세요.

어휘력 UPGRADE

20 **direct**
[dirékt]

형 1. 직접적인 2. 직행의

Global warming has a **direct** effect on polar bears. 지구 온난화는 북극곰에게 **직접적인** 영향을 미친다.

⊕ a **direct** flight 직행 항공편

반의어 indirect 간접적인

21 **eco-friendly**
[ì:kou fréndli]

형 친환경적인, 환경친화적인

She usually uses **eco-friendly** products.
그녀는 보통 **친환경** 제품을 사용한다.

eco-는 다른 단어 앞에 붙여 '환경(보호)의, 생태의'라는 의미를 나타내요.

22 **recently**
[rí:sntli]

부 최근에

It has rained a lot **recently**. **최근에** 비가 많이 왔다.

교과서 필수 암기 숙어

23 **had better**

~하는 편이 좋다[낫다]

You **had better** go to bed early.
너는 일찍 잠자리에 드**는 게 좋겠다**.

시험 POINT **had better의 부정**

우리말을 영어로 바르게 옮긴 것을 고르시오.

너는 나에게 거짓말하지 않는 게 좋겠다.

ⓐ You had not better lie to me.
ⓑ You had better not lie to me.

had better의 부정은 「had better not+동사원형」으로 쓴다.

정답 ⓑ

24 **keep ~ in mind**

~을 명심하다

I'll **keep** your advice **in mind**. 당신의 충고를 **명심할게요**.

25 **above all**

무엇보다도, 특히

Above all, we must try to protect wild animals.
무엇보다도, 우리는 야생 동물을 보호하기 위해 노력해야 한다.

Daily Test

STEP 1 빈틈없이 확인하기

[01-25] 영어는 우리말로, 우리말은 영어로 쓰시오.

01	affect		12	효과적인	
02	save		13	소리, 소음	
03	threaten		14	환경	
04	warn		15	직접적인, 직행의	
05	eco-friendly		16	보호하다, 지키다	
06	limit		17	파괴하다	
07	dust		18	최근에	
08	immediately		19	오염, 공해	
09	greenhouse		20	재활용하다	
10	waste		21	해로운, 유해한	
11	trash		22	분리하다	

23 keep ~ in mind

24 ~하는 편이 좋다[낫다]

25 무엇보다도, 특히

정답 p.295

STEP 2 제대로 적용하기

A 단어

주어진 단어를 의미에 맞게 바꿔 쓰시오.

01 protect → 보호 ____________

02 harm → 해로운, 유해한 ____________

03 effect → 효과적인 ____________

04 threat → 위협하다, 협박하다 ____________

05 noise → 시끄러운 ____________

B 구

우리말 의미에 맞게 빈칸에 알맞은 말을 쓰시오.

01 대기 오염 air ____________

02 미세 먼지 fine ____________

03 온실 가스 a ____________ gas

04 시간 제한 a time ____________

05 시간 낭비 a ____________ of time

C 문장

빈칸에 알맞은 말을 넣어 문장을 완성하시오.

01 Keep these rules __________ __________. 이 규칙들을 명심해라.

02 Don't make __________ at night. 밤에 시끄럽게 하지 마라.

03 Human activities are destroying the __________.
인간의 활동이 환경을 파괴하고 있다.

04 You __________ __________ go to bed at once.
너는 즉시 잠자리에 드는 게 좋겠다.

05 __________ __________, we must save energy and water.
무엇보다도 우리는 에너지와 물을 절약해야 한다.

DAY

35 상황 묘사

들으며 외우기

어휘력 UPGRADE

01 **hero** [híərou]

명 1. 영웅 2. (책·영화 등의) 주인공

His grandfather is a war **hero**.
그의 할아버지는 전쟁 **영웅**이시다.

The **hero** of the novel is a little boy.
그 소설의 **주인공**은 한 어린 남자아이이다.

⊕ superhero 슈퍼히어로

heroine 명 여자 영웅, 여자 주인공

---

02 **popular** [pápjulər]

형 인기 있는, 대중적인

She is **popular** with her friends.
그녀는 그녀의 친구들에게 **인기가 있다**.

⊕ be **popular** with ~에게 인기가 있다

---

03 **well-known** [wèlnóun]

형 잘 알려진, 유명한

Emma Watson is a **well-known** actress.
엠마 왓슨은 **잘 알려진** 배우이다.

유의어 famous

시험 POINT 의미가 비슷한 말

밑줄 친 부분과 바꿔 쓸 수 있는 것을 고르시오.

The *Mona Lisa* is a <u>well-known</u> painting.

ⓐ popular ⓑ famous ⓒ various

'모나리자'는 <u>유명한</u> 그림이다.
ⓐ 인기 있는
ⓑ 유명한 ⓒ 다양한

정답 ⓑ

---

04 **major** [méidʒər]

형 주요한, 중요한 명 전공

Traffic is a **major** problem in this city.
교통은 이 도시의 **주요** 문제이다.

My **major** is French. 내 **전공**은 프랑스어이다.

반의어 minor 중요하지 않은, 사소한

---

05 **difficult** [dífikəlt]

형 어려운, 힘든

He solved the **difficult** problem.
그는 그 **어려운** 문제를 풀었다.

반의어 easy 쉬운

어휘력 UPGRADE

06 **hate** [heit]

동 몹시 싫어하다 명 증오, 미움

She **hates** dancing. 그녀는 춤추는 것을 **몹시 싫어한다**.

Romeo and Juliet is a story about love and **hate**. '로미오와 줄리엣'은 사랑과 **증오**에 관한 이야기이다.

반의어 love 사랑하다; 사랑

07 **impressive** [imprésiv]

형 인상적인, 감명 깊은

His first performance was very **impressive**. 그의 첫 공연은 매우 **인상적이었다**.

impress 동 깊은 인상을 주다, 감명을 주다

08 **valuable** [vǽljuəbl]

형 1. 귀중한, 소중한 2. 값비싼

This trip was a **valuable** experience for me. 이번 여행은 나에게 **귀중한** 경험이었다.

⊕ a **valuable** ring 값비싼 반지

유의어 precious

09 **courage** [kə́:ridʒ]

명 용기

I didn't have the **courage** to tell the truth. 나는 사실을 말할 **용기**가 없었다.

courageous 형 용기 있는, 용감한

10 **miracle** [mírəkl]

명 기적

He returned safely. It was a **miracle**. 그가 무사히 돌아왔다. 그것은 **기적**이었다.

11 **consider** [kənsídər]

동 1. 고려하다(여러 가지로 깊게 생각하다) 2. ~을 …라고 여기다

He **considered** moving to Seoul. 그는 서울로 이사하는 것을 **고려했다**.

I **considered** him my best friend. 나는 그를 내 가장 친한 친구**라고 여겼다**.

12 **wrong** [rɔ:ŋ]

형 잘못된, 틀린

The answer is **wrong**. 그 답은 **틀리다**.

⊕ What's **wrong**? 무슨 일 있니?

반의어 right 옳은, 맞는

어휘력 UPGRADE

13 **situation** [sìtʃuéiʃən]

명 상황, 처지

We are in a difficult **situation**.
우리는 어려운 **상황**에 처해 있다.

---

14 **expect** [ikspékt]

동 기대하다, 예상하다

I **expect** to win first prize.
나는 1등 상을 탈 거라고 **기대한다**.

---

15 **forecast** [fɔ́:rkæst]
forecast-forecast 또는 forecasted-forecasted

동 예측하다, 예보하다 명 예측, 예보

How can you **forecast** the weather?
당신은 어떻게 날씨를 **예측할** 수 있나요?

⊕ weather **forecast** 일기 예보

forecaster
명 기상 요원

---

16 **silence** [sáiləns]

명 침묵, 정적

My father broke the **silence**. 아버지가 **침묵**을 깼다.

silent
형 고요한, 침묵하는

---

17 **boring** [bɔ́:riŋ]

형 재미없는, 지루한

The movie was **boring**, so I fell asleep.
그 영화가 **재미없어서** 나는 잠이 들었다.

반의어 interesting
재미있는

시험 POINT boring vs. bored

각 네모 안에서 알맞은 것을 고르시오.

1. The party was really [boring / bored].
   그 파티는 정말 지루했다.
2. She was [boring / bored] at the party.
   그녀는 파티에서 지루해했다.

지루한 감정을 일으키면 boring을, 지루한 감정을 느끼면 bored를 쓴다.

정답 1. boring
2. bored

---

18 **especially** [ispéʃəli]

부 특히

I like music, **especially** jazz.
나는 음악을 좋아하는데, **특히** 재즈를 좋아한다.

어휘력 UPGRADE

19 **yet**
[jet]

부 아직

He isn't ready **yet.** 그는 **아직** 준비가 안 됐다.

20 **rumor**
[rú:mər]

명 소문

I heard **rumors** about her.
나는 그녀에 대한 **소문**을 들었다.

21 **riddle**
[rídl]

명 수수께끼

Nobody could solve the **riddle.**
아무도 그 **수수께끼**를 풀지 못했다.

22 **humor**
[hjú:mər]

명 유머, 익살

His novel is full of **humor.**
그의 소설은 **유머**로 가득 차 있다.

humorous 형 재미있는, 유머러스한

교과서 필수 암기 숙어

23 **turn over**

~을 뒤집다

Turn over the meat and cook the other side.
고기를 **뒤집어서** 반대쪽을 익히세요.

24 **be related to**

1. ~와 관련이 있다 2. ~와 친척[동족] 간이다

Language **is related to** culture. 언어는 문화**와 관련이 있다.**
Cats **are related to** tigers. 고양이는 호랑이**와 동족 간이다.**

25 **have nothing to do with**

~와 (아무) 관련이 없다

I **have nothing to do with** the matter.
나는 그 문제**와 아무 관련이 없다.**

Daily Test

STEP 1 빈틈없이 확인하기

[01-25] 영어는 우리말로, 우리말은 영어로 쓰시오.

01 forecast

02 miracle

03 consider

04 major

05 especially

06 valuable

07 riddle

08 impressive

09 yet

10 well-known

11 silence

12 영웅, 주인공

13 잘못된, 틀린

14 기대하다, 예상하다

15 어려운, 힘든

16 인기 있는, 대중적인

17 재미없는, 지루한

18 소문

19 상황, 처지

20 몹시 싫어하다; 증오

21 용기

22 유머, 익살

23 be related to

24 ~와 (아무) 관련이 없다

25 ~을 뒤집다

정답 p.295

STEP 2 제대로 적용하기

A 단어

주어진 단어를 참고하여 지시에 맞게 쓰시오.

01 interesting → 반의어 ____________

02 well-known → 유의어 ____________

03 minor → 반의어 ____________

04 wrong → 반의어 ____________

05 difficult → 반의어 ____________

B 구

우리말 의미에 맞게 빈칸에 알맞은 말을 쓰시오.

01 일기 예보 weather ____________

02 전쟁 영웅 a war ____________

03 침묵을 깨다 break the ____________

04 수수께끼를 풀다 solve the ____________

05 어려운 상황 a difficult ____________

C 문장

빈칸에 알맞은 말을 넣어 문장을 완성하시오.

01 They __________ him a hero. 그들은 그를 영웅이라고 여긴다.

02 I learned a __________ lesson. 나는 값진 교훈을 배웠다.

03 Peter is __________ __________ Mary. Peter는 Mary와 친척 간이다.

04 John had __________ to do __________ the accident.
John은 그 사고와 아무 관련이 없었다.

05 The idol group is __________ __________ teenage girls.
그 아이돌 그룹은 십 대 여자아이들에게 인기가 있다.

내신 대비 어휘 Test

PART 7

01 짝지어진 두 단어의 관계가 나머지와 다른 것은? DAY 32 시험 POINT

① noise – noisy
② affect – effect
③ danger – dangerous
④ dust – dusty
⑤ convenience – convenient

02 빈칸에 공통으로 들어갈 말로 알맞은 것은?

- You should not ___________ water and energy.
- I think playing games is a ___________ of time.

① waste
② limit
③ trash
④ crash
⑤ forecast

03 다음 영영풀이에 해당하는 단어로 알맞은 것은? DAY 32 시험 POINT

to create something for the first time

① adapt
② survive
③ develop
④ discover
⑤ invent

04 빈칸에 알맞은 말이 순서대로 짝지어진 것은? DAY 31 시험 POINT

- She quit ___________ the piano.
- I asked him ___________ me.
- He has trouble ___________ decisions.

① play – help – to make
② play – to help – making
③ playing – help – making
④ playing – to help – making
⑤ playing – to help – to make

정답 p.296

05 다음 빈칸 어디에도 들어갈 수 없는 것은?

- There is no one to carry ___________ the family business.
- You should get rid ___________ your bad habit.
- I don't know how to deal ___________ this problem.
- You'd better watch out ___________ the computer virus.

① on ② of ③ with
④ from ⑤ for

06 밑줄 친 단어와 바꿔 쓸 수 없는 것은? DAY 33, 34, 35 시험 POINT

① This is a well-known song in Korea. (= famous)
② The company wants to hire ten people. (= employ)
③ I learned a valuable lesson. (= precious)
④ We'll begin immediately. (= right away)
⑤ We are trying to save time and money. (= rescue)

07 (A)와 (B)에서 알맞은 말을 각각 골라 쓰시오. DAY 35 시험 POINT

서술형

The history class was (A) [boring / bored], so most of the students were very (B) [boring / bored].

(A) ___________ (B) ___________

08 우리말과 일치하도록 주어진 단어를 배열하여 문장을 완성하시오. DAY 34 시험 POINT

서술형

너는 밤에 혼자 나가지 않는 게 좋겠다. (go, not, had, out, better)

→ You ______________________________ alone at night.

PART 8

건물

들으며 외우기

어휘력 UPGRADE

01 **structure** [strʌ́ktʃər]

명 1. 구조, 구성 2. 구조물, 건축물

The **structure** of this house is simple.
이 집의 **구조**는 단순하다.

⊕ a stone **structure** 석조 건축물

02 **ceiling** [síːliŋ]

명 천장

Watch your head on the low **ceilings**.
천장이 낮으니 머리를 조심하세요.

ceiling의 ei의 발음과 철자에 주의하세요.

03 **roof** [ruːf]

명 지붕

I live in a house with a green **roof**.
나는 초록색 **지붕**이 있는 집에 산다.

04 **chimney** [tʃímni]

명 굴뚝

Smoke was coming out of the **chimney**.
굴뚝에서 연기가 나오고 있었다.

05 **fence** [fens]

명 담장, 울타리

He is painting the **fence**.
그는 **울타리**를 페인트칠하고 있다.

06 **balcony** [bǽlkəni]

명 발코니

We stayed in a hotel room with a **balcony**.
우리는 **발코니**가 있는 호텔 방에 머물렀다.

어휘력 UPGRADE

07 **elevator**
[éləvèitər]

명 **엘리베이터, 승강기**

We took the **elevator** to the 10th floor.
우리는 10층까지 **엘리베이터**를 탔다.

⊕ take the **elevator** 엘리베이터를 타다

'승강기'를 미국에서는 elevator, 영국에서는 lift라고 해요.

08 **stair**
[stɛər]

명 **계단, 층계**

The boys ran down the **stairs**.
그 남자아이들은 **계단**을 뛰어 내려갔다.

계단은 여러 개의 단이 모인 것이므로 항상 복수형으로 쓰고, 계단 한 칸을 가리킬 때만 단수형으로 써요.

09 **gate**
[geit]

명 **1. 문, 출입문 2. 탑승구** (배나 비행기에 올라타는 입구)

Let's meet at the school **gate** at 9.
9시에 교**문**에서 만나자.

Flight 747 is now boarding at **Gate** 21.
747 비행편이 21번 **탑승구**에서 탑승 중입니다.

10 **garage**
[gərá:dʒ]

명 **차고**

His car is in the **garage**.
그의 차는 **차고**에 있다.

자기 집 차고에서 하는 중고 물품 판매를 garage sale이라고 해요.

11 **yard**
[ja:rd]

명 **뜰, 마당**

The kids are kicking a ball in the **yard**.
아이들이 **마당**에서 공을 차고 있다.

⊕ a front **yard** 앞뜰

12 **lawn**
[lɔ:n]

명 **잔디밭**

His dog is rolling on the **lawn**.
그의 개는 **잔디밭** 위에서 뒹굴고 있다.

13 **floor**
[flɔ:r]

명 **1.** (실내의) **바닥 2.** (건물의) **층**

She is washing the kitchen **floor**.
그녀는 부엌 **바닥**을 닦고 있다.

We live on the third **floor**. 우리는 3**층**에 산다.

미국에서는 first floor가 1층을 가리키지만, 영국에서는 2층을 가리켜요. 영국에서 1층은 ground floor라고 해요.

어휘력 UPGRADE

14 **palace**
[pǽlis]

명 궁전

Two guards stood at the gates of the **palace**.
두 명의 경비원이 그 **궁전**의 출입문에 서 있었다.

---

15 **terrific**
[tərífik]

형 **아주 좋은, 멋진, 훌륭한**

We enjoyed a **terrific** party at Amy's house.
우리는 Amy의 집에서 **아주 멋진** 파티를 즐겼다.

시험 POINT 의미가 같은 표현

밑줄 친 말과 바꿔 쓸 수 있는 것을 고르시오.

Yesterday was a terrific day.

ⓐ great ⓑ terrible ⓒ boring

어제는 아주 좋은 날이었다.
ⓐ 정말 좋은
ⓑ 끔찍한 ⓒ 지루한

정답 ⓐ

---

16 **comfortable**
[kʌ́mfərtəbl]

형 **편한, 편안한**

This sofa is very **comfortable**.
이 소파는 매우 **편안하다**.

반의어
uncomfortable
불편한

---

17 **repair**
[ripέər]

동 **고치다, 수리하다** 명 **수리**

Dad **repaired** the roof himself.
아빠가 직접 지붕을 **고치셨다**.

Our computer is in need of **repair**.
우리 컴퓨터는 **수리**가 필요하다.

---

18 **arrange**
[əréindʒ]

동 **1. 배열하다, 정리하다 2. 준비하다**

She **arranged** her books neatly on the desk.
그녀는 책상 위에 책을 깔끔하게 **정리했다**.

They **arranged** a surprise party for him.
그들은 그를 위한 깜짝 파티를 **준비했다**.

arrangement
명 준비, 배열

---

19 **polish**
[páliʃ]

동 (윤이 나도록) **닦다, 광을 내다** 명 **광택제**

He **polished** his shoes. 그는 자신의 구두를 **닦았다**.

⊕ shoe **polish** 구두 광택제

20 **leak**
[liːk]

동 (물·가스 등이) **새다**

Water was **leaking** through the ceiling.
천장에서 물이 **새고** 있었다.

---

21 **dirt**
[dəːrt]

명 **먼지, 때**

His clothes were covered with **dirt.**
그의 옷은 **먼지**로 덮여 있었다.

dirty 형 더러운

---

22 **messy**
[mési]

형 **지저분한, 엉망인**

My brother's room is always **messy.**
내 남동생의 방은 항상 **지저분하다.**

mess 명 엉망진창

교과서 필수 암기 숙어

23 **belong to**

~의 것이다, ~에 속하다

This building **belongs to** Mr. and Mrs. Brown.
이 건물은 Brown 씨 부부**의 것이다.**

---

24 **drop by**

잠시 들르다

I'll **drop by** your house tomorrow.
나는 내일 너희 집에 **잠시 들를** 거야.

---

25 **be used to -ing**

~에 익숙해지다

I **am used to living** in big cities.
나는 대도시에 **사는 것에 익숙하다.**

비교 used to+**동사원형** ~하곤 했다

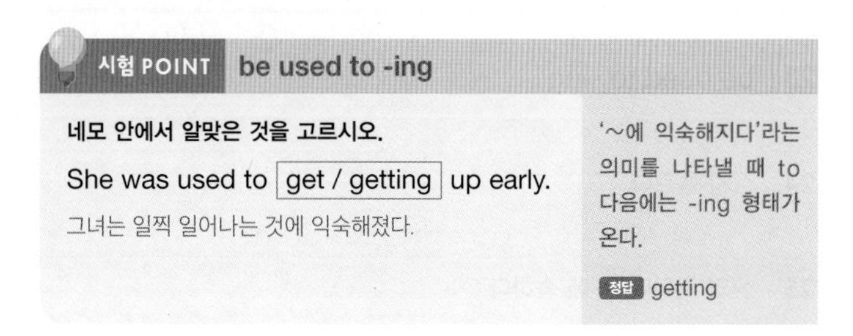
시험 POINT **be used to -ing**

네모 안에서 알맞은 것을 고르시오.

She was used to [get / getting] up early.
그녀는 일찍 일어나는 것에 익숙해졌다.

'~에 익숙해지다'라는 의미를 나타낼 때 to 다음에는 -ing 형태가 온다.

정답 getting

Daily Test

STEP 1 빈틈없이 확인하기

[01-25] 영어는 우리말로, 우리말은 영어로 쓰시오.

01 gate
02 ceiling
03 garage
04 lawn
05 chimney
06 dirt
07 palace
08 terrific
09 leak
10 arrange
11 structure
12 바닥, 층
13 편한, 편안한
14 계단, 층계
15 고치다, 수리하다; 수리
16 엘리베이터, 승강기
17 지붕
18 뜰, 마당
19 담장, 울타리
20 지저분한, 엉망인
21 닦다, 광을 내다; 광택제
22 발코니
23 be used to -ing
24 잠시 들르다
25 ~의 것이다, ~에 속하다

정답 p.296

STEP 2 제대로 적용하기

A 단어

그림에서 각 번호에 해당하는 단어를 쓰시오.

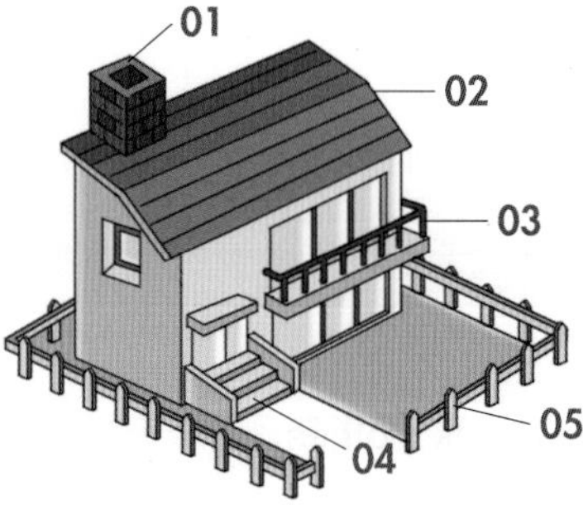

01 ____________

02 ____________

03 ____________

04 ____________

05 ____________

B 구

우리말 의미에 맞게 빈칸에 알맞은 말을 쓰시오.

01 앞뜰 a front ____________

02 3층에 on the third ____________

03 교문 the school ____________

04 엘리베이터를 타다 take the ____________

C 문장

빈칸에 알맞은 말을 넣어 문장을 완성하시오.

01 The __________ of this building is unique. 이 건물의 구조는 독특하다.

02 These gloves __________ __________ Ben. 이 장갑은 Ben의 것이다.

03 There are __________ gardens in the palace.
그 궁전에는 아주 멋진 정원이 있다.

04 Let's __________ __________ the store and buy some water.
가게에 잠시 들러서 물을 좀 사자.

05 I'm not __________ __________ driving this car.
나는 이 차를 운전하는 것에 익숙하지 않다.

가구와 물건

들으며 외우기

어휘력 UPGRADE

01 **shelf**
[ʃelf]
복수형 shelves

명 선반

She put the box on the **shelf**.
그녀는 그 상자를 **선반** 위에 놓았다.

+ the top **shelf** 맨 위 선반

02 **closet**
[klázit]

명 벽장, 붙박이장

Her **closet** is filled with pink clothes.
그녀의 **벽장**은 분홍색 옷으로 가득 차 있다.

03 **drawer**
[drɔːr]

명 서랍

I found my old diary in my desk **drawer**.
나는 내 책상 **서랍**에서 내 오래된 일기장을 발견했다.

04 **furniture**
[fə́ːrnitʃər]

명 가구

She bought new **furniture** for her bedroom.
그녀는 침실에 놓을 새 **가구**를 샀다.

시험 POINT 셀 수 없는 명사

네모 안에서 알맞은 것을 고르시오.
We had a lot of [furniture / furnitures].
우리는 많은 가구를 가지고 있었다.

furniture는 가구 전체를 가리키는 말로 복수형으로 쓸 수 없다.

정답 furniture

05 **air conditioner**
[ɛə́r kəndìʃənər]

명 에어컨, 냉방 장치

It's too hot. Turn on the **air conditioner**.
너무 덥다. **에어컨**을 켜라.

어휘력 UPGRADE

06 **refrigerator** [rifrídʒərèitər]

명 냉장고

I opened the **refrigerator** and took out some eggs. 나는 **냉장고**를 열어서 달걀을 몇 개 꺼냈다.

유의어 fridge

refrigerator에서 마지막 o를 e로 쓰지 않도록 주의하세요.

---

07 **vacuum** [vǽkjuəm]

동 진공청소기로 청소하다 명 진공

He **vacuums** twice a week.
그는 일주일에 두 번 **진공청소기로 청소한다**.

+ a **vacuum** cleaner 진공청소기

vacuum에서 철자 u를 두 번 쓰는 것에 주의하세요.

---

08 **handle** [hǽndl]

동 다루다, 처리하다 명 손잡이

He **handled** the situation very well.
그는 그 상황을 매우 잘 **처리했다**.

+ a door **handle** 문손잡이

자동차 핸들은 영어로 steering wheel이라고 해요.

---

09 **basic** [béisik]

형 기본의, 기초의

Food and water are **basic** human needs.
음식과 물은 인간의 **기본적인** 욕구이다.

---

10 **daily** [déili]

형 매일의, 하루의

I write down my **daily** schedule in the planner.
나는 플래너에 내 **매일의** 일정을 적는다.

---

11 **useful** [júːsfəl]

형 유용한, 도움이 되는

Thomas Edison invented many **useful** things.
토마스 에디슨은 많은 **유용한** 것들을 발명했다.

반의어 useless 소용없는, 쓸모없는

---

12 **tidy** [táidi]

형 정돈된, 깔끔한

The room was clean and **tidy**.
그 방은 깨끗하고 **깔끔했다**.

반의어 messy 지저분한

어휘력 UPGRADE

13 **wipe**
[waip]

동 닦다, 닦아내다

She is **wiping** the table. 그녀는 탁자를 **닦고** 있다.

자동차의 '와이퍼(wiper)'는 차 유리를 '닦아주는' 장치예요.

---

14 **rub**
[rʌb]
rubbed-rubbed

동 문지르다, 비비다

Don't **rub** your eyes with dirty hands.
더러운 손으로 눈을 **문지르지** 마라.

---

15 **hang**
[hæŋ]
hung-hung

동 걸다, 걸려 있다

He **hung** his coat in the closet.
그는 벽장에 그의 코트를 **걸었다**.

hanger 명 옷걸이

---

16 **remove**
[rimúːv]

동 제거하다, 치우다

She **removed** the mud from her shoes.
그녀는 자신의 신발에서 진흙을 **제거했다**.

---

17 **loose**
[luːs]

형 헐거운, 느슨한, 헐렁한

The handle of the drawer is **loose**.
그 서랍의 손잡이가 **헐겁다**.

⊕ **loose** clothes 헐렁한 옷

반의어 tight
꽉 끼는, 팽팽한

---

18 **nail**
[neil]

명 1. 손톱, 발톱 2. 못 동 못으로 박다[고정하다]

Don't bite your **nails**. **손톱**을 물어뜯지 마라.

He **nailed** the picture to the wall.
그는 그 그림을 벽에 **못으로 고정시켰다**.

---

19 **hammer**
[hǽmər]

동 망치로 치다 명 망치

He **hammered** the nail into the wood.
그는 나무에 **망치로** 못을 **박았다**.

어휘력 UPGRADE

20 **bucket**
[bʌ́kit]

명 양동이

She poured water into the **bucket**.
그녀는 **양동이**에 물을 부었다.

21 **ladder**
[lǽdər]

명 사다리

He climbed up a **ladder**. 그는 **사다리**를 올라갔다.

22 **scissors**
[sízərz]

명 가위

I need sharp **scissors** to cut the cloth.
나는 천을 자를 날카로운 **가위**가 필요하다.

시험 POINT '가위 하나'의 영어 표현

우리말을 영어로 바르게 옮긴 것을 고르시오.

가위 하나

ⓐ a pair of scissor ⓑ a pair of scissors

scissors는 항상 복수형으로 쓰고 개수를 셀 때는 pair를 사용한다.

정답 ⓑ

23 **blanket**
[blǽŋkit]

명 담요

She covered her baby with a **blanket**.
그녀는 그녀의 아기에게 **담요**를 덮어 주었다.

교과서 필수 암기 숙어

24 **in the middle of**

1. ~의 한가운데에 2. ~의 중반에, ~이 한창일 때

The table is **in the middle of** the room.
그 탁자는 방 **한가운데에** 있다.

I woke up **in the middle of** the night. 나는 **한밤중에** 깼다.

25 **break down**

고장 나다

Our car **broke down** yesterday.
우리 차가 어제 **고장 났다**.

Daily Test

STEP 1 빈틈없이 확인하기

[01-25] 영어는 우리말로, 우리말은 영어로 쓰시오.

01 wipe

02 handle

03 basic

04 closet

05 bucket

06 daily

07 loose

08 vacuum

09 drawer

10 rub

11 nail

12 air conditioner

13 가구

14 걸다, 걸려 있다

15 망치로 치다; 망치

16 유용한, 도움이 되는

17 사다리

18 선반

19 제거하다, 치우다

20 냉장고

21 가위

22 담요

23 정돈된, 깔끔한

24 break down

25 ~의 한가운데에, ~의 중반에

정답 p.296

STEP 2 제대로 적용하기

A 단어

주어진 단어를 참고하여 지시에 맞게 쓰시오.

01 useful → 반의어 ______________

02 tidy → 반의어 ______________

03 loose → 반의어 ______________

04 fridge → 유의어 ______________

B 구

우리말 의미에 맞게 빈칸에 알맞은 말을 쓰시오.

01 맨 꼭대기 선반 the top ______________

02 진공청소기 a ______________ cleaner

03 사다리를 오르다 climb up a ______________

04 가위 하나 a pair of ______________

05 책상 서랍 a desk ______________

06 문손잡이 a door ______________

C 문장

빈칸에 알맞은 말을 넣어 문장을 완성하시오.

01 She got rid of all the old ___________. 그녀는 낡은 가구를 모두 버렸다.

02 ___________ the window with a towel. 수건으로 창문을 닦아라.

03 I sometimes feel hungry in the ___________ ___________ the night.
나는 가끔 한밤중에 배가 고프다.

04 We have to ___________ the posters from the wall.
우리는 그 벽에 있는 포스터들을 제거해야 한다.

05 The washing machine ___________ ___________ three days ago.
세탁기가 3일 전에 고장 났다.

DAY

38 도로와 교통

들으며 외우기

어휘력 UPGRADE

01 **traffic**
[trǽfik]

명 **교통(량), 차량**

There is a lot of **traffic** at this time of day.
하루 중 이 시간에 **교통량**이 많다.

⊕ **traffic** lights 신호등   a **traffic** jam 교통 정체

---

02 **transportation**
[træ̀nspərtéiʃən]

명 **교통수단, 수송** (사람이나 물건을 실어 나름)

I usually use public **transportation**.
나는 대개 대중**교통**을 이용한다.

⊕ public **transportation** 대중교통

transport
동 수송한다, 운송하다

---

03 **seat**
[siːt]

명 **좌석, 자리**

She booked a **seat** on the flight to Rome.
그녀는 로마행 비행기 **좌석**을 예약했다.

⊕ take a **seat** 자리에 앉다

---

04 **site**
[sait]

명 **1. 현장, 부지** (특별한 시설을 만드는 데 쓰이는 땅) **2.** (인터넷) **사이트**

This is the **site** of the new school.
이곳이 새 학교 **부지**이다.

You can find more information on our **site**.
당신은 우리 **사이트**에서 더 많은 정보를 찾을 수 있다.

---

05 **reach**
[riːtʃ]

동 **이르다, 도착하다**

They **reached** home late at night.
그들은 밤늦게 집에 **도착했다**.

시험 POINT '~에 도착하다'의 영어 표현

우리말을 영어로 바르게 옮긴 것을 고르시오.

우리는 마침내 부산에 도착했다.

ⓐ We finally reached Busan.
ⓑ We finally reached at Busan.

'~에 도착하다'를 나타낼 때 우리말의 '~에' 때문에 전치사를 쓰지 않도록 주의한다.

정답 ⓐ

어휘력 UPGRADE

06 **curve**
[kəːrv]

명 (도로의) **커브길, 곡선**

Drive slowly around the **curve**.
커브길에서는 천천히 운전해라.

야구의 '커브볼(curveball)'은 곡선으로 휘어지는 공을 의미해요.

---

07 **sidewalk**
[sáidwɔ̀ːk]

명 **인도, 보도**

You must not ride your bikes on the **sidewalk**.
인도에서 자전거를 타면 안 된다.

길 옆에(side) 사람이 걷는(walk) 길이 '인도(sidewalk)'예요.

---

08 **rail**
[reil]

명 **기차, 철도**

We will travel by **rail**. 우리는 **기차**로 여행할 것이다.

⊕ by **rail** 기차로

---

09 **sail**
[seil]

동 **항해하다** 명 **돛**

We will **sail** for Jeju-do on Friday.
우리는 금요일에 제주도로 **항해할** 것이다.

⊕ raise the **sails** 돛을 올리다

sailor 명 선원, 해군

---

10 **flat**
[flæt]

형 **1. 평평한, 납작한 2. 바람이 빠진, 펑크 난**

People used to think the earth was **flat**.
사람들은 지구가 **평평하다**고 생각했었다.

⊕ a **flat** tire 펑크 난 타이어

---

11 **rough**
[rʌf]

형 **1. 거친, 울퉁불퉁한 2. 대강의**

We traveled over **rough** roads.
우리는 **울퉁불퉁한** 길을 여행했다.

⊕ a **rough** sketch 대강의 스케치

반의어 smooth 매끈한, 부드러운

---

12 **broad**
[brɔːd]

형 (폭이) **넓은, 널찍한**

The new town has **broad** sidewalks.
그 신도시에는 **폭이 넓은** 인도가 있다.

반의어 narrow (폭이) 좁은

어휘력 UPGRADE

13 **careful**
[kέərfəl]

형 **주의 깊은, 조심하는**

Be **careful** when you cross the street.
길을 건널 때는 **조심해라**.

반의어 careless
부주의한

---

14 **route**
[ruːt]

명 **길, 경로**

This is the quickest **route** to the station.
이것이 역으로 가는 가장 빠른 **길**이다.

⊕ a bus **route** 버스 노선

---

15 **fasten**
[fǽsn]

동 **매다, 채우다**

You must **fasten** your seat belt.
당신은 안전벨트를 **매야** 한다.

fasten에서 t는 묵음이에요.

---

16 **engine**
[éndʒin]

명 **엔진**

Some new cars have electric **engines**.
몇몇 신차는 전기 **엔진**을 가지고 있다.

---

17 **wheel**
[*h*wiːl]

명 **바퀴**

I had to change the **wheel** of my bike.
나는 내 자전거의 **바퀴**를 교체해야 했다.

⊕ a wheelchair 휠체어

---

18 **chain**
[tʃein]

명 **1. (쇠)사슬, 체인 2.** (상점 · 호텔 등의) **체인점**

The door is locked with a **chain**.
그 문은 **쇠사슬**로 잠겨 있다.

⊕ a fast-food **chain** 패스트푸드 체인점

---

19 **fix**
[fiks]

동 **1. 수리하다, 고치다 2. 고정시키다**

Can you **fix** my bike? 내 자전거를 **고칠** 수 있니?
He **fixed** a shelf to the wall. 그는 선반을 벽에 **고정시켰다**.

유의어 repair
고치다, 수리하다

어휘력 UPGRADE

20 **downtown**
[dáuntàun]

부 시내로, 중심가에

This bus goes **downtown**. 이 버스는 **시내로** 간다.

21 **bump**
[bʌmp]

동 부딪치다, 충돌하다

The car **bumped** into a tree.
그 차는 나무에 **충돌했다**.

'범퍼카(bumper cars)'는 서로 부딪치는(bump) 놀이기구예요.

22 **besides**
[bisáidz]

부 게다가 전 ~ 외에

I don't want to go there. **Besides**, it's too late.
나는 거기에 가고 싶지 않다. **게다가**, 너무 늦었다.

He has no friends **besides** me.
그는 나 **외에** 다른 친구가 없다.

교과서 필수 암기 숙어

23 **head for**

~으로 향하다

We **headed for** the fast-food restaurant.
우리는 그 패스트푸드 음식점**으로 향했다**.

24 **on one's way to**

~으로 가는 길에

I met Sophia **on my way to** school.
나는 학교**로 가는 길에** Sophia를 만났다.

비교 on one's way home 집에 가는 길에

25 **get to**

~에 도착하다

How can I **get to** City Hall? 시청에 어떻게 **가나요**?

시험 POINT 의미가 같은 표현

밑줄 친 말과 바꿔 쓸 수 있는 것을 고르시오.

Call me when you get to the hotel.

ⓐ stay ⓑ reach ⓒ leave

호텔에 도착하면 나에게 전화해.
ⓐ 머물다 ⓑ 도착하다 ⓒ 떠나다

정답 ⓑ

Daily Test

STEP 1 빈틈없이 확인하기

[01-25] 영어는 우리말로, 우리말은 영어로 쓰시오.

01	rail	
02	route	
03	downtown	
04	fix	
05	sidewalk	
06	chain	
07	site	
08	bump	
09	flat	
10	rough	
11	transportation	
12	교통(량), 차량	
13	항해하다; 돛	
14	주의 깊은, 조심하는	
15	엔진	
16	좌석, 자리	
17	게다가; ~ 외에	
18	매다, 채우다	
19	바퀴	
20	이르다, 도착하다	
21	넓은, 널찍한	
22	커브길, 곡선	
23	on one's way to	
24	get to	
25	~으로 향하다	

정답 p.297

STEP 2 제대로 적용하기

A 단어

주어진 단어를 참고하여 지시에 맞게 쓰시오.

01 careful → 반의어 __________

02 rough → 반의어 __________

03 broad → 반의어 __________

04 fix → 유의어 __________

B 구

우리말 의미에 맞게 빈칸에 알맞은 말을 쓰시오.

01 교통 정체 a __________ jam

02 자리에 앉다 take a __________

03 펑크 난 타이어 a __________ tire

04 버스 노선 a bus __________

05 대중교통 public __________

C 문장

빈칸에 알맞은 말을 넣어 문장을 완성하시오.

01 You should be __________ with that knife. 저 칼을 쓸 때는 조심해야 한다.

02 Please __________ your seat belt during the flight.
비행 중에는 안전벨트를 매 주세요.

03 What time does this train __________ __________ London?
이 기차는 몇 시에 런던에 도착하나요?

04 When the school bell rang, we __________ __________ the classroom.
종이 울려서 우리는 교실로 향했다.

05 He saw an accident __________ __________ __________ to the library.
그는 도서관에 가는 길에 사고를 목격했다.

DAY

39 수와 양

들으며 외우기

어휘력 UPGRADE

01 **amount** [əmáunt]

명 (시간·물질의) **양,** (돈의) **액수**

Mix equal **amounts** of water and salt.
같은 **양**의 물과 소금을 섞어라.

⊕ a large **amount** of time[money] 많은 양의 시간[돈]

---

02 **measure** [méʒər]

동 **측정하다, 재다**

We **measure** length with a ruler.
우리는 자로 길이를 **잰다**.

---

03 **single** [síŋgl]

형 **1. 단 하나의 2. 1인용의**

We won by a **single** point. 우리는 **단 한** 점 차로 이겼다.

⊕ a **single** room 1인실

---

04 **double** [dʌ́bl]

형 **1. 두 개로 된, 두 배의 2. 2인용의**

I got **double** pay for working on Sunday.
나는 일요일에 일한 것에 대해 **두 배의** 보수를 받았다.

⊕ a **double** bed 2인용 침대

숫자를 말할 때 같은 숫자가 두 번 반복되면 double을 사용해서 말해요. 예를 들면 6033은 'six O **double** three'라고 읽어요.

---

05 **half** [hæf]
복수형 halves

명 **반, 절반**

Two is **half** of four. 2는 4의 **절반**이다.

⊕ **half** an hour 30분

half의 l은 묵음이에요.

---

06 **several** [sévərəl]

형 **몇몇의**

Several students didn't read the book.
몇몇 학생들은 그 책을 읽지 않았다.

어휘력 UPGRADE

07 **enough** [inʌ́f]

형 충분한 부 충분히

I don't have **enough** money to buy the car.
나는 그 차를 살 **충분한** 돈이 없다.

He is tall **enough** to reach the ceiling.
그는 천장에 닿을 만큼 **충분히** 키가 크다.

⊕ ~ **enough** to … …할 만큼 충분히 ~한

enough의 gh는 [f]로 발음돼요.

시험 POINT enough의 위치

네모 안에서 알맞은 것을 고르시오.

She is [enough old / old enough] to drive a car.
그녀는 운전을 할 만큼 충분히 나이를 먹었다.

enough가 '충분히'의 의미로 쓰인 때는 형용사 다음에 쓴다.

정답 old enough

---

08 **whole** [houl]

형 **전체의, 전부의**

He ate a **whole** pizza by himself.
그는 혼자 피자 한 판을 **전부** 먹었다.

유의어 entire

---

09 **nothing** [nʌ́θiŋ]

대 **아무것도 ~ 아니다[없다]**

There is **nothing** in this box.
이 상자 안에는 **아무것도 없다**.

nothing은 부정의 의미를 포함하고 있으므로 not과 함께 쓰지 않아요.

---

10 **less** [les]

형 **더 적은** 부 **덜, 더 적게**

Eat **less** salt. **더 적은** 소금을 먹어라.

The doctor told him to work **less**.
그 의사는 그에게 일을 **더 적게** 하라고 말했다.

반의어 more
더 많은; 더 많이

less는 little의 비교급 형태이므로 셀 수 없는 명사와 함께 쓰여요.

---

11 **bundle** [bʌ́ndl]

명 **묶음, 꾸러미, 다발**

There is a **bundle** of newspapers on the desk.
책상 위에 신문 한 **묶음**이 있다.

---

12 **piece** [piːs]

명 **1. 조각, 부분 2. 작품, 곡**

She cut the cake into four **pieces**.
그녀는 케이크를 네 **조각**으로 잘랐다.

They performed a **piece** by Mozart.
그들은 모차르트의 **곡**을 연주했다.

⊕ a **piece** of paper 종이 한 장

어휘력 UPGRADE

13 **pile**
[pail]

명 무더기, 더미 동 쌓다

I found the picture in a **pile** of papers.
나는 그 사진을 서류 **더미**에서 발견했다.

We **piled** up the boxes one by one.
우리는 상자를 하나씩 **쌓아올렸다**.

서류나 문서를 의미하는 file과 헷갈리지 않도록 주의하세요.

---

14 **contain**
[kəntéin]

동 들어 있다, 포함하다

The box **contains** many old things.
그 상자에는 오래된 물건들이 많이 **들어 있다**.

container
명 그릇, 용기

---

15 **scale**
[skeil]

명 1. 규모, 범위 2. 저울, 체중계

The event was planned on a large **scale**.
그 행사는 대**규모**로 계획되었다.

I weighed myself on the **scale**.
나는 **체중계**로 몸무게를 쟀다.

---

16 **medium**
[mí:diəm]

형 중간의, 보통의

There are three sizes – small, **medium**, and large. 소, **중**, 대의 세 가지 사이즈가 있습니다.

스테이크의 익힘 정도를 말할 때 중간 정도 익히는 것을 medium이라고 해요.

---

17 **huge**
[hju:dʒ]

형 막대한, 거대한

There is a **huge** hole in the ground.
땅에 **커다란** 구멍이 하나 있다.

유의어 enormous

---

18 **quite**
[kwait]

부 꽤, 상당히

The shoes were **quite** expensive. 그 신발은 **꽤** 비쌌다.

시험 POINT quite vs. quiet

각 네모 안에서 알맞은 것을 고르시오.

She is [quiet / quite] sensitive to sound, so be [quiet / quite].
그녀는 소리에 상당히 예민하니 조용히 하세요.

quite: 상당히
quiet: 조용한

정답 quite, quiet

어휘력 UPGRADE

19 **height**
[hait]

명 키, 높이

Tom and his brother are about the same **height**.
Tom과 그의 남동생은 **키**가 거의 같다.

The **height** of the tree is two meters.
그 나무의 **높이**는 2미터이다.

---

20 **rate**
[reit]

명 1. 비율 2. 속도

The crime **rate** in this city is increasing.
이 도시의 범죄**율**이 증가하고 있다.

People work at different **rates**.
사람들은 각기 다른 **속도**로 일한다.

---

21 **within**
[wiðín]

전 ~ 안에, ~ 이내에

You have to finish your project **within** a week.
당신은 일주일 **안에** 프로젝트를 끝내야 한다.

---

22 **empty**
[émpti]

형 비어 있는, 빈

There was an **empty** box in the room.
그 방 안에 **빈** 상자가 하나 있었다.

반의어 full 가득 찬

---

23 **actually**
[ǽktʃuəli]

부 사실은, 실제로는

She looks tall on the screen, but she is **actually** short. 그녀는 화면에서 키가 커 보이지만, **실제로는** 키가 작다.

actual
형 실제의, 사실의

교과서 필수 암기 숙어

24 **be short of**

~이 부족하다

I **was short of** money. 나는 돈**이 부족했다**.

---

25 **add *A* to *B***

A를 B에 추가하다

Add the eggs **to** the mixture.
그 달걀들을 혼합물에 **추가해라**.

Daily Test

STEP 1 빈틈없이 확인하기

[01-25] 영어는 우리말로, 우리말은 영어로 쓰시오.

01 contain

02 whole

03 less

04 scale

05 pile

06 amount

07 double

08 huge

09 bundle

10 rate

11 nothing

12 actually

13 중간의, 보통의

14 반, 절반

15 꽤, 상당히

16 조각, 부분, 작품, 곡

17 키, 높이

18 충분한; 충분히

19 측정하다, 재다

20 비어 있는, 빈

21 단 하나의, 1인용의

22 몇몇의

23 ~ 안에, ~ 이내에

24 be short of

25 A를 B에 추가하다

정답 p.297

STEP 2 제대로 적용하기

A 단어

주어진 단어를 참고하여 지시에 맞게 쓰시오.

01 entire → 유의어 ____________

02 less → 반의어 ____________

03 enormous → 유의어 ____________

04 empty → 반의어 ____________

B 구

우리말 의미에 맞게 빈칸에 알맞은 말을 쓰시오.

01 2인용 침대 a ____________ bed

02 30분 ____________ an hour

03 서류 더미 a ____________ of papers

04 1인실 a ____________ room

05 범죄율 a crime ____________

06 종이 한 장 a ____________ of paper

C 문장

빈칸에 알맞은 말을 넣어 문장을 완성하시오.

01 We __________ weight with a scale. 우리는 저울로 무게를 잰다.

02 This work takes a large __________ of time. 이 일은 많은 양의 시간이 걸린다.

03 She is strong __________ to carry the box.
그녀는 그 상자를 옮길 만큼 충분히 힘이 세다.

04 Don't __________ salt __________ the soup.
그 수프에 소금을 추가하지 마세요.

05 We are __________ __________ food at the moment.
우리는 지금 음식이 부족하다.

DAY 40

위치와 방향

들으며 외우기

어휘력 UPGRADE

01 **direction** [dirékʃən]

명 1. 방향 2. 지시, 명령

The road was blocked in both **directions**.
그 길은 양**방향**이 모두 막혔다.

Read the **directions** carefully before you begin the test. 시험을 시작하기 전에 **지시** 사항을 주의 깊게 읽어라.

---

02 **straight** [streit]

부 똑바로, 곧장 형 곧은

Go **straight** two blocks and turn right.
두 블록을 **곧장** 가서 오른쪽으로 도세요.

+ a **straight** line 직선

---

03 **toward(s)** [tɔːrdz]

전 ~ 쪽으로, ~을 향하여

Rivers flow **toward** the ocean.
강은 바다 **쪽으로** 흐른다.

---

04 **far** [fɑːr]

부 멀리, 멀리 떨어져

This park is **far** from my home.
이 공원은 우리 집에서 **멀리 떨어져** 있다.

How **far** is Busan from Seoul?
부산은 서울에서 얼마나 **먼**가요?

---

05 **distance** [dístəns]

명 거리

What is the **distance** between the earth and the moon? 지구와 달 사이의 **거리**가 얼마인가요?

distant 형 먼

---

06 **location** [loukéiʃən]

명 장소, 위치

She asked about the **location** of the park.
그녀는 공원의 **위치**에 대해 물었다.

locate 동 (특정 위치에) 두다, 설치하다

어휘력 UPGRADE

07 **center** [séntər]

명 중앙, 중심

There was a big tree in the **center** of the yard.
그 뜰의 **중앙**에 큰 나무가 한 그루 있었다.

central 형 중앙의
유의어 middle

08 **bottom** [bátəm]

명 맨 아래, 바닥

He was standing at the **bottom** of the stairs.
그는 계단 **맨 아래**에 서 있었다.

반의어 top
맨 위, 꼭대기

시험 POINT 영영풀이

알맞은 말을 골라 영영풀이를 완성하시오.

bottom: the _________ part of something

ⓐ highest ⓑ lowest ⓒ widest

bottom은 '어떤 것의 가장 낮은 부분'을 나타낸다.

정답 ⓑ

09 **position** [pəzíʃən]

명 1. 위치, 자리 2. 자세

From my **position**, I can't see the tower.
내 **위치**에서는 그 탑을 볼 수 없다.

+ a sleeping **position** 잠자는 자세

야구나 축구 등에서 선수들의 포지션이나 위치를 나타낼 때도 position을 써요.

10 **eastern** [íːstərn]

형 1. 동쪽에 위치한 2. 동양의

I live in the **eastern** part of Seoul.
나는 서울의 **동**부에 살고 있다.

+ **Eastern** culture 동양 문화

east 명 동쪽
'동양의'라는 의미로 쓸 때는 반드시 첫 글자를 대문자로 써요.

11 **western** [wéstərn]

형 1. 서쪽에 위치한 2. 서양의

We watched the sun setting in the **western** sky.
우리는 **서쪽** 하늘에서 해가 지는 것을 봤다.

west 명 서쪽

12 **northern** [nɔ́ːrðərn]

형 북쪽의, 북부의

Finland is located in **northern** Europe.
핀란드는 **북**유럽에 위치해 있다.

north 명 북쪽

13 **southern** [sʌ́ðərn]

형 남쪽의, 남부의

Australia is in the **southern** part of the earth.
호주는 지구의 **남쪽** 부분에 있다.

south 명 남쪽
southern의 ou와 south의 ou는 발음이 다르니 정확하게 익혀 두세요.

어휘력 UPGRADE

14 **base**
[beis]

명 1. 밑받침 2. 기초, 토대

The statue has a solid **base**.
그 조각상은 단단한 **받침대**를 가지고 있다.

She used the story as a **base** for her movie.
그녀는 그 이야기를 자신의 영화의 **토대**로 사용했다.

야구의 1루, 2루 등을 나타낼 때도 base를 써요.

---

15 **upstairs**
[ʌ̀pstɛ́ərz]

부 위층으로, 위층에

She carried her bags **upstairs**.
그녀는 자신의 가방을 **위층으로** 옮겼다.

반의어 downstairs 아래층으로, 아래층에

---

16 **beside**
[bisáid]

전 ~ 옆에, ~의 곁에

The house is **beside** a beautiful lake.
그 집은 아름다운 호수 **옆에** 있다.

시험 POINT beside vs. besides

네모 안에서 알맞은 것을 고르시오.

Do you know the girl [beside / besides] Kevin?
Kevin 옆에 있는 여자아이를 아니?

beside: ~ 옆에
besides: 게다가

정답 beside

---

17 **below**
[bilóu]

전 ~의 아래에, ~ 미만으로, ~보다 낮은

Please do not write **below** this line.
이 선 **아래에**는 쓰지 마세요.

+ **below** average 평균 미만의 **below** zero 영하의

반의어 above ~의 위에, ~ 이상으로

---

18 **through**
[θruː]

전 ~을 통해, ~을 통과하여

We walked **through** the forest.
우리는 숲 **사이로** 걸었다.

---

19 **among**
[əmʌ́ŋ]

전 ~ 중에, ~ 사이에

She stood **among** the boys.
그녀는 남자아이들 **사이에** 서 있었다.

among은 셋 이상일 때 쓰고, 둘 사이일 때는 between을 써요.

20 **beyond**
[bijánd]

전 1. ~ 너머에, ~을 지나서
2. (능력·범위 등을) 넘어서

There is a village **beyond** the hill.
그 언덕 **너머에** 마을이 하나 있다.

The job is **beyond** my ability.
그 일은 내 능력을 **넘어선다**.

21 **mark**
[maːrk]

동 표시하다 명 자국, 표시

I **marked** the location of my house on the map.
나는 지도 위에 우리 집의 위치를 **표시했다**.

There are some pencil **marks** on the paper.
종이 위에 연필 **자국**이 몇 개 있다.

22 **closely**
[klóusli]

부 1. 가까이 2. 자세히, 면밀히 (자세하고 빈틈없이)

A black car followed us **closely**.
검정색 차 한 대가 우리를 **가까이** 따라왔다.

You must read the textbook **closely**.
너는 그 교과서를 **자세히** 읽어야 한다.

교과서 필수 암기 숙어

23 **ahead of**

~의 앞에

Do you see that blue car **ahead of** us?
우리 **앞에** 있는 저 파란색 차가 보이니?

24 **on the other side of**

~의 반대쪽[맞은편]에

Take the bus **on the other side of** the street.
길 **반대편에서** 버스를 타라.

25 **side by side**

나란히

The two boys sat **side by side** on the bench.
두 남자아이가 벤치에 **나란히** 앉았다.

Daily Test

STEP 1 빈틈없이 확인하기

[01-25] 영어는 우리말로, 우리말은 영어로 쓰시오.

01 distance

02 western

03 base

04 below

05 through

06 beyond

07 eastern

08 among

09 upstairs

10 location

11 toward(s)

12 ~ 옆에, ~의 곁에

13 방향, 지시, 명령

14 멀리, 멀리 떨어져

15 중앙, 중심

16 똑바로, 곧장; 곧은

17 표시하다; 자국, 표시

18 위치, 자리, 자세

19 맨 아래, 바닥

20 북쪽의, 북부의

21 남쪽의, 남부의

22 가까이, 자세히

23 on the other side of

24 ~의 앞에

25 나란히

정답 p.297

STEP 2 제대로 적용하기

A 단어

주어진 단어를 참고하여 지시에 맞게 쓰시오.

01 upstairs → 반의어 ____________

02 bottom → 반의어 ____________

03 above → 반의어 ____________

04 middle → 유의어 ____________

B 구

우리말 의미에 맞게 빈칸에 알맞은 말을 쓰시오.

01 직선 a ____________ line

02 공원의 위치 the ____________ of the park

03 잠자는 자세 a sleeping ____________

04 동양 문화 ____________ culture

05 평균 미만의 ____________ average

C 문장

빈칸에 알맞은 말을 넣어 문장을 완성하시오.

01 My school is ____________ the park. 우리 학교는 공원 옆에 있다.

02 The river runs ____________ the city. 그 강은 도시를 관통하여 흐른다.

03 He walked ____________ ____________ me. 그는 내 앞에서 걸었다.

04 The sun set ____________ the mountain. 산 너머로 해가 졌다.

05 We were going in the wrong ____________. 우리는 잘못된 방향으로 가고 있었다.

06 The post office is on the ____________ ____________ of the street.
우체국은 길 맞은편에 있다.

내신 대비

어휘 Test

PART 8

01 〈보기〉의 단어들을 모두 포함하는 것은?

보기 shelf bed sofa table

① direction ② furniture ③ structure
④ position ⑤ transportation

02 빈칸에 공통으로 들어갈 말로 알맞은 것은?

• Do you belong ___________ any club?
• Please add the pepper ___________ the tomato soup.

① to ② in ③ at
④ from ⑤ with

03 짝지어진 단어의 관계가 다른 하나는?

① center – middle ② tidy – messy
③ bottom – top ④ broad – narrow
⑤ loose – tight

04 밑줄 친 표현과 바꿔 쓸 수 있는 것은? DAY 38 시험 POINT

We need to get to the airport in time.

① fix ② bump ③ fasten
④ mark ⑤ reach

정답 p.298

05 밑줄 친 단어의 의미로 알맞지 않은 것은?

① He is changing the flat tire. (펑크 난)
② These pants are too loose on me. (헐렁한)
③ The Chinese restaurant is on the second floor. (층)
④ The wind suddenly changed direction. (지시)
⑤ Go straight and turn left at the corner. (곧장)

06 밑줄 친 부분의 쓰임이 어색한 것은? DAY 37, 40 시험 POINT

① The flower shop is besides the bookstore.
② The children are playing upstairs.
③ The police officer watched everyone closely.
④ Hungary is located in eastern Europe.
⑤ She has a pair of scissors.

07 (A)와 (B)에서 알맞은 말을 각각 골라 쓰시오. DAY 36, 39 시험 POINT

서술형

The view from the restaurant was (A) [terrific / terrible] and the food was (B) [quiet / quite] good.

(A) ____________ (B) ____________

08 우리말과 일치하도록 〈조건〉에 맞게 문장을 완성하시오. DAY 36 시험 POINT

서술형

그녀는 규칙적으로 먹는 것에 익숙해졌다.

→ She ________________________________ regularly.

조건
1. be used to와 eat를 사용할 것
2. 필요한 경우, 주어진 말을 알맞은 형태로 바꿀 것

ANSWERS

PART 1

DAY 01 일상생활 pp.14~15

STEP 1

01 잠이 든, 자고 있는 02 집안일, 가사 03 낮잠 04 빌려주다 05 자신의; 소유하다 06 함께 쓰다, 공유하다 07 소포, 꾸러미 08 쓸다 09 식사, 끼니 10 준비하다 11 휴식, 나머지; 쉬다 12 잊다 13 usual 14 everyday 15 regularly 16 fold 17 borrow 18 awake 19 lose 20 laundry 21 iron 22 familiar 23 deliver 24 가끔, 때때로 25 be ready to

STEP 2

A 01 delivery 02 loss 03 awake 04 unusual

B 01 nap 02 everyday 03 housework 04 asleep 05 while 06 meal

C 01 ready 02 familiar 03 forget 04 rest 05 prepare

DAY 02 학교생활 pp.20~21

STEP 1

01 관심, 흥미 02 개선하다, 향상시키다 03 교육 04 상담을 하다 05 발표, 프레젠테이션 06 (종합) 대학교 07 시험 08 학기 09 조언, 비법, 팁 10 열심히; 어려운, 딱딱한 11 학년, 성적, 점수 12 behavior 13 graduate 14 elementary school 15 prize 16 professor 17 president 18 attend 19 college 20 excellent 21 principal 22 absent 23 더 이상 ~ 않다[아니다] 24 catch up with 25 pay attention to

STEP 2

A 01 education 02 improvement 03 excellence 04 graduation 05 counselor

B 01 hard 02 president 03 presentation 04 grade 05 behavior

C 01 exam 02 prize 03 absent 04 catch up 05 pay, to

해석

C 01 그는 열심히 공부해서 시험에 합격했다.
02 Steve는 댄스 경연 대회에서 1등 상을 받았다.
03 나는 어제 아파서 학교에 결석했다.
04 나는 그녀를 따라잡기 위해 뛰어야 했다.
05 너는 그의 이야기에 주의를 기울여야 한다.

DAY 03 인간관계 pp.26~27

STEP 1

01 도움이 되는, 유용한 02 돌봄, 보살핌, 주의, 조심; 신경 쓰다 03 귀찮게 하다, 신경 쓰이게 하다 04 인사하다, 숙이다; 활, 나비 모양 매듭 05 낯선 사람, 처음 온 사람 06 부러워하다; 부러움 07 신뢰하다, 믿다; 신뢰, 믿음 08 지역 주민, 지역 사회 09 대하다, 다루다, 치료하다, 대접하다 10 괴롭히다, 못살게 굴다; 괴롭히는 사람 11 탓하다, 비난하다 12 관계 13 respect 14 doubt 15 promise 16 apologize 17 ignore 18 neighbor 19 honesty 20 rude 21 manner 22 contact 23 forgive 24 ~의 부탁을 들어주다 25 get along with

STEP 2

A 01 treatment 02 careful
03 envy 04 honest
05 apology

B 01 manners 02 bow
03 contact 04 helpful

C 01 promise 02 doubt
03 do, favor 04 blame, for
05 along with

DAY 04 인생 pp. 32~33

STEP 1

01 시작하다, 시작되다 02 의미 있는, 유의미한 03 실패하다 04 일생, 평생 05 운, 행운 06 성인, 어른 07 어린 시절, 유년기 08 극복하다 09 나이가 지긋한, 연로한 10 운명, 숙명 11 언젠가 12 succeed 13 couple 14 experience 15 youth 16 chance 17 wisdom 18 birth 19 decision 20 death 21 remember 22 attitude 23 ~을 기르다, ~을 양육하다 24 come true 25 pass away

STEP 2

A 01 begin 02 adult
03 chance 04 succeed

B 01 birth 02 childhood
03 death 04 decision
05 fail

C 01 experience 02 remember
03 couple 04 come true
05 passed away

DAY 05 특별한 날 pp. 38~39

STEP 1

01 폭죽, 불꽃놀이 02 받아들이다, 수락하다 03 양초 04 초대, 초대장 05 행사, 사건 06 기념일 07 행렬, 퍼레이드 08 장식하다, 꾸미다 09 속임수, 장난, 묘기 10 결혼식 11 제공하다, 제의하다; 제의, 제안 12 특별한, 특수한 13 festival 14 guest 15 refuse 16 costume 17 surprise 18 mask 19 congratulation 20 moment 21 wrap 22 participate 23 excited 24 ~하는 데 (돈을) 쓰다, ~하는 데 (시간을) 보내다 25 fill in

STEP 2

A 01 invitation 02 refusal
03 decoration 04 participation

B 01 surprise 02 anniversary
03 offer 04 costume
05 trick

C 01 festival 02 guests
03 excited 04 participate in
05 spent, buying

내신대비 어휘 Test pp. 40~41

01 ⑤ 02 ④ 03 ③ 04 ④ 05 ② 06 ①
07 (h)ard 08 spent all day cleaning

해석

01 ① 잠든 – 깨어있는 ② 무례한 – 예의 바른
③ 결석한 – 출석한 ④ 받아들이다 – 거절하다
⑤ 기회

02 • 너는 그의 충고에 주의를 기울여야 한다.
• 나는 내 여동생과 잘 지낸다.
• 나는 그 노래 경연 대회에 참가할 것이다.

03 언니와 나는 <u>때때로</u> 함께 쇼핑하러 간다.

05 A 펜 좀 <u>빌려줄</u> 수 있니?
B 물론이지. 여기 있어.

06 ① 나는 Mike가 매우 정직하다고 생각해. (→ honest)
② 우리는 나이 든 사람을 공경해야 한다.
③ 나는 그가 성공할 거라고 확신해.
④ 손가락질하는 것은 예의에 어긋난다.
⑤ 너 피곤해 보인다. 좀 쉬어야겠어.

07 수학은 매우 어려워서 나는 시험에 통과하기 위해 열심히 공부해야 한다.

PART 2

DAY 06 신체 pp. 48~49

STEP 1

01 팔 02 가슴 03 심장, 마음 04 피부
05 발뒤꿈치, 굽 06 눈물, 울음; 찢다, 뜯다
07 뼈 08 뇌, 두뇌 09 숨, 호흡 10 손바닥, 야자수 11 귀가 먹은, 청각 장애가 있는
12 살아 있는 13 stomach 14 knee
15 waist 16 muscle 17 tongue
18 physical 19 blood 20 strength
21 back 22 blind 23 thumb
24 운동하다 25 stay up

STEP 2

A 01 breathe 02 bleed
03 weakness 04 dead

B 01 palm 02 blood
03 tongue 04 physical
05 breath

C 01 heart 02 back
03 arm 04 stay up
05 work out

DAY 07 성격과 특징 pp. 54~55

STEP 1

01 자랑스러움, 자부심 02 잔인한, 무자비한
03 배려심 있는, 사려 깊은 04 수다스러운, 말이 많은 05 친절한, 상냥한 06 못된, 심술궂은; 의미하다 07 어리석은, 바보 같은 08 외향적인, 사교적인 09 영리한, 재치 있는 10 근면한, 열심히 일하는 11 충실한, 의리 있는
12 ~와 다른, ~와 달리 13 gentle
14 confident 15 intelligent 16 polite
17 modest 18 personality
19 appearance 20 shy 21 active
22 curious 23 fault 24 ~을 닮다
25 not only *A* but also *B*

STEP 2

A 01 unfriendly 02 clever
03 foolish, stupid 04 impolite

B 01 personality 02 modest
03 thoughtful 04 faithful

C 01 confident 02 Unlike
03 takes after 04 pride in
05 only, but

DAY 08 감정 pp. 60~61

STEP 1

01 몹시 화난, 열받은 02 걱정하다, 염려하다
03 피곤한, 지친, 싫증 난, 지겨운 04 감정
05 그리워하다, 놓치다 06 기쁨, 즐거움
07 ~인 것 같다, ~인 듯이 보이다 08 후회하다; 유감, 후회 09 기뻐하는 10 감사해하는, 고마워하는 11 충격, 충격적인 일; 충격을 주다
12 희망에 찬, 기대하는 13 fear
14 happiness 15 disappointed
16 afraid 17 sadness 18 upset
19 jealous 20 anger 21 satisfied
22 nervous 23 scream 24 ~을 무서워하다
25 fall in love with

STEP 2

A 01 happiness 02 anger
03 jealousy 04 thankful
05 emotional

B 01 fear 02 scream
03 love 04 miss

C 01 satisfied 02 scared of
03 pleased 04 tired
05 disappointed

DAY 09 동작 pp. 66~67

STEP 1

01 미끄러지다; 미끄럼틀 02 굴러가다, 굴리다; 두루마리 03 깜박이다 04 누워 있다, 눕다, 거짓말하다 05 흘끗[휙] 보다 06 흔들리다, 흔들다; 그네 07 행동, 행위 08 치다, 부딪치다 09 들어 올리다, 모으다, 기르다 10 들다, 들어 올리다 11 갑자기, 별안간 12 움직임, 동작, 운동 13 continue 14 hide 15 bend 16 gesture 17 sigh 18 relax 19 react 20 repeat 21 stretch 22 lean 23 quick 24 ~하자마자 25 by chance

STEP 2

A 01 action 02 suddenly
03 reaction 04 repetition

B 01 movement 02 lean
03 roll 04 hide
05 relax

C 01 Stretch 02 lay
03 raised 04 glanced at
05 as soon

DAY 10 건강 pp. 72~73

STEP 1

01 독감 02 암 03 고통스러운, 아픈 04 낫다, 낫게 하다 05 알약 06 담배를 피우다; 연기 07 열, 발열 08 치통 09 아픈, 몸이 안 좋은 10 영향, 효과, 결과 11 환자; 참을성이 있는, 인내심이 있는 12 healthy 13 stomachache 14 hurt 15 medicine 16 exercise 17 symptom 18 condition 19 weak 20 stress 21 sore 22 disease 23 반드시 ~하도록 하다, ~라는 것을 확인하다 24 get better 25 suffer from

STEP 2

A 01 painful 02 effective
03 healthy 04 illness

B 01 stomachache 02 exercises
03 painful 04 pill
05 effect

C 01 disease 02 medicine
03 sore 04 get better
05 Make sure

내신 대비 어휘 Test pp. 74~75

01 ② 02 ③ 03 ④ 04 ⑤ 05 ④ 06 ②
07 (A) lied (B) lay 08 not only intelligent but also friendly

해석

02 ① 아픈 ② 어리석은 ③ 강한 – 약한
④ 치다 ⑤ 기쁨

03 • 환자가 진찰을 받으러 왔다.
• 그녀는 아이들에게 매우 참을성이 있다.

04 • 그녀는 새로운 직장에 만족한다.
• 나는 쥐와 거미를 무서워한다.
• 그는 배탈이 났다.

05 ① 스페인어는 그의 모국어이다.
② 기쁨의 눈물이 그녀의 얼굴 위로 흘렀다.
③ 우리 삼촌은 농장에서 돼지를 기른다.
④ 네 남동생에게 못되게 굴지 마라.
⑤ 나는 TV 보는 것에 싫증이 난다.

06 Tom은 공손하다. 그는 예의가 바르다. 그는 또한 다른 사람들을 존중한다.

07 • 네가 나에게 거짓말했다는 것에 실망했어.
• 그 고양이는 소파 위에 잠들어 누워 있었다.

PART 3

DAY 11 요리와 식사 pp. 82~83

STEP 1

01 씹다 02 접시 03 썰다, 다지다 04 혼합, 혼합물 05 섞다, 혼합하다 06 냄비, 솥, 주전자, 포트 07 해산물 08 국수, 면 09 얇게 썰다, 자르다; 얇게 썬 조각 10 젓가락 11 찌다; 수증기, 김 12 삼키다 13 pan 14 boil 15 flour 16 stir 17 pour 18 jar 19 diet 20 peel 21 straw 22 recipe 23 delicious 24 마음껏 (가져다) 먹다 25 a spoonful of

STEP 2

A 01 peel 02 boil 03 chop 04 stir
B 01 jar 02 spoonful 03 recipe 04 diet 05 boiled
C 01 delicious 02 slice 03 chew 04 help 05 Pour, into

DAY 12 패션 pp. 88~89

STEP 1

01 바늘 02 면, 솜 03 소매 04 양모, 모직 05 정장; 어울리다 06 꼭 끼는, 딱 붙는 07 장화, 부츠 08 색이 다채로운, 화려한 09 유행, 추세, 트렌드 10 털, 모피 11 맞다 12 지갑 13 pattern 14 plain 15 cloth 16 design 17 sew 18 style 19 knit 20 sneakers 21 stripe 22 jewelry 23 button 24 ~에게 잘 어울리다 25 try on

STEP 2

A 01 stylish 02 striped 03 clothes 04 sleeveless 05 woolen
B 01 trend 02 fitting 03 cotton 04 fur 05 suit
C 01 try on 02 sew 03 knit 04 look 05 plain

DAY 13 쇼핑 pp. 94~95

STEP 1

01 선택(권) 02 지불하다, 내다; 임금, 보수 03 가게, 상점; 보관하다, 저장하다 04 점원, 판매원 05 귀중한, 값비싼 06 상품, 제품 07 (값·비용이) ~이다[들다]; 값, 비용 08 거스름돈, 잔돈, 변화; 변화하다, 바꾸다 09 계산원 10 할인 11 포함하다, 넣다 12 (~을 할) 여유가 있다 13 expensive 14 brand 15 purchase 16 counter 17 complain 18 grocery 19 recommend 20 customer 21 prefer 22 receipt 23 credit card 24 for free 25 stand in line

STEP 2

A 01 storage 02 choice
03 complaint 04 cheap
05 include

B 01 grocery 02 discount
03 purchase 04 cost
05 stand

C 01 pay 02 afford
03 recommend 04 for free
05 prefer, to

DAY 14 스포츠 pp. 100~101

STEP 1

01 (운동)선수 02 환호하다, 응원하다 03 야외의 04 얻다, 획득하다 05 노력, 수고 06 경기, 시합, 성냥; 어울리다, 일치하다 07 슛, 발사, 총성 08 심판 09 땀; 땀을 흘리다 10 도전; 도전하다 11 대회, 시합, 경쟁 12 성취하다, 달성하다 13 champion 14 practice 15 medal 16 goal 17 patience 18 stadium 19 tournament 20 marathon 21 coach 22 beat 23 victory 24 열리다, 개최되다 25 in spite of

STEP 2

A 01 shoot 02 outdoors
03 achievement 04 patient

B 01 champion 02 medal
03 effort 04 competition

C 01 practice 02 gain
03 held 04 athlete
05 in spite

DAY 15 여행 pp. 106~107

STEP 1

01 장소, 지점, 점 02 여행 03 착륙하다, 도착하다; 육지, 땅 04 여권 05 놀라운, 굉장한 06 예약 07 탑승하다; 게시판, 칠판, 판자 08 여행하다, 이동하다; 여행, 이동 09 취소하다 10 마을, 촌락 11 승무원 12 flight 13 delay 14 airport 15 abroad 16 tourist 17 aboard 18 depart 19 schedule 20 scenery 21 passenger 22 landmark 23 ~으로 알려져 있다, ~으로 유명하다 24 ~으로 붐비다 25 look forward to

STEP 2

A 01 tourist 02 traveler
03 reservation 04 arrive
05 aboard

B 01 flight 02 boarding
03 spot 04 land

C 01 abroad 02 delayed
03 crowded with 04 known for
05 forward to

내신대비 어휘 Test pp. 108~109

01 ④ 02 ② 03 ③ 04 ① 05 ③ 06 ④
07 looking forward to meeting him
08 two pieces of pizza

해석

01 ① 싼 – 비싼 ② 꼭 끼는 – 느슨한 ③ 얻다 – 잃다
④ 출발하다 – 떠나다 ⑤ 야외의 – 실내의

02 그녀는 파자마와 같은 옷을 만들기 위해 부드러운 옷감이 필요하다.

03 영수증은 무언가를 사고 돈을 지불했다는 것을 보여준다.

04 • 내 목표는 테니스 경기를 이기는 것이다.
• 그 털 코트는 네 바지와 어울리지 않는다.

05 하와이는 아름다운 해변들로 유명하다.

06 • 이 재킷을 입어봐도 될까요?
• 나는 그 흰 셔츠보다 그 파란 셔츠를 선호한다.
• 모자를 사면, 또 다른 하나를 무료로 받을 수 있다.
• 그 백화점은 손님들로 붐볐다.

PART 4

DAY 16 자연 pp. 116~117

STEP 1

01 해안 02 풍경, 경치 03 동굴 04 자연, 천성, 본성 05 새벽(녘) 06 대륙 07 물가, 기슭 08 해 질 녘, 일몰 09 지진 10 폭포 11 진흙 12 산들바람, 미풍 13 desert 14 island 15 lightning 16 cliff 17 disaster 18 pole 19 valley 20 forest 21 wonder 22 flood 23 flow 24 ~으로 가득 차 있다 25 be surrounded by

STEP 2

A 01 polar 02 muddy
03 natural 04 wonderful

B 01 flow 02 lightning
03 disaster 04 island
05 sunset 06 Pole

C 01 flood 02 filled
03 desert 04 forest
05 surrounded by

DAY 17 동식물 pp. 122~123

STEP 1

01 야생의 02 부화하다, 부화시키다 03 낙타 04 사냥하다; 사냥 05 대나무 06 식물, 공장; 심다 07 잡초 08 덫, 함정; 가두다, 덫으로 잡다 09 꽃이 피다 10 공룡 11 물다; 물린 자국 12 관목, 덤불 13 insect 14 lay 15 dig 16 seed 17 male 18 female 19 whale 20 branch 21 leap 22 various 23 pine 24 ~을 돌보다, ~을 보살피다 25 find out

STEP 2

A 01 dug, dug 02 trapped, trapped
03 bit, bitten 04 laid, laid

B 01 seed 02 bite
03 hunt 04 plant
05 wild

C 01 bush 02 bloom
03 hatch 04 trap
05 look after

DAY 18 우주와 기후 pp. 128~129

STEP 1

01 기후 02 우주 03 중력 04 온도, 기온 05 표면 06 우주비행사 07 계속되다, 지속되다; 마지막의, 최종의, 지난 08 달의 09 뜨다, 떠다니다 10 주기, 순환 11 우주선 12 exist 13 space 14 solar 15 explore 16 storm 17 heat 18 planet 19 appear 20 earth 21 alien 22 shadow 23 ~할 것 같다, ~일 것 같다 24 (수가) 많은 25 sooner or later

STEP 2

A 01 explore 02 exist
03 heater

B 01 gravity 02 Lunar
03 temperature 04 climate
05 last 06 sooner

C 01 appeared 02 planet
03 floating 04 likely
05 number

DAY 19 상태 묘사 pp. 134~135

STEP 1

01 형태, 형식, 서식; 형성하다, 구성되다
02 가라앉다; 싱크대, 세면대 03 모든 곳에, 어디에나 04 모양, 형태; ~ 모양으로 만들다
05 막대기, 바 06 독특한, 유일한, 고유의
07 나무로 된, 목제의 08 물건, 물체, 목적, 목표
09 영원히, 언제까지나 10 금속 11 가루, 분말
12 확대되다, 팽창하다 13 solid 14 liquid
15 material 16 perfect 17 melt
18 firm 19 similar 20 different 21 still
22 frozen 23 possible 24 거꾸로, 뒤집혀서
25 turn into

STEP 2

A 01 wooden 02 expansion
03 frozen 04 different
05 impossible

B 01 materials 02 liquid
03 firm 04 bar
05 solid

C 01 melt 02 unique
03 upside down 04 similar to
05 turns into

DAY 20 과학 pp. 140~141

STEP 1

01 초점, 중점; 집중하다 02 분석하다 03 정확한, 딱 맞는 04 과정, 절차 05 세포 06 연구, 조사; 연구하다, 조사하다 07 입증하다, 증명하다
08 노력하다, 애를 쓰다, 해 보다 09 방법, 방식
10 화학의, 화학적인; 화학 물질 11 범위, 다양성
12 collect 13 control 14 detail
15 experiment 16 electricity 17 cause
18 compare 19 result 20 curiosity
21 complete 22 predict
23 ~을 생각해 내다 24 except for
25 first of all

STEP 2

A 01 electricity 02 analysis
03 proof 04 collection
05 exactly

B 01 experiment 02 result
03 control 04 detail

C 01 complete 02 focus on
03 compare, to 04 except for
05 come up with

내신대비 어휘 Test pp. 142~143

01 ② 02 ④ 03 ③ 04 ④ 05 ⑤ 06 ⑤
07 last 08 try to save water and energy

해석

01 ① 입증하다 – 증거 ② 호기심이 많은 – 호기심
③ 분석하다 – 분석 ④ 확대되다 – 확대
⑤ 존재하다 – 존재

02 • 그 상자는 오렌지들로 가득 차 있다.
• 네 시계는 내 것과 모양이 비슷하다.
• 수학을 제외하고 내 성적은 좋다.

03 물로 둘러싸인 땅 덩어리

04 • 그 새는 오늘 아침에 알 세 개를 낳았다.
• 그녀는 그녀의 가방을 탁자 위에 내려놓았다.

05 나는 이번 주말에 Amy의 강아지들을 돌봐야 한다.

06 ① 너는 내일까지 보고서를 끝내야 한다.
② 사슴 한 마리가 숲에서 나타났다.
③ 사하라는 세계에서 가장 큰 사막이다.
④ 이번 여름은 매우 더울 것 같다.
⑤ 나는 오늘 많은 해야 할 일이 있다. (the → a)

PART 5

DAY 21 사회 pp. 150~151

STEP 1

01 자유 02 옳은, 올바른, 오른쪽의; 권리, 오른쪽 03 군중, 무리 04 명성 05 개인적인, 사적인, 사립의 06 자선, 자선 단체 07 연장자, 상급자, 졸업반 학생 08 자원봉사를 하다; 자원봉사자 09 규칙, 원칙; 통치하다, 지배하다 10 지지하다, 지원하다; 지지, 지원 11 인구, 주민 수 12 평범한, 흔한, 공통의 13 society 14 matter 15 lead 16 real 17 citizen 18 responsible 19 general 20 main 21 equal 22 donate 23 wealth 24 ~하는 경향이 있다, ~하기 쉽다 25 in need

STEP 2

A 01 social 02 equality 03 privacy 04 wealthy 05 donation

B 01 senior 02 real 03 common 04 volunteer 05 charity

C 01 population 02 support 03 tend to 04 responsible for 05 in need

DAY 22 경제 pp. 156~157

STEP 1

01 요구하다; 수요, 요구 02 경제, 경기 03 이익, 수익 04 요금, 비용 05 제공하다, 공급하다 06 교환하다, 맞바꾸다 07 거래 08 투자하다 09 공급하다, 제공하다; 공급 10 청구하다, 충전하다; 요금, 사용료 11 총, 전체의; 합계 12 income 13 extra 14 rich 15 product 16 average 17 increase 18 tax 19 produce 20 fortune 21 reduce 22 trade 23 다른 한편으로는, 반면에 24 depend on 25 instead of

STEP 2

A 01 economic 02 production 03 poor 04 decrease

B 01 supply 02 trade 03 extra 04 average 05 fee

C 01 exchange 02 depend on 03 total 04 provide, with 05 instead of

DAY 23 역사 pp. 162~163

STEP 1

01 기록하다, 녹음하다; 기록 02 생각나게 하다, 상기시키다 03 세대 04 역사에 관련된, 역사적인 05 계속 ~이다, 남아 있다 06 세기, 100년 07 거짓의, 사실이 아닌 08 왕가, 왕조 09 깨닫다, 알아차리다, 실현하다 10 혁명 11 현재, 지금, 선물; 현재의, 참석한 12 treasure 13 tradition 14 important 15 modern 16 past 17 custom 18 truth 19 period 20 ancient 21 royal 22 human 23 ~ 때문에 24 마침내, 결국 25 used to

STEP 2

A 01 historical 02 truth 03 traditional 04 ancient 05 true

B 01 period 02 record 03 generation 04 Revolution

C 01 century 02 remain 03 remind 04 due 05 used to

DAY 24 법과 범죄 pp. 168~169

STEP 1

01 범죄, 범행 02 뒤쫓다, 추격하다; 추적, 추격 03 탈출하다; 탈출 04 재판 05 훔치다, 도둑질하다 06 변호사 07 인정하다, 허가하다 08 부인하다, 부정하다 09 형사, 탐정 10 강탈하다, (은행 등을) 털다 11 용의자; 의심하다 12 happen 13 kill 14 arrest 15 judge 16 fair 17 law 18 footprint 19 court 20 thief 21 punish 22 prison 23 ~가 …하지 못하게 하다 24 turn out 25 run away

STEP 2

A 01 robber 02 prisoner 03 criminal 04 punishment

B 01 law 02 detective 03 fair 04 chase 05 court

C 01 arrested 02 escaped 03 happened 04 turned 05 keep

DAY 25 세계 pp. 174~175

STEP 1

01 지역, 구역 02 태어난 곳의, 모국어의 03 군인, 병사 04 국가, 국민 05 공격, 폭행; 공격하다, 폭행하다 06 수도, 자본, 대문자 07 군대, 육군 08 부족, 종족 09 독립, 자립 10 지역의, 현지의; 현지인 11 인종, 경주, 달리기 12 국제적인 13 flag 14 war 15 peace 16 culture 17 defend 18 invade 19 kingdom 20 global 21 foreigner 22 language 23 symbol 24 ~에 위치해 있다 25 be divided into

STEP 2

A 01 cultural 02 peaceful 03 invasion 04 defense 05 symbolize

B 01 flag 02 native 03 army 04 capital 05 global

C 01 languages 02 foreigners 03 local 04 international 05 located in

내신 대비 어휘 Test

pp. 176~177

01 ⑤ 02 ③ 03 ① 04 ① 05 ④ 06 ④
07 kept us from going out 08 used to go

해석

01 ① 진실의 – 거짓의 ② 이익 – 손실
③ 현대의 – 고대의 ④ 증가하다 – 감소하다
⑤ 자유

02 A 도와드릴까요?
B 네. 이 모자를 더 작은 것으로 교환하고 싶어요.

03 우리 여행은 폭설 때문에 취소되었다.

04 보기 모든 사람은 공정한 재판을 받을 권리가 있다.
① 그들은 평등한 권리를 요구하고 있다.
② 그 꽃 가게는 당신의 오른편에 있습니다.
③ 그 학생의 답은 맞았다.
④ 판사는 옳은 결정을 내려야 한다.
⑤ 두 블록 가서 모퉁이에서 오른쪽으로 돌아라.

05 • 그들은 가난한 사람들에게 음식과 옷을 제공했다.
• 이 사진은 나에게 어린 시절을 상기시켜 준다.
• 이 책은 열두 단원으로 나뉘어져 있다.

06 ① 그는 그 회의에 참석했다.
② 너는 왜 나를 의심하니?
③ 파리는 프랑스의 수도이다.
④ 많은 다른 인종이 이 나라에 산다.
⑤ 나는 그 문제를 부모님과 논의할 것이다.

PART 6

DAY 26 문학

pp. 184~185

STEP 1

01 우화 02 비극 03 등장인물, 캐릭터, 성격, 특징, 문자 04 연극, 희곡, 놀이; 놀다, 경기하다, 연주하다 05 모험 06 결론, 결말 07 마녀
08 이야기 09 요정 10 속담, 격언 11 용
12 ghost 13 novel 14 monster
15 poem 16 scary 17 publish
18 castle 19 comic 20 giant
21 sentence 22 describe
23 ~에 기초를 두다, ~을 바탕으로 하다
24 for the first time 25 once upon a time

STEP 2

A 01 novelist 02 conclusion
03 description

B 01 comic 02 fairy
03 characters 04 sentence
05 first

C 01 adventure 02 play
03 scary 04 published
05 based

DAY 27 예술

pp. 190~191

STEP 1

01 박수를 치다; 박수 02 리듬 03 초상화
04 끌다, 끌어들이다 05 예술 작품
06 전시하다, 진열하다; 전시, 진열
07 민속의, 민간의 08 조각상 09 합창
10 건축 양식, 건축학 11 쪽지, 메모, 음, 음표
12 exhibition 13 create 14 original
15 perform 16 instrument 17 classical
18 artist 19 beauty 20 opera
21 stage 22 value 23 ~할 만한 가치가 있다
24 ~으로 알려지다 25 most of all

STEP 2

A 01 performance 02 exhibition
03 architect 04 valuable
05 original

B 01 opera 02 instrument
03 portrait 04 classical

C 01 known 02 created
03 stage 04 worth
05 display

DAY 28 영화와 방송 pp. 196~197

STEP 1

01 상; 수여하다 02 보도하다, 보고하다; 보도, 보고(서) 03 영화 04 관중, 청중 05 공포 06 캐스팅하다, 배우로 선정하다; 출연진, 깁스 07 공상 과학 영화[소설], SF물 08 감독, 관리자 09 대중의, 공공의; 대중, 일반인 10 오디션, 심사 11 유명 인사 12 광고 13 live 14 romantic 15 article 16 theater 17 scene 18 mystery 19 comedy 20 screen 21 idol 22 fantasy 23 series 24 ~에 감동하다 25 take place

STEP 2

A 01 fantastic 02 romantic
03 comedian 04 mysterious
05 advertisement

B 01 theater 02 horror
03 scene 04 report

C 01 director 02 celebrity
03 place 04 cast
05 moved by

DAY 29 생각과 표현 pp. 202~203

STEP 1

01 말다툼하다, 언쟁하다 02 의사소통 03 의견, 견해 04 맞는, 정확한; 고치다, 바로잡다 05 표현 06 혼란스럽게 하다, 혼동하다 07 제안하다 08 명령하다, 주문하다; 명령, 주문, 순서 09 속삭이다 10 대화 11 소리치다, 고함지르다 12 신경 쓰다, 싫어하다; 마음, 정신 13 imagine 14 discuss 15 thought 16 nod 17 agree 18 allow 19 knowledge 20 memory 21 advise 22 explain 23 mistake 24 ~에게 전화를 하다 25 can't help -ing

STEP 2

A 01 knowledge 02 explanation
03 suggestion 04 advice
05 imagination

B 01 expression 02 order
03 mistake 04 communication

C 01 discuss 02 help
03 opinion 04 confuse
05 allow

DAY 30 온라인 pp. 208~209

STEP 1

01 찾아보다, 검색하다; 수색, 검색 02 논평, 댓글; 의견을 말하다 03 삭제하다 04 문자를 보내다; 글, 본문 05 애플리케이션, 응용 프로그램, 지원(서), 신청(서) 06 이미지, 인상, 모습, 그림 07 언제든지, 언제나 08 대답하다, 답변하다; 대답, 답장 09 연결하다, 접속하다 10 갱신하다, 업데이트하다 11 이야기를 나누다, 채팅하다; 수다, 채팅 12 file 13 download 14 post 15 online 16 influence 17 data 18 information 19 click 20 even 21 address 22 addiction 23 ~하는 것을 그만두다[멈추다] 24 stand for 25 thanks to

STEP 2

A 01 offline 02 answer
03 upload

B 01 influence 02 application
03 text 04 addiction
05 address

C 01 connected 02 searched
03 deleted 04 stands for
05 Thanks to

어휘 Test

pp.210~211

01 ② 02 ① 03 ④ 04 ④ 05 ⑤ 06 ①
07 (A) to play (B) playing
08 is worth visiting

해석

02 ① 환상 – 환상적인 ② 조언하다 – 조언
③ 알다 – 지식 ④ 공연하다 – 공연
⑤ 연결하다 – 연결

03 • 우리 엄마는 대개 클래식 음악을 들으신다.
• 나는 어젯밤에 정말 무서운 꿈을 꾸었다.

04 ① BTS는 UN에서 연설을 했다.
② 나는 고음을 노래하는 데 어려움이 있다.
③ 그는 무대에서 바이올린을 연주하고 있다.
④ Stella는 이 책의 주요 등장인물이다.
⑤ '햄릿'은 셰익스피어의 유명한 희곡이다.

05 그 영화제는 9월에 열릴 것이다.

06 ① 우리는 프로젝트를 논의해야 한다. (→ discuss)
② 경찰은 사라진 아이를 수색했다.
③ 그 덕분에 나는 미술 숙제를 마쳤다.
④ 'UK'는 '영국'을 의미한다.
⑤ 한국 대중 음악은 K-pop으로 알려져 있다.

07 • 그는 우리가 축구를 하는 것을 허락했다.
• 피아노 치는 것을 그만둬라. 잘 시간이다.

PART 7

DAY 31 회사와 일

pp.218~219

STEP 1

01 지원하다, 신청하다 02 의뢰인, 고객
03 보상, 사례(금); 보상하다 04 벌다
05 계약(서), 약정; 계약하다 06 회의
07 사업, 업무 08 그만두다 09 일, 과제
10 경영하다, 운영하다, 관리하다 11 서명, 사인; 대표하는 12 interview 13 company
14 career 15 ability 16 hire 17 print
18 fire 19 salary 20 copy 21 boss
22 skill 23 ~에게 …해 달라고 부탁[요청]하다
24 make a living 25 carry on

STEP 2

A 01 businessman 02 management
03 interviewer 04 application

B 01 salary 02 copy
03 interview 04 contract
05 company

C 01 fired 02 asked, to
03 living 04 carry on
05 ability

DAY 32 기계와 기술

pp.224~225

STEP 1

01 실제적인, 현실적인, 실용적인 02 누르다, 압박하다; 신문, 언론 03 전구 04 결합, 조합
05 강력한, 강한 06 번쩍이다; 번쩍이는 빛, 플래시
07 장치, 장비 08 쉽게 09 자동의 10 관, 튜브
11 (과학) 기술 12 energy 13 convenient
14 tool 15 adapt 16 level 17 develop
18 necessary 19 machine 20 replace
21 system 22 invent 23 ~을 다루다, ~을 처리하다 24 up to date 25 get rid of

STEP 2

A 01 development 02 inventor
03 energetic 04 convenience
05 adaptation

B 01 machine 02 device
03 level 04 automatic
05 press

C 01 necessary 02 replace
03 rid of 04 up to
05 deal with

DAY 33 사고와 안전 pp.230~231

STEP 1

01 문제, 어려움, 곤경 02 구조하다, 구출하다; 구조, 구출 03 피하다, 방지하다 04 충돌하다, 추락하다; 충돌, 추락 (사고) 05 자명종, 경보(기), 경고 신호 06 예상치 못한, 뜻밖의 07 신호
08 알다, 알아차리다; 예고, 통지, 안내문
09 응급 처치, 응급 치료 10 손상, 피해; 손상을 입히다, 피해를 주다 11 독, 독약
12 긴급 상황, 비상(사태) 13 terrible
14 dangerous 15 prevent 16 survive
17 accident 18 serious 19 safety
20 urgent 21 injure 22 exit 23 burn
24 ~을 조심하다, ~에 대해 주의하다
25 after a while

STEP 2

A 01 dangerous 02 prevention
03 survival 04 poisonous
05 injury

B 01 alarm 02 rescue
03 emergency 04 crash
05 safety

C 01 avoided 02 damaged
03 accident 04 Watch
05 trouble

DAY 34 환경 보호 pp.236~237

STEP 1

01 영향을 미치다 02 구하다, 절약하다, 저축하다
03 위협하다, 협박하다 04 경고하다, 주의를 주다
05 친환경적인, 환경친화적인 06 제한하다, 한정하다; 제한, 한계 07 먼지 08 즉시, 곧바로
09 온실 10 낭비하다; 낭비, 폐기물, 쓰레기
11 쓰레기 12 effective 13 noise
14 environment 15 direct 16 protect
17 destroy 18 recently 19 pollution
20 recycle 21 harmful 22 separate
23 ~을 명심하다 24 had better
25 above all

STEP 2

A 01 protection 02 harmful
03 effective 04 threaten
05 noisy

B 01 pollution 02 dust
03 greenhouse 04 limit
05 waste

C 01 in mind 02 noise
03 environment 04 had better
05 Above all

DAY 35 상황 묘사 pp.242~243

STEP 1

01 예측하다, 예보하다; 예측, 예보 02 기적
03 고려하다, ~을 …라고 여기다 04 주요한, 중요한; 전공 05 특히 06 귀중한, 소중한, 값비싼 07 수수께끼 08 인상적인, 감명 깊은
09 아직 10 잘 알려진, 유명한 11 침묵, 정적
12 hero 13 wrong 14 expect
15 difficult 16 popular 17 boring
18 rumor 19 situation 20 hate
21 courage 22 humor
23 ~와 관련이 있다, ~와 친척[동족] 간이다
24 have nothing to do with 25 turn over

STEP 2

A 01 boring 02 famous
03 major 04 right
05 easy

B 01 forecast 02 hero
03 silence 04 riddle
05 situation

C 01 consider 02 valuable
03 related to 04 nothing, with
05 popular with

내신 대비 어휘 Test

pp. 244~245

01 ② 02 ① 03 ⑤ 04 ④ 05 ④ 06 ⑤
07 (A) boring (B) bored
08 had better not go out

해석

01 ① 소음 – 시끄러운 ② 영향을 미치다 – 영향
③ 위험 – 위험한 ④ 먼지 – 먼지투성이인
⑤ 편리 – 편리한

02 • 너는 물과 에너지를 낭비하면 안 된다.
• 나는 게임하는 것은 시간 낭비라고 생각한다.

03 처음으로 무언가를 만들어 내다

04 • 그녀는 피아노 치는 것을 그만두었다.
• 나는 그에게 도와 달라고 부탁했다.
• 그는 결정을 하는 데 어려움을 겪는다.

05 • 가업을 계속해 나갈 사람이 아무도 없다.
• 너는 너의 나쁜 습관을 버려야 한다.
• 나는 이 문제를 어떻게 다뤄야 할지 모르겠다.
• 너는 컴퓨터 바이러스를 조심해야 한다.

06 ① 이것은 한국에서 잘 알려진 노래다.
② 그 회사는 열 명을 고용하고 싶어 한다.
③ 나는 귀중한 교훈을 배웠다.
④ 우리는 즉시 시작할 것이다.
⑤ 우리는 시간과 돈을 절약하려고 노력하고 있다.

07 그 역사 수업이 지루해서, 대부분의 학생들이 매우 지루해했다.

PART 8

DAY 36 건물

pp. 252~253

STEP 1

01 문, 출입문, 탑승구 02 천장 03 차고
04 잔디밭 05 굴뚝 06 먼지, 때 07 궁전
08 아주 좋은, 멋진, 훌륭한 09 새다
10 배열하다, 정리하다, 준비하다 11 구조, 구성, 구조물, 건축물 12 floor 13 comfortable
14 stair 15 repair 16 elevator
17 roof 18 yard 19 fence 20 messy
21 polish 22 balcony 23 ~에 익숙해지다
24 drop by 25 belong to

STEP 2

A 01 chimney 02 roof
03 balcony 04 stairs
05 fence

B 01 yard 02 floor
03 gate 04 elevator

C 01 structure 02 belong to
03 terrific 04 drop by
05 used to

DAY 37 가구와 물건

pp. 258~259

STEP 1

01 닦다, 닦아내다 02 다루다, 처리하다; 손잡이
03 기본의, 기초의 04 벽장, 붙박이장 05 양동이
06 매일의, 하루의 07 헐거운, 느슨한, 헐렁한
08 진공청소기로 청소하다; 진공 09 서랍
10 문지르다, 비비다 11 손톱, 발톱, 못; 못으로 박다[고정하다] 12 에어컨, 냉방 장치
13 furniture 14 hang 15 hammer
16 useful 17 ladder 18 shelf 19 remove
20 refrigerator 21 scissors 22 blanket
23 tidy 24 고장 나다 25 in the middle of

STEP 2

A 01 useless 02 messy
03 tight 04 refrigerator

B 01 shelf 02 vacuum
03 ladder 04 scissors
05 drawer 06 handle

C 01 furniture 02 Wipe
03 middle of 04 remove
05 broke down

DAY 38 도로와 교통 pp. 264~265

STEP 1

01 기차, 철도 02 길, 경로 03 시내로, 중심가에
04 수리하다, 고치다, 고정시키다 05 인도, 보도
06 (쇠)사슬, 체인, 체인점 07 현장, 부지, 사이트
08 부딪치다, 충돌하다 09 평평한, 납작한;
바람이 빠진, 펑크 난 10 거친, 울퉁불퉁한, 대강의
11 교통수단, 수송 12 traffic 13 sail
14 careful 15 engine 16 seat
17 besides 18 fasten 19 wheel
20 reach 21 broad 22 curve
23 ~으로 가는 길에 24 ~에 도착하다
25 head for

STEP 2

A 01 careless 02 smooth
03 narrow 04 repair

B 01 traffic 02 seat
03 flat 04 route
05 transportation

C 01 careful 02 fasten
03 get to 04 headed for
05 on his way

DAY 39 수와 양 pp. 270~271

STEP 1

01 들어 있다, 포함하다 02 전체의, 전부의
03 더 적은; 덜, 더 적게 04 규모, 범위, 저울,
체중계 05 무더기, 더미; 쌓다 06 양, 액수
07 두 개로 된, 두 배의, 2인용의 08 막대한,
거대한 09 묶음, 꾸러미, 다발 10 비율, 속도
11 아무것도 ~ 아니다[없다] 12 사실은, 실제로는
13 medium 14 half 15 quite 16 piece
17 height 18 enough 19 measure
20 empty 21 single 22 several
23 within 24 ~이 부족하다 25 add *A* to *B*

STEP 2

A 01 whole 02 more
03 huge 04 full

B 01 double 02 half
03 pile 04 single
05 rate 06 piece

C 01 measure 02 amount
03 enough 04 add, to
05 short of

DAY 40 위치와 방향 pp. 276~277

STEP 1

01 거리 02 서쪽에 위치한, 서양의 03 밑받침,
기초, 토대 04 ~의 아래에, ~ 미만으로, ~보다 낮은
05 ~을 통해, ~을 통과하여 06 ~ 너머에,
~을 지나서, 넘어서 07 동쪽에 위치한, 동양의
08 ~ 중에, ~ 사이에 09 위층으로, 위층에
10 장소, 위치 11 ~ 쪽으로, ~을 향하여
12 beside 13 direction 14 far
15 center 16 straight 17 mark
18 position 19 bottom 20 northern
21 southern 22 closely
23 ~의 반대쪽[맞은편]에 24 ahead of
25 side by side

STEP 2

A 01 downstairs 02 top
03 below 04 center

B 01 straight 02 location
03 position 04 Eastern
05 below

C 01 beside 02 through
03 ahead of 04 beyond
05 direction 06 other side

어휘 Test

pp. 278~279

01 ② 02 ① 03 ① 04 ⑤ 05 ④ 06 ①
07 (A) terrific (B) quite
08 was used to eating

해석

02 • 너는 어느 클럽에 속해 있니?
• 토마토 수프에 후추를 추가해 주세요.

03 ① 중앙 ② 정돈된 – 지저분한
③ 바닥 – 꼭대기 ④ 넓은 – 좁은
⑤ 느슨한 – 꼭 끼는

04 우리는 제 시간에 공항에 도착해야 한다.

05 ① 그는 펑크 난 타이어를 교체하고 있다.
② 이 바지는 나에게 너무 헐렁하다.
③ 그 중식당은 2층에 있다.
④ 바람이 갑자기 방향을 바꾸었다.
⑤ 곧장 가서 모퉁이에서 왼쪽으로 도세요.

06 ① 그 꽃 가게는 서점 옆에 있다. (→ beside)
② 아이들이 윗층에서 놀고 있다.
③ 그 경찰관은 모두를 자세히 지켜봤다.
④ 헝가리는 동유럽에 위치해 있다.
⑤ 그녀는 가위 하나를 가지고 있다.

07 식당의 전망은 훌륭했고 음식은 꽤 맛있었다.

INDEX

C

D

E

F

G

H

N

O

P

Q

R

S

T

U

V

W

Y

DAY 01 일상생활

01	meal	명 식사, 끼니
02	prepare	동 준비하다
03	awake	형 깨어 있는 동 (잠이) 깨다, 깨우다
04	asleep	형 잠이 든, 자고 있는
05	rest	명 1. 휴식, 쉼 2. 나머지 동 쉬다, 휴식하다
06	nap	명 낮잠
07	regularly	부 규칙적으로, 정기적으로
08	borrow	동 빌리다
09	lend	동 빌려주다
10	usual	형 평소의, 보통의
11	housework	명 집안일, 가사
12	sweep	동 (빗자루로) 쓸다
13	laundry	명 빨래, 세탁(물)
14	fold	동 (종이·천 등을) 접다, (옷 등을) 개다
15	iron	동 다림질하다 명 1. 철, 쇠 2. 다리미
16	share	동 함께 쓰다, 공유하다
17	lose	동 1. 잃다, 잃어버리다 2. (경기·게임 등에서) 지다
18	own	형 (남의 것이 아닌) 자신의 동 소유하다
19	forget	동 잊다
20	package	명 소포, 꾸러미
21	deliver	동 배달하다
22	familiar	형 익숙한, 친숙한
23	everyday	형 일상적인, 매일의
24	be ready to	~할 준비가 되다
25	once in a while	가끔, 때때로

DAY 02 학교생활

01	attend	동 참석하다, 출석하다
02	absent	형 결석한
03	semester	명 학기
04	grade	명 1. 학년 2. 성적, 점수
05	exam	명 시험
06	presentation	명 발표, 프레젠테이션
07	graduate	동 졸업하다
08	education	명 교육
09	principal	명 교장 형 주요한, 주된
10	president	명 1. (조직·단체의) 장 2. 대통령
11	interest	명 관심, 흥미
12	prize	명 상, 상품
13	hard	부 열심히, 애써서 형 1. 어려운, 힘든 2. 딱딱한, 단단한
14	excellent	형 훌륭한, 탁월한
15	behavior	명 행동, 행실
16	counsel	동 (전문적인) 상담을 하다
17	improve	동 개선하다, 향상시키다
18	elementary school	명 초등학교
19	college	명 (단과) 대학
20	university	명 (종합) 대학교
21	professor	명 교수
22	tip	명 1. 조언, 비법 2. 팁
23	pay attention to	~에 주의를 기울이다
24	catch up with	~을 따라잡다
25	not ~ anymore	더 이상 ~ 않다[아니다]

DAY 03 인간관계

01	relationship	명 관계
02	neighbor	명 이웃, 이웃 사람
03	community	명 지역 주민, 지역 사회
04	stranger	명 1. 낯선 사람 2. 처음 온 사람
05	promise	동 약속하다 명 약속
06	forgive	동 용서하다
07	manner	명 1. 방식, 태도 2. (-s) 예의
08	apologize	동 사과하다
09	blame	동 탓하다, 비난하다
10	bother	동 귀찮게 하다, 신경 쓰이게 하다
11	doubt	동 의심하다 명 의심, 의혹
12	helpful	형 도움이 되는, 유용한
13	envy	동 부러워하다 명 부러움
14	honesty	명 정직, 솔직함
15	respect	동 존경하다, 존중하다 명 존경, 존중
16	rude	형 무례한, 버릇없는
17	treat	동 1. 대하다, 다루다 2. 치료하다 3. 대접하다
18	care	명 1. 돌봄, 보살핌 2. 주의, 조심 동 신경 쓰다
19	trust	동 신뢰하다, 믿다 명 신뢰, 믿음
20	bow	동 인사하다, 숙이다 명 1. 활 2. 나비 모양 매듭
21	ignore	동 무시하다, 모른 체하다
22	contact	동 연락하다 명 1. 연락 2. 접촉
23	bully	동 괴롭히다, 못살게 굴다 명 괴롭히는 사람
24	do ~ a favor	~의 부탁을 들어주다
25	get along with	~와 잘 지내다, ~와 사이가 좋다

DAY 04 인생

01	lifetime	명 일생, 평생
02	birth	명 출생, 탄생
03	childhood	명 어린 시절, 유년기
04	youth	명 젊은 시절, 젊음
05	adult	명 성인, 어른
06	couple	명 1. (한 쌍의) 부부, 연인, 커플 2. 두어 개
07	elderly	형 나이가 지긋한, 연로한
08	death	명 죽음, 사망
09	begin	동 시작하다, 시작되다
10	succeed	동 성공하다
11	fail	동 실패하다
12	experience	명 경험 동 경험하다, 겪다
13	decision	명 결정, 결심
14	luck	명 운, 행운
15	wisdom	명 지혜, 현명함
16	attitude	명 태도, 자세, 마음가짐
17	meaningful	형 의미 있는, 유의미한
18	remember	동 기억하다
19	chance	명 1. 기회 2. 가능성
20	fate	명 운명, 숙명
21	overcome	동 극복하다
22	someday	부 (미래의) 언젠가
23	come true	(꿈 등이) 실현되다
24	bring up	~을 기르다, ~을 양육하다
25	pass away	세상을 떠나다, 돌아가시다

DAY 05 특별한 날

01	**invitation**	명 초대, 초대장
02	**guest**	명 손님
03	**congratulation**	명 축하
04	**decorate**	동 장식하다, 꾸미다
05	**candle**	명 양초
06	**excited**	형 신이 난, 흥분한
07	**surprise**	동 놀라게 하다 명 놀라운 일, 놀람
08	**special**	형 특별한, 특수한
09	**event**	명 1. 행사 2. 사건
10	**wedding**	명 결혼식
11	**anniversary**	명 기념일
12	**refuse**	동 거절하다, 거부하다
13	**accept**	동 받아들이다, 수락하다
14	**festival**	명 축제
15	**parade**	명 행렬, 퍼레이드
16	**firework**	명 폭죽, 불꽃놀이
17	**costume**	명 의상, 복장
18	**mask**	명 탈, 가면
19	**trick**	명 1. 속임수, 장난 2. 묘기
20	**participate**	동 참가하다, 참여하다
21	**moment**	명 1. 순간, 때 2. 잠깐, 잠시
22	**offer**	동 제공하다, 제의하다 명 제의, 제안
23	**wrap**	동 싸다, 포장하다
24	**fill in**	(서류·양식 등을) 작성하다
25	**spend + 돈/시간 + -ing**	~하는 데 (돈을) 쓰다, ~하는 데 (시간을) 보내다

DAY 06 신체

01	**physical**	형 신체의, 육체적인
02	**heart**	명 심장, 마음
03	**stomach**	명 위, 배
04	**brain**	명 뇌, 두뇌
05	**chest**	명 가슴
06	**waist**	명 허리
07	**back**	명 1. 등, 등뼈 2. 뒷면, 뒤쪽
08	**breath**	명 숨, 호흡
09	**arm**	명 팔
10	**knee**	명 무릎
11	**heel**	명 1. 발뒤꿈치 2. (신발의) 굽
12	**palm**	명 1. 손바닥 2. 야자수
13	**thumb**	명 엄지손가락
14	**skin**	명 피부
15	**bone**	명 뼈
16	**muscle**	명 근육, 근력
17	**blood**	명 피, 혈액
18	**tear**	명 눈물, 울음 동 찢다, 뜯다
19	**tongue**	명 1. 혀 2. 언어
20	**strength**	명 1. 힘, 기운, 체력 2. 장점, 강점
21	**alive**	형 살아 있는
22	**deaf**	형 귀가 먹은, 청각 장애가 있는
23	**blind**	형 눈이 먼, 시각 장애의
24	**work out**	(헬스장 등에서 정기적으로) 운동하다
25	**stay up**	(늦게까지) 깨어 있다, 자지 않고 있다

DAY 07 성격과 특징

01	personality	명 성격, 개성
02	friendly	형 친절한, 상냥한
03	outgoing	형 외향적인, 사교적인
04	gentle	형 온화한, 부드러운
05	active	형 활동적인, 적극적인
06	faithful	형 충실한, 의리 있는
07	hard-working	형 근면한, 열심히 일하는
08	modest	형 1. 겸손한 2. 보통의, 적당한
09	shy	형 수줍은, 부끄러워하는
10	thoughtful	형 배려심 있는, 사려 깊은
11	confident	형 1. 자신감 있는 2. 확신하는
12	curious	형 궁금한, 호기심이 많은
13	polite	형 예의 바른, 공손한
14	pride	명 자랑스러움, 자부심
15	clever	형 영리한, 재치 있는
16	intelligent	형 총명한, 지적인
17	fault	명 1. 단점, 결점 2. 잘못, 책임
18	cruel	형 잔인한, 무자비한
19	mean	형 못된, 심술궂은 동 의미하다
20	talkative	형 수다스러운, 말이 많은
21	silly	형 어리석은, 바보 같은
22	appearance	명 외모, 겉모습
23	unlike	전 ~와 다른, ~와 달리
24	take after	~을 닮다
25	not only *A* but also *B*	A 뿐만 아니라 B도

DAY 08 감정

01	emotion	명 감정
02	happiness	명 행복
03	delight	명 (큰) 기쁨, 즐거움
04	satisfied	형 만족하는
05	hopeful	형 희망에 찬, 기대하는
06	thankful	형 감사해하는, 고마워하는
07	pleased	형 기뻐하는
08	sadness	명 슬픔
09	anger	명 화, 분노
10	mad	형 몹시 화난, 열받은
11	upset	형 속상한, 기분이 상한
12	jealous	형 질투하는, 시기하는
13	fear	명 공포, 두려움, 무서움
14	afraid	형 두려워하는
15	scream	동 (공포·고통·흥분 등으로) 비명을 지르다 명 비명 (소리)
16	shock	명 충격, 충격적인 일 동 충격을 주다
17	nervous	형 초조한, 긴장한
18	tired	형 1. 피곤한, 지친 2. 싫증 난, 지겨운
19	disappointed	형 실망한, 낙담한
20	worry	동 걱정하다, 염려하다
21	miss	동 1. 그리워하다 2. 놓치다
22	regret	동 후회하다 명 유감, 후회
23	seem	동 ~인 것 같다, ~인 듯이 보이다
24	fall in love with	~와 사랑에 빠지다
25	be scared of	~을 무서워하다

DAY 09 동작

01	gesture	명 몸짓, 손짓, 제스처
02	movement	명 1. 움직임, 동작 2. (사회적·정치적) 운동
03	action	명 행동, 행위
04	bend	동 굽히다, 구부리다, 숙이다
05	lie	동 1. 누워 있다, 눕다 2. 거짓말하다
06	slide	동 미끄러지다 명 미끄럼틀
07	lean	동 기대다, (몸을) 기울이다
08	strike	동 치다, 부딪치다
09	swing	동 (앞뒤·좌우로) 흔들리다, 흔들다 명 그네
10	lift	동 들다, 들어 올리다
11	hide	동 1. 숨기다, 감추다 2. 숨다
12	roll	동 굴러가다, 굴리다 명 두루마리
13	stretch	동 (팔·다리 등을) 쭉 펴다, 스트레칭하다
14	repeat	동 반복하다, 다시 말하다
15	sigh	동 한숨을 쉬다 명 한숨 (소리)
16	blink	동 (눈을) 깜박이다
17	glance	동 흘끗[휙] 보다
18	raise	동 1. 들어 올리다, 올리다 2. 모으다 3. 기르다
19	continue	동 (쉬지 않고) 계속하다, 계속되다
20	react	동 반응하다
21	relax	동 편히 쉬다, 긴장을 풀다
22	suddenly	부 갑자기, 별안간
23	quick	형 빠른, 신속한, 민첩한
24	by chance	우연히
25	as soon as	~하자마자

DAY 10 건강

01	**healthy**	형 1. 건강한 2. 건강에 좋은
02	**disease**	명 병, 질병
03	**ill**	형 아픈, 몸이 안 좋은
04	**weak**	형 약한, 힘이 없는
05	**toothache**	명 치통
06	**stomachache**	명 배탈, 복통
07	**fever**	명 열, 발열
08	**flu**	명 독감
09	**cancer**	명 암
10	**symptom**	명 증상, 증세
11	**sore**	형 (상처·염증 등으로) 쓰라린, 아픈
12	**hurt**	동 1. 다치게 하다 2. 아프다
13	**painful**	형 고통스러운, 아픈
14	**patient**	명 환자 형 참을성이 있는, 인내심이 있는
15	**condition**	명 1. 상태, 컨디션 2. 환경
16	**heal**	동 낫다, 낫게 하다
17	**medicine**	명 약, 의약품
18	**pill**	명 알약
19	**effect**	명 영향, 효과, 결과
20	**stress**	명 스트레스, 긴장감
21	**smoke**	동 담배를 피우다 명 연기
22	**exercise**	동 운동하다 명 1. 운동 2. 연습 (문제)
23	**suffer from**	(질병·증상 등을) 앓다
24	**make sure (that)**	반드시 ~하도록 하다, ~라는 것을 확인하다
25	**get better**	(병·상황 따위가) 나아지다, 호전되다

DAY 11 요리와 식사

01	**pot**	명 1. 냄비, 솥 2. 주전자, 포트
02	**pan**	명 팬, (긴 손잡이가 달린) 냄비
03	**jar**	명 유리병, 단지
04	**plate**	명 접시
05	**chopstick**	명 젓가락
06	**straw**	명 1. 빨대 2. 짚
07	**mixture**	명 혼합, 혼합물
08	**peel**	동 껍질을 벗기다 명 껍질
09	**slice**	동 얇게 썰다, 자르다 명 얇게 썬 조각
10	**chop**	동 썰다, 다지다
11	**boil**	동 끓이다, 삶다
12	**steam**	동 찌다 명 수증기, 김
13	**blend**	동 섞다, 혼합하다
14	**pour**	동 1. 따르다, 붓다 2. 쏟아지다
15	**stir**	동 휘젓다, 휘저어 섞다
16	**recipe**	명 요리법, 조리법
17	**delicious**	형 아주 맛있는
18	**diet**	명 1. 식사, 식단 2. 식이요법, 다이어트
19	**flour**	명 밀가루
20	**noodle**	명 국수, 면
21	**seafood**	명 해산물
22	**chew**	동 씹다
23	**swallow**	동 삼키다
24	**a spoonful of**	~ 한 숟가락
25	**help yourself (to)**	마음껏 (가져다) 먹다

DAY 12 패션

01	design	명 디자인, 설계 동 디자인하다, 설계하다
02	style	명 스타일, 방식
03	trend	명 유행, 추세, 트렌드
04	pattern	명 무늬, 패턴
05	stripe	명 줄무늬
06	plain	형 무늬가 없는, 단순한
07	colorful	형 색이 다채로운, 화려한
08	tight	형 꼭 끼는, 딱 붙는
09	fit	동 (치수·모양 등이) 맞다
10	cloth	명 옷감, 천
11	cotton	명 면, 솜
12	wool	명 양모, 모직
13	fur	명 털, 모피
14	sew	동 바느질하다, 꿰매다
15	knit	동 (옷 등을) 뜨다, (옷감을) 짜다
16	needle	명 바늘
17	button	명 1. 단추 2. 버튼
18	sleeve	명 소매
19	boots	명 장화, 부츠
20	sneakers	명 스니커즈
21	suit	명 (상하 한 벌로 된) 정장 동 어울리다
22	jewelry	명 보석류, 장신구
23	wallet	명 지갑
24	look good on	~에게 잘 어울리다
25	try on	~을 입어 보다, ~을 신어 보다

DAY 13 쇼핑

01	**store**	명 가게, 상점 동 보관하다, 저장하다
02	**grocery**	명 식료품
03	**goods**	명 상품, 제품
04	**prefer**	동 더 좋아하다, 선호하다
05	**purchase**	동 구입하다, 구매하다 명 구입, 구매
06	**pay**	동 지불하다, 내다 명 임금, 보수
07	**cost**	동 (값·비용이) ~이다[들다] 명 값, 비용
08	**include**	동 포함하다, 넣다
09	**expensive**	형 비싼
10	**brand**	명 브랜드, 상표
11	**discount**	명 할인
12	**customer**	명 손님, 고객
13	**clerk**	명 점원, 판매원
14	**cashier**	명 (상점·호텔 등의) 계산원
15	**counter**	명 계산대, 판매대
16	**recommend**	동 추천하다, 권하다
17	**complain**	동 불평하다, 항의하다
18	**receipt**	명 영수증
19	**change**	명 1. 거스름돈, 잔돈 2. 변화 동 변하다, 바꾸다
20	**precious**	형 귀중한, 값비싼
21	**afford**	동 (~을 할) 여유가 있다
22	**choice**	명 선택(권)
23	**credit card**	명 신용 카드
24	**for free**	무료로
25	**stand in line**	줄을 서다

DAY 14 스포츠

01	match	명 1. 경기, 시합 2. 성냥 동 어울리다, 일치하다
02	goal	명 1. 목표 2. 골, 득점
03	shot	명 1. (축구·농구 등에서의) 슛 2. (총기의) 발사, 총성
04	victory	명 승리, 우승
05	champion	명 챔피언, 우승자
06	medal	명 메달
07	stadium	명 경기장, 스타디움
08	outdoor	형 야외의
09	athlete	명 (운동)선수
10	coach	명 (스포츠 팀의) 코치
11	referee	명 심판
12	practice	동 연습하다 명 연습
13	patience	명 인내심, 참을성
14	achieve	동 (일·목적 등을) 성취하다, 달성하다
15	effort	명 노력, 수고
16	challenge	명 도전 동 도전하다
17	cheer	동 환호하다, 응원하다
18	beat	동 1. 이기다 2. 치다, 두드리다
19	competition	명 1. 대회, 시합 2. 경쟁
20	marathon	명 마라톤
21	sweat	명 땀 동 땀을 흘리다
22	tournament	명 토너먼트, 승자 진출전
23	gain	동 얻다, 획득하다
24	in spite of	~에도 불구하고
25	be held	열리다, 개최되다

DAY 15 여행

01	**travel**	동 1. 여행하다 2. 이동하다 명 여행, 이동
02	**journey**	명 (장거리) 여행
03	**tourist**	명 관광객
04	**schedule**	명 일정, 계획표 동 일정을 잡다
05	**flight**	명 비행, 항공편
06	**airport**	명 공항
07	**passport**	명 여권
08	**passenger**	명 승객, 여객
09	**flight attendant**	명 (비행기) 승무원
10	**reservation**	명 예약
11	**cancel**	동 취소하다
12	**board**	동 탑승하다 명 게시판, 칠판, 판자
13	**depart**	동 떠나다, 출발하다
14	**land**	동 착륙하다, 도착하다 명 육지, 땅
15	**delay**	동 미루다, 연기하다 명 지연, 지체
16	**abroad**	부 외국으로, 해외에
17	**aboard**	부 탑승하여
18	**village**	명 마을, 촌락
19	**scenery**	명 경치, 풍경
20	**landmark**	명 랜드마크
21	**spot**	명 1. (특정한) 장소, 지점 2. 점
22	**amazing**	형 놀라운, 굉장한
23	**be crowded with**	~으로 붐비다
24	**be known for**	~으로 알려져 있다, ~으로 유명하다
25	**look forward to**	~을 고대하다

DAY 16 자연

01	**nature**	명 1. 자연 2. 천성, 본성
02	**forest**	명 숲
03	**desert**	명 사막
04	**waterfall**	명 폭포
05	**coast**	명 해안
06	**cave**	명 동굴
07	**valley**	명 골짜기, 계곡
08	**shore**	명 물가, 기슭
09	**cliff**	명 절벽, 낭떠러지
10	**island**	명 섬
11	**mud**	명 진흙
12	**flow**	동 흐르다, 흘러가다 명 흐름
13	**sunset**	명 해 질 녘, 일몰
14	**dawn**	명 새벽(녘)
15	**breeze**	명 산들바람, 미풍
16	**lightning**	명 번개, 번갯불
17	**earthquake**	명 지진
18	**flood**	명 홍수 동 물에 잠기다, 범람하다
19	**disaster**	명 재난, 재해, 참사
20	**landscape**	명 풍경, 경치
21	**continent**	명 대륙
22	**pole**	명 1. (지구의) 극 2. 막대, 기둥
23	**wonder**	동 궁금해하다 명 감탄, 경이
24	**be surrounded by**	~으로 둘러싸여 있다
25	**be filled with**	~으로 가득 차 있다

DAY 17 동식물

01	plant	명 1. 식물 2. 공장 동 (식물·씨 등을) 심다
02	seed	명 씨, 씨앗
03	branch	명 1. (나뭇)가지 2. 지점
04	pine	명 소나무
05	bamboo	명 대나무
06	bush	명 관목, 덤불
07	weed	명 잡초
08	insect	명 곤충
09	camel	명 낙타
10	whale	명 고래
11	dinosaur	명 공룡
12	lay	동 1. (알을) 낳다 2. (내려)놓다, 눕히다
13	hatch	동 부화하다, 부화시키다
14	leap	동 뛰어오르다, 뛰어넘다
15	bite	동 물다 명 물린 자국
16	dig	동 1. 파다 2. 캐다
17	bloom	동 꽃이 피다
18	male	형 남성의, 수컷의 명 남성, 수컷
19	female	형 여성의, 암컷의 명 여성, 암컷
20	various	형 여러 가지의, 다양한
21	wild	형 야생의
22	hunt	동 사냥하다 명 사냥
23	trap	명 덫, 함정 동 가두다, 덫으로 잡다
24	look after	~을 돌보다, ~을 보살피다
25	find out	~을 알아내다

DAY 18 우주와 기후

01	space	명 1. 우주 2. 공간, 자리
02	planet	명 행성
03	earth	명 1. 지구 2. 땅, 육지 3. 흙
04	spaceship	명 우주선
05	explore	동 탐험하다, 탐사하다
06	astronaut	명 우주비행사
07	exist	동 존재하다
08	universe	명 우주
09	alien	명 외계인 형 1. 외계의 2. 낯선
10	gravity	명 중력
11	surface	명 표면
12	float	동 뜨다, 떠다니다
13	solar	형 태양의, 태양열의
14	lunar	형 달의
15	heat	명 열, 열기 동 가열하다
16	storm	명 폭풍
17	temperature	명 온도, 기온
18	climate	명 기후
19	cycle	명 주기, 순환
20	appear	동 1. 나타나다, 생기다 2. ~처럼 보이다, ~인 것 같다
21	shadow	명 그림자, 그늘
22	last	동 계속되다, 지속되다 형 1. 마지막의, 최종의 2. 지난
23	be likely to	~할 것 같다, ~일 것 같다
24	sooner or later	조만간, 머지않아
25	a number of	(수가) 많은

DAY 19 상태 묘사

01	**material**	명 1. 재료, 물질 2. 자료
02	**wooden**	형 나무로 된, 목제의
03	**metal**	명 금속
04	**solid**	명 고체 형 고체의, 단단한
05	**liquid**	명 액체 형 액체의
06	**shape**	명 모양, 형태 동 ~ 모양으로 만들다
07	**object**	명 1. 물건, 물체 2. 목적, 목표
08	**form**	명 1. 형태, 형식 2. (문서의) 서식 동 형성하다, 구성되다
09	**melt**	동 녹다, 녹이다
10	**frozen**	형 얼어붙은, 언, 냉동의
11	**expand**	동 확대되다, 팽창하다
12	**unique**	형 독특한, 유일한, 고유의
13	**different**	형 다른, 차이가 있는
14	**similar**	형 비슷한, 유사한
15	**perfect**	형 완벽한
16	**possible**	형 가능한
17	**firm**	형 단단한, 확고한 명 회사
18	**sink**	동 가라앉다 명 싱크대, 세면대
19	**bar**	명 1. 막대기, 바 2. (특정 음식이나 음료를 파는) 바
20	**powder**	명 가루, 분말
21	**everywhere**	부 모든 곳에, 어디에나
22	**still**	부 아직도, 여전히
23	**forever**	부 영원히, 언제까지나
24	**upside down**	거꾸로, 뒤집혀
25	**turn into**	~이 되다, ~으로 변하다

DAY 20 과학

01	**experiment**	명 실험
02	**research**	명 연구, 조사 동 연구하다, 조사하다
03	**cause**	명 원인, 이유 동 초래하다, 야기하다
04	**result**	명 결과
05	**method**	명 방법, 방식
06	**process**	명 과정, 절차
07	**detail**	명 세부 사항
08	**collect**	동 모으다, 수집하다
09	**predict**	동 예상하다, 예측하다
10	**analyze**	동 분석하다
11	**compare**	동 비교하다
12	**try**	동 1. 노력하다, 애를 쓰다 2. (시험 삼아) 해 보다
13	**curiosity**	명 호기심
14	**focus**	명 초점, 중점 동 집중하다
15	**prove**	동 입증하다, 증명하다
16	**complete**	형 완전한, 완벽한 동 끝마치다, 완성하다
17	**exact**	형 정확한, 딱 맞는
18	**range**	명 1. 범위 2. 다양성
19	**control**	동 통제하다, 조절하다 명 통제, 제어
20	**cell**	명 세포
21	**chemical**	형 화학의, 화학적인 명 화학 물질
22	**electricity**	명 전기
23	**except for**	~을 제외하고
24	**come up with**	~을 생각해 내다
25	**first of all**	우선, 첫째로, 무엇보다도

DAY 21 사회

01	**society**	명 사회
02	**crowd**	명 군중, 무리
03	**citizen**	명 시민, 주민
04	**senior**	명 1. 연장자, 상급자 2. 졸업반 학생
05	**freedom**	명 자유
06	**equal**	형 동일한, 같은, 평등한 동 ~와 같다, 동등하다
07	**right**	형 1. 옳은, 올바른 2. 오른쪽의 명 1. 권리 2. 오른쪽
08	**rule**	명 규칙, 원칙 동 통치하다, 지배하다
09	**real**	형 진짜의, 현실의
10	**common**	형 1. 평범한, 흔한 2. 공통의
11	**private**	형 1. 개인적인, 사적인 2. 사립의
12	**lead**	동 인도하다, 이끌다
13	**wealth**	명 부, (많은) 재산
14	**fame**	명 명성
15	**population**	명 인구, 주민 수
16	**matter**	명 (고려하거나 처리해야 할) 문제, 일 동 중요하다
17	**main**	형 주요한, 주된
18	**general**	형 일반적인, 보통의 명 (육군·공군의) 장군
19	**responsible**	형 책임이 있는
20	**support**	동 지지하다, 지원하다 명 지지, 지원
21	**volunteer**	동 자원봉사를 하다 명 자원봉사자
22	**charity**	명 자선, 자선 단체
23	**donate**	동 기부하다, 기증하다
24	**in need**	어려움에 처한, 도움이 필요한
25	**tend to**	~하는 경향이 있다, ~하기 쉽다

DAY 22 경제

01	**economy**	명 경제, 경기
02	**rich**	형 1. 부유한 2. 풍부한
03	**exchange**	동 교환하다, 맞바꾸다
04	**produce**	동 생산하다, 제작하다
05	**product**	명 생산물, 상품, 제품
06	**income**	명 수입, 소득
07	**tax**	명 세금
08	**supply**	동 공급하다, 제공하다 명 공급
09	**demand**	동 요구하다 명 수요, 요구
10	**invest**	동 투자하다
11	**trade**	동 거래하다 명 무역, 거래
12	**increase**	동 증가하다, 늘다 명 증가, 인상
13	**reduce**	동 줄이다, 낮추다
14	**provide**	동 제공하다, 공급하다
15	**charge**	동 1. (요금을) 청구하다 2. 충전하다 명 요금, 사용료
16	**extra**	형 여분의, 추가의
17	**fee**	명 요금, 비용
18	**total**	형 총, 전체의 명 합계
19	**profit**	명 이익, 수익
20	**average**	명 평균 형 평균의, 보통의
21	**deal**	명 거래
22	**fortune**	명 1. 재산, 부 2. 운, 행운
23	**on the other hand**	다른 한편으로는, 반면에
24	**instead of**	~ 대신에
25	**depend on**	1. ~에 의존하다 2. ~에 달려 있다

DAY 23 역사

01	historical	형 역사에 관련된, 역사적인
02	past	명 과거 형 과거의, 지난
03	present	명 1. 현재, 지금 2. 선물 형 1. 현재의 2. 참석한
04	century	명 세기, 100년
05	period	명 1. 기간, 시기 2. 시대
06	ancient	형 고대의
07	modern	형 현대의, 근대의
08	royal	형 왕의, 왕실의
09	treasure	명 보물
10	dynasty	명 왕가, 왕조
11	record	동 1. 기록하다 2. 녹음하다 명 기록
12	remind	동 생각나게 하다, 상기시키다
13	human	명 인간, 인류 형 인간의, 인류의
14	generation	명 세대
15	tradition	명 전통
16	custom	명 관습, 풍습
17	remain	동 1. 계속 ~이다 2. 남아 있다
18	revolution	명 (정치적·사회적) 혁명
19	important	형 중요한
20	truth	명 진실, 사실
21	false	형 거짓의, 사실이 아닌
22	realize	동 1. 깨닫다, 알아차리다 2. (목표·꿈 등을) 실현하다
23	due to	~ 때문에
24	in the end	마침내, 결국
25	used to	(전에는) ~였다, ~하곤 했다

DAY 24 법과 범죄

01	law	명 법, 법률
02	crime	명 범죄, 범행
03	judge	명 1. 판사 2. 심사 위원 동 판단하다
04	lawyer	명 변호사
05	detective	명 형사, 탐정
06	thief	명 도둑
07	kill	동 죽이다
08	steal	동 훔치다, 도둑질하다
09	rob	동 강탈하다, (은행·상점 등을) 털다
10	happen	동 일어나다, 발생하다
11	chase	동 뒤쫓다, 추격하다 명 추적, 추격
12	arrest	동 체포하다 명 체포
13	prison	명 교도소, 감옥
14	escape	동 탈출하다 명 탈출
15	court	명 1. 법정, 법원 2. 코트
16	fair	형 공평한, 공정한 명 박람회
17	trial	명 재판
18	suspect	명 용의자 동 의심하다
19	punish	동 처벌하다, 벌주다
20	admit	동 1. 인정하다 2. 허가하다
21	deny	동 부인하다, 부정하다
22	footprint	명 발자국
23	run away	도망치다, 달아나다
24	turn out	~인 것으로 드러나다[밝혀지다]
25	keep ~ from -ing	~가 …하지 못하게 하다

DAY 25 세계

01	nation	명 1. 국가 2. 국민
02	kingdom	명 왕국
03	capital	명 1. 수도 2. 자본 3. (알파벳의) 대문자
04	flag	명 기, 깃발
05	culture	명 문화
06	language	명 언어, 말
07	race	명 1. 인종 2. 경주, 달리기
08	tribe	명 부족, 종족
09	native	형 1. 태어난 곳의 2. 모국어의
10	foreigner	명 외국인
11	area	명 지역, 구역
12	local	형 지역의, 현지의 명 현지인
13	international	형 국제적인
14	peace	명 평화
15	war	명 전쟁
16	soldier	명 군인, 병사
17	army	명 군대, 육군
18	invade	동 침략하다, 침입하다
19	attack	명 공격, 폭행 동 공격하다, 폭행하다
20	defend	동 방어하다, 지키다
21	independence	명 독립, 자립
22	symbol	명 상징, 상징물
23	global	형 세계적인, 지구상의
24	be located in	~에 위치해 있다
25	be divided into	~으로 나뉘다

DAY 26 문학

01	**tale**	명 이야기
02	**fable**	명 우화
03	**novel**	명 소설
04	**poem**	명 시
05	**play**	명 1. 연극, 희곡 2. 놀이 동 1. 놀다 2. 경기하다 3. 연주하다
06	**tragedy**	명 비극
07	**comic**	형 만화의, 웃기는
08	**publish**	동 출판하다, 발행하다
09	**describe**	동 묘사하다, 자세히 설명하다
10	**conclusion**	명 결론, 결말
11	**character**	명 1. 등장인물, 캐릭터 2. 성격, 특징 3. 문자
12	**adventure**	명 모험
13	**monster**	명 괴물
14	**dragon**	명 용
15	**ghost**	명 유령
16	**fairy**	명 요정
17	**giant**	명 거인 형 거대한, 초대형의
18	**witch**	명 마녀
19	**scary**	형 무서운, 겁나는
20	**castle**	명 성
21	**saying**	명 속담, 격언
22	**sentence**	명 문장
23	**once upon a time**	옛날 옛적에
24	**be based on**	~에 기초를 두다, ~을 바탕으로 하다
25	**for the first time**	처음으로

DAY 27 예술

01	**artwork**	명 예술 작품
02	**artist**	명 화가, 예술가
03	**create**	동 창조하다, 만들어 내다
04	**opera**	명 오페라, 가극
05	**classical**	형 고전의, 고전적인
06	**chorus**	명 합창
07	**rhythm**	명 리듬
08	**note**	명 1. 쪽지, 메모 2. 음, 음표
09	**instrument**	명 기구, 악기
10	**stage**	명 1. 무대 2. 단계, 시기
11	**perform**	동 1. 공연하다 2. 수행하다
12	**exhibition**	명 전시회, 전시
13	**display**	동 전시하다, 진열하다 명 전시, 진열
14	**portrait**	명 초상화
15	**statue**	명 조각상
16	**architecture**	명 1. 건축 양식 2. 건축학
17	**original**	형 본래의 명 원본, 원작
18	**beauty**	명 1. 아름다움, 미 2. 미인
19	**value**	명 가치, 중요성
20	**clap**	동 박수를 치다 명 박수
21	**folk**	형 민속의, 민간의
22	**attract**	동 끌다, 끌어들이다
23	**most of all**	무엇보다도
24	**be worth -ing**	~할 만한 가치가 있다
25	**be known as**	~으로 알려지다

DAY 28 영화와 방송

01	film	명 영화
02	theater	명 극장
03	fantasy	명 환상, 공상, 판타지
04	romantic	형 낭만적인, 로맨틱한
05	comedy	명 코미디, 희극
06	horror	명 공포
07	mystery	명 1. 미스터리, 수수께끼 2. 추리물
08	sci-fi	명 공상 과학 영화[소설], SF물
09	series	명 시리즈, 연속
10	scene	명 1. 장면 2. 현장
11	screen	명 화면, 스크린
12	audition	명 오디션, 심사
13	cast	동 캐스팅하다, 배우로 선정하다 명 1. 출연진 2. 깁스
14	award	명 상 동 수여하다
15	public	형 대중의, 공공의 명 대중, 일반인
16	live	형 생방송의, 라이브의
17	audience	명 관중, 청중
18	celebrity	명 유명 인사
19	idol	명 우상, 아이돌 스타
20	director	명 감독, 관리자
21	advertisement	명 광고
22	article	명 (신문의) 기사
23	report	동 1. 보도하다 2. 보고하다 명 1. 보도 2. 보고(서)
24	be moved by	~에 감동하다
25	take place	(행사·회의 등이) 열리다, 개최되다

DAY 29 생각과 표현

01	thought	명 생각
02	expression	명 표현
03	knowledge	명 지식, 앎
04	communication	명 의사소통
05	conversation	명 대화
06	explain	동 설명하다
07	discuss	동 논의하다, 토론하다
08	opinion	명 의견, 견해
09	agree	동 동의하다
10	advise	동 충고하다, 조언하다
11	order	동 1. 명령하다 2. 주문하다 명 1. 명령 2. 주문 3. 순서
12	suggest	동 제안하다
13	allow	동 허락하다, 허용하다
14	mistake	명 실수, 잘못
15	mind	동 신경 쓰다, 싫어하다 명 마음, 정신
16	argue	동 말다툼하다, 언쟁하다
17	imagine	동 상상하다
18	nod	동 (고개를) 끄덕이다
19	yell	동 소리치다, 고함지르다
20	whisper	동 속삭이다
21	correct	형 맞는, 정확한 동 고치다, 바로잡다
22	confuse	동 1. 혼란스럽게 하다 2. 혼동하다
23	memory	명 1. 기억력 2. 기억, 추억
24	can't help -ing	~하지 않을 수 없다
25	give ~ a call	~에게 전화를 하다

DAY 30 온라인

01	online	형 온라인의 부 온라인으로
02	connect	동 연결하다, 접속하다
03	click	동 (마우스·아이콘 등을) 클릭하다
04	address	명 1. 주소 2. 연설, 강연
05	file	명 파일, 서류
06	image	명 1. 이미지, 인상 2. 모습, 그림
07	information	명 정보
08	search	동 찾아보다, 검색하다 명 수색, 검색
09	download	동 다운로드하다, 내려받다
10	post	동 (웹사이트에 정보·사진을) 올리다
11	comment	명 논평, 댓글 동 의견을 말하다
12	reply	동 대답하다, 답변하다 명 대답, 답장
13	data	명 자료, 데이터
14	delete	동 삭제하다
15	update	동 갱신하다, 업데이트하다
16	application	명 1. 애플리케이션, 응용 프로그램 2. 지원(서), 신청(서)
17	text	동 (휴대 전화로) 문자를 보내다 명 글, 본문
18	chat	동 이야기를 나누다, 채팅하다 명 수다, 채팅
19	influence	명 영향(력) 동 영향을 미치다
20	anytime	부 언제든지, 언제나
21	even	부 ~조차도, 심지어
22	addiction	명 중독
23	thanks to	~ 덕분에
24	stand for	(약자·기호 등이) ~을 의미하다, ~을 나타내다
25	stop -ing	~하는 것을 그만두다[멈추다]

DAY 31 회사와 일

01	company	명 회사, 기업
02	business	명 사업, 업무
03	manage	동 경영하다, 운영하다, 관리하다
04	boss	명 사장, (직장의) 상사
05	client	명 의뢰인, 고객
06	meeting	명 회의
07	salary	명 급여, 봉급
08	earn	동 (돈을) 벌다
09	task	명 (일정 기간 내에 해야 할) 일, 과제
10	hire	동 고용하다, 채용하다
11	fire	동 해고하다 명 불
12	apply	동 지원하다, 신청하다
13	quit	동 그만두다
14	interview	동 인터뷰를 하다, 면접하다 명 인터뷰, 면접
15	ability	명 능력, 자질
16	skill	명 기술, 기능
17	reward	명 보상, 사례(금) 동 보상하다
18	career	명 직업, 경력
19	copy	동 1. 복사하다 2. 모방하다, 베끼다 명 복사(본)
20	print	동 인쇄하다, 프린트하다
21	contract	명 계약(서), 약정 동 계약하다
22	signature	명 서명, 사인 형 대표하는
23	carry on	계속해 나가다, 이어서 계속하다
24	ask ~ to	~에게 …해 달라고 부탁[요청]하다
25	make a living	생계를 꾸리다

DAY 32 기계와 기술

01	tool	명 도구, 연장
02	machine	명 기계
03	technology	명 (과학) 기술
04	develop	동 발전하다, 발달시키다
05	invent	동 발명하다
06	bulb	명 전구
07	device	명 장치, 장비
08	energy	명 1. 에너지 2. 활력, 기운
09	powerful	형 강력한, 강한
10	level	명 1. 수준, 정도 2. 높이
11	replace	동 대체하다, 대신하다
12	automatic	형 자동의
13	necessary	형 필요한, 필수적인
14	practical	형 1. 실제적인, 현실적인 2. 실용적인
15	convenient	형 편리한
16	easily	부 쉽게
17	press	동 누르다, 압박하다 명 신문, 언론
18	system	명 체계, 시스템, 장치
19	combination	명 결합, 조합
20	adapt	동 1. 적응하다 2. 각색하다
21	flash	동 번쩍이다 명 1. 번쩍이는 빛 2. (카메라의) 플래시
22	tube	명 관, 튜브
23	get rid of	~을 버리다, ~을 제거하다
24	up to date	최신의, 첨단의
25	deal with	~을 다루다, ~을 처리하다

DAY 33 사고와 안전

01	**accident**	명 사고
02	**dangerous**	형 위험한
03	**safety**	명 안전, 안전성
04	**trouble**	명 문제, 어려움, 곤경
05	**alarm**	명 1. 자명종 2. 경보(기), 경고 신호
06	**signal**	명 신호
07	**prevent**	동 막다, 예방하다
08	**notice**	동 알다, 알아차리다 명 예고, 통지, 안내문
09	**avoid**	동 피하다, 방지하다
10	**damage**	명 손상, 피해 동 손상을 입히다, 피해를 주다
11	**terrible**	형 끔찍한, 참혹한
12	**exit**	명 출구 동 나가다
13	**crash**	동 충돌하다, 추락하다 명 충돌, 추락 (사고)
14	**burn**	동 1. (불에) 타다, 태우다 2. 데다, 화상을 입다
15	**poison**	명 독, 독약
16	**injure**	동 부상을 입다[입히다]
17	**serious**	형 1. 심각한 2. 진지한
18	**rescue**	동 구조하다, 구출하다 명 구조, 구출
19	**survive**	동 살아남다, 생존하다
20	**unexpected**	형 예상치 못한, 뜻밖의
21	**emergency**	명 긴급 상황, 비상(사태)
22	**urgent**	형 긴급한, 다급한
23	**first aid**	명 응급 처치, 응급 치료
24	**after a while**	잠시 후에
25	**watch out for**	~을 조심하다, ~에 대해 주의하다

DAY 34 환경 보호

01	**environment**	명 환경
02	**protect**	동 보호하다, 지키다
03	**pollution**	명 오염, 공해
04	**trash**	명 쓰레기
05	**dust**	명 먼지
06	**noise**	명 (시끄러운) 소리, 소음
07	**greenhouse**	명 온실
08	**harmful**	형 해로운, 유해한
09	**save**	동 1. 구하다 2. 절약하다 3. 저축하다
10	**recycle**	동 재활용하다
11	**separate**	동 분리하다
12	**immediately**	부 즉시, 곧바로
13	**effective**	형 효과적인
14	**warn**	동 경고하다, 주의를 주다
15	**limit**	동 제한하다, 한정하다 명 제한, 한계
16	**destroy**	동 파괴하다
17	**threaten**	동 위협하다, 협박하다
18	**waste**	동 낭비하다 명 1. 낭비 2. 폐기물, 쓰레기
19	**affect**	동 영향을 미치다
20	**direct**	형 1. 직접적인 2. 직행의
21	**eco-friendly**	형 친환경적인, 환경친화적인
22	**recently**	부 최근에
23	**had better**	~하는 편이 좋다[낫다]
24	**keep ~ in mind**	~을 명심하다
25	**above all**	무엇보다도, 특히

DAY 35 상황 묘사

01	hero	명 1. 영웅 2. (책·영화 등의) 주인공
02	popular	형 인기 있는, 대중적인
03	well-known	형 잘 알려진, 유명한
04	major	형 주요한, 중요한 명 전공
05	difficult	형 어려운, 힘든
06	hate	동 몹시 싫어하다 명 증오, 미움
07	impressive	형 인상적인, 감명 깊은
08	valuable	형 1. 귀중한, 소중한 2. 값비싼
09	courage	명 용기
10	miracle	명 기적
11	consider	동 1. 고려하다 2. ~을 …라고 여기다
12	wrong	형 잘못된, 틀린
13	situation	명 상황, 처지
14	expect	동 기대하다, 예상하다
15	forecast	동 예측하다, 예보하다 명 예측, 예보
16	silence	명 침묵, 정적
17	boring	형 재미없는, 지루한
18	especially	부 특히
19	yet	부 아직
20	rumor	명 소문
21	riddle	명 수수께끼
22	humor	명 유머, 익살
23	turn over	~을 뒤집다
24	be related to	1. ~와 관련이 있다 2. ~와 친척[동족] 간이다
25	have nothing to do with	~와 (아무) 관련이 없다

DAY 36 건물

01	**structure**	명 1. 구조, 구성 2. 구조물, 건축물
02	**ceiling**	명 천장
03	**roof**	명 지붕
04	**chimney**	명 굴뚝
05	**fence**	명 담장, 울타리
06	**balcony**	명 발코니
07	**elevator**	명 엘리베이터, 승강기
08	**stair**	명 계단, 층계
09	**gate**	명 1. 문, 출입문 2. 탑승구
10	**garage**	명 차고
11	**yard**	명 뜰, 마당
12	**lawn**	명 잔디밭
13	**floor**	명 1. (실내의) 바닥 2. (건물의) 층
14	**palace**	명 궁전
15	**terrific**	형 아주 좋은, 멋진, 훌륭한
16	**comfortable**	형 편한, 편안한
17	**repair**	동 고치다, 수리하다 명 수리
18	**arrange**	동 1. 배열하다, 정리하다 2. 준비하다
19	**polish**	동 (윤이 나도록) 닦다, 광을 내다 명 광택제
20	**leak**	동 (물·가스 등이) 새다
21	**dirt**	명 먼지, 때
22	**messy**	형 지저분한, 엉망인
23	**belong to**	~의 것이다, ~에 속하다
24	**drop by**	잠시 들르다
25	**be used to -ing**	~에 익숙해지다

DAY 37 가구와 물건

01	**shelf**	명 선반
02	**closet**	명 벽장, 붙박이장
03	**drawer**	명 서랍
04	**furniture**	명 가구
05	**air conditioner**	명 에어컨, 냉방 장치
06	**refrigerator**	명 냉장고
07	**vacuum**	동 진공청소기로 청소하다 명 진공
08	**handle**	동 다루다, 처리하다 명 손잡이
09	**basic**	형 기본의, 기초의
10	**daily**	형 매일의, 하루의
11	**useful**	형 유용한, 도움이 되는
12	**tidy**	형 정돈된, 깔끔한
13	**wipe**	동 닦다, 닦아내다
14	**rub**	동 문지르다, 비비다
15	**hang**	동 걸다, 걸려 있다
16	**remove**	동 제거하다, 치우다
17	**loose**	형 헐거운, 느슨한, 헐렁한
18	**nail**	명 1. 손톱, 발톱 2. 못 동 못으로 박다[고정하다]
19	**hammer**	동 망치로 치다 명 망치
20	**bucket**	명 양동이
21	**ladder**	명 사다리
22	**scissors**	명 가위
23	**blanket**	명 담요
24	**in the middle of**	1. ~의 한가운데에 2. ~의 중반에, ~이 한창일 때
25	**break down**	고장 나다

DAY 38 도로와 교통

01	traffic	명 교통(량), 차량
02	transportation	명 교통수단, 수송
03	seat	명 좌석, 자리
04	site	명 1. 현장, 부지 2. (인터넷) 사이트
05	reach	동 이르다, 도착하다
06	curve	명 (도로의) 커브길, 곡선
07	sidewalk	명 인도, 보도
08	rail	명 기차, 철도
09	sail	동 항해하다 명 돛
10	flat	형 1. 평평한, 납작한 2. 바람이 빠진, 펑크 난
11	rough	형 1. 거친, 울퉁불퉁한 2. 대강의
12	broad	형 (폭이) 넓은, 널찍한
13	careful	형 주의 깊은, 조심하는
14	route	명 길, 경로
15	fasten	동 매다, 채우다
16	engine	명 엔진
17	wheel	명 바퀴
18	chain	명 1. (쇠)사슬, 체인 2. (상점·호텔 등의) 체인점
19	fix	동 1. 수리하다, 고치다 2. 고정시키다
20	downtown	부 시내로, 중심가에
21	bump	동 부딪치다, 충돌하다
22	besides	부 게다가 전 ~ 외에
23	head for	~으로 향하다
24	on one's way to	~으로 가는 길에
25	get to	~에 도착하다

DAY 39 수와 양

01	**amount**	명 (시간·물질의) 양, (돈의) 액수
02	**measure**	동 측정하다, 재다
03	**single**	형 1. 단 하나의 2. 1인용의
04	**double**	형 1. 두 개로 된, 두 배의 2. 2인용의
05	**half**	명 반, 절반
06	**several**	형 몇몇의
07	**enough**	형 충분한 부 충분히
08	**whole**	형 전체의, 전부의
09	**nothing**	대 아무것도 ~ 아니다[없다]
10	**less**	형 더 적은 부 덜, 더 적게
11	**bundle**	명 묶음, 꾸러미, 다발
12	**piece**	명 1. 조각, 부분 2. 작품, 곡
13	**pile**	명 무더기, 더미 동 쌓다
14	**contain**	동 들어 있다, 포함하다
15	**scale**	명 1. 규모, 범위 2. 저울, 체중계
16	**medium**	형 중간의, 보통의
17	**huge**	형 막대한, 거대한
18	**quite**	부 꽤, 상당히
19	**height**	명 키, 높이
20	**rate**	명 1. 비율 2. 속도
21	**within**	전 ~ 안에, ~ 이내에
22	**empty**	형 비어 있는, 빈
23	**actually**	부 사실은, 실제로는
24	**be short of**	~이 부족하다
25	**add *A* to *B***	A를 B에 추가하다

DAY 40 위치와 방향

01	direction	명 1. 방향 2. 지시, 명령
02	straight	부 똑바로, 곧장 형 곧은
03	toward(s)	전 ~ 쪽으로, ~을 향하여
04	far	부 멀리, 멀리 떨어져
05	distance	명 거리
06	location	명 장소, 위치
07	center	명 중앙, 중심
08	bottom	명 맨 아래, 바닥
09	position	명 1. 위치, 자리 2. 자세
10	eastern	형 1. 동쪽에 위치한 2. 동양의
11	western	형 1. 서쪽에 위치한 2. 서양의
12	northern	형 북쪽의, 북부의
13	southern	형 남쪽의, 남부의
14	base	명 1. 밑받침 2. 기초, 토대
15	upstairs	부 위층으로, 위층에
16	beside	전 ~ 옆에, ~의 곁에
17	below	전 ~의 아래에, ~ 미만으로, ~보다 낮은
18	through	전 ~을 통해, ~을 통과하여
19	among	전 ~ 중에, ~ 사이에
20	beyond	전 1. ~ 너머에, ~을 지나서 2. (능력·범위 등을) 넘어서
21	mark	동 표시하다 명 자국, 표시
22	closely	부 1. 가까이 2. 자세히, 면밀히
23	ahead of	~의 앞에
24	on the other side of	~의 반대쪽[맞은편]에
25	side by side	나란히